Bloter dan bloot

Stan Lauryssens

Bloter dan bloot

Manteau

THRILLER

Info en reacties:
www.stanlauryssens.com

Standaard Uitgeverij nv, Belgiëlei 147a, B-2018 Antwerpen
www.manteau.be
info@manteau.be

Eerste druk september 2005

Omslagontwerp Wil Immink

ISBN 90 223 1881 8
D 2005/0034/370
NUR 330

'Leg de lat zo hoog mogelijk.'

RAYMOND CHANDLER

Sneeuw. Overal sneeuw. Nacht. Donkerte. De torenklok van Sint-Paulus luidde één uur, gevolgd door—stilte. Doodse stilte. Iedere stad heeft wijken die nooit worden beschenen door het licht van de maan. Zurenborg is zo'n wijk. De Seefhoek en de Veemarkt ook. Het zijn niet de mooiste en zeker niet de prettigste wijken. Er is een tijd geweest, dat de Veemarkt het basketbalpleintje van Antwerpen was. Willy Steveniers dribbelde als een Harlem Globetrotter rond zijn medespelers, lenig, snel, handig, stuiterend met de bal, strakke pass en twee-pas en jump stop en páts! Een tweepunter. Die tijd is voorbij. Er wordt geen basketbal meer gespeeld op de Veemarkt. Vroeger brandden er gaslantaarns en stond het plein vol platte natiewagens, zoals op de Stadswaag. Maar de Stadswaag is even dood als de Veemarkt en vroeger is ook voorbij. Om de hoek tussen twee bordelen lag een restaurant, de Plaka, wat Grieks is voor 'vrolijk'. Na middernacht kwamen de vrolijke meisjes van plezier er uitblazen bij een glas goed-kope wijn. Eigenlijk waren het geen meisjes maar zee-mannen met rode lippen die in het holst van de nacht de kost verdienden als travestiet. Zij schudden met hun kont en knoopten hun hemd open en pronkten met hun tepels vol haar. Op een stille avond werd de uitbater van de Plaka in zijn keuken doodgeschoten. De meisjes van plezier spijkerden het restaurant dicht met schots en scheve planken. De vrolijke Veemarkt is dood. Donker en dood. Onder een dicht sneeuwtapijt zijn de straten leeg en stil. Witte straten. Koude straten. Geen weer om een hond

7

door te jagen. Erg was dat niet, honden gaan toch niet naar de hoeren.

De lichtreclame van het Erotic Discount Center in de Kommekensstraat beloofde OM DE 7 DAGEN NIEUWE MEISJES en in snackbar Boobies bestelde een late klant frieten met ketchup. *Rode* ketchup. De kleur van de liefde. Het was prikkelend koud. Zo koud, dat zijn bloed ervan zoemde. Een politiecombi reed stapvoets door de Oudemansstraat. Om de hoek, in de Vingerlingstraat, flikkerde een lichtreclame van Sexy World. Dronken fuifnummers zwijmelden door de hoerenbuurt. In de kou, in de sneeuw. *Ne vent blijft ne vent, wat hij thuis niet vindt, zoekt hij op een ander.* Zij hadden hoedjes van papier op het hoofd en zwaaiden met toeters en bellen. Achter een raam liep een heroïnehoertje met zilveren schoenen en een geel mini-rokje heen en weer onder een rode spaarlamp. Zij had katachtige ogen zonder wimpers en zonder wenkbrauwen en droeg een rosse pruik. Haar ring tikte tegen het glas en haar wijsvinger krulde naar binnen.

'*Ne keer poepe, schat?*'

Zij schudden het hoofd.

'*Aftrekke? Lakke'n en plakke?*'

'Hoeveel?'

Vierhonderd, een vriendenprijs.

Per beurt, en oude Belgische franken natuurlijk.

'*Afzuijge? Me me'ne moungd?*'

Achteraan aanschuiven, niet dringen, niet duwen.

Iedereen komt aan de beurt.

Zij stopte haar geld in haar vagina, waar niemand het zou vinden, en tippelde over de Veemarkt naar huis.

Genoeg kogels in de nacht. Genoeg bloedvergieten. Genoeg lijken in de sneeuw. Alles was stil. Wit en stil. De stad sliep—knorrend, ronkend, puffend, zuchtend—alsof zij nooit wakker zou worden. Zij sliep omdat zij moe was. Moe van de doorwaakte feestnacht. Aan het stadhuis hingen de vlaggen halfstok. Alle ramen waren verlicht, op alle verdiepingen. Het afval van een dolle nacht hoopte zich op in de verlaten straten. Bloed. Kogelhulzen. Kartonnen kokers van feestvuurwerk. Sterren en bellen. Chinese letters op wikkels van zijdepapier. Een zilveren damesschoen met een afgesleten zool. Lege bierblikjes. In het midden van de straat lag een meisje van veertien op haar rug in de sneeuw. Zacht blond haar hing als een sluier voor haar gelaat. Zij was gewurgd. De linten van haar roze satijnen balletschoentjes krulden als serpentines om haar hals.

'Vermoord?'

'Misschien.'

'Door wie?'

'Het spook van de Opera,' zei de agent van dienst.

'Wie is zij?'

'Niemand weet het.'

'Heeft zij papieren op zak?'

'Nee.'

'Handtas?'

'Weet ik niet.'

Vreemd, dacht de agent, een meisje zonder handtas. Hij streelde haar hand, die glad en koud was, als een dode vis, en blies het blonde haar uit haar dode gelaat. Starende ogen. Blauwe, koude ogen. Haar tong hing uit haar mond. De agent richtte zich op en zijn schaduw gleed over de gevels. Hij had waterogen en diepe rimpels in zijn voorhoofd, zoals iedereen die voor het ongeluk is geboren. Slechts één helft van de maan was zichtbaar. Waar was de andere, donkere helft? Achtergebleven in het voorbije jaar. Uit de hemel viel een fijne, melancholische sneeuw, die op confetti leek. Het was bitter koud.

Een hoertje onder een straatlamp had speciale hakken onder haar schoenen zodat zij ermee kon tap-tap-tappen op de straatstenen zoals een tapdanseres.

'Kom je mee, schat?' vroeg zij.

Haast je, dacht zij, of mijn kut vriest aan mijn gat.

De eenzame man schudde zijn hoofd en zette zijn weg voort.

Op de benedenverdieping van het stadhuis was een noodhospitaal ingericht. Overal lijken. Een zoon bracht zijn vader binnen, die in zijn kruis was geraakt. Hij kreeg een kalmeringsspuit en verpleegsters sneden zijn broek van zijn lichaam. Zij gaven alle hoop op toen zij merkten dat zijn teelballen als rottend fruit tussen zijn billen hingen. Op de info-balie aan de zijde van de Suikerrui lag een lichaam zonder schedel op een stapel toeristische folders. Het lichaam en de folders waren doordrenkt met bloed. Aan de hand van kledingstukken en juwelen die de slachtoffers droegen, probeerden speurders van de lokale recherche hun identiteit te achterhalen. De wetsdokter onderzocht de lijken en bracht littekens en andere uiterlijke kenmerken in kaart. Twee verplegers in witte overalls droegen een man op een draagbaar naar het Schoon Verdiep. Hij leefde nog, maar niet lang meer. Een medewerker van het Rode Kruis riep de bevolking op om bloed te geven.

'In al mijn dienstjaren heb ik veel moordscènes gezien,' zei de wetsdokter.

'Gruwelijk als dit?' vroeg een verpleger.

'Nee, nooit.'

Een wijkagent ondervroeg de eerste verdachten.

'Waar was je vannacht?'

Geen antwoord.

'Vannacht om twaalf uur?'

Geen antwoord.

'We kunnen je meteen in de gevangenis smijten,' zei de agent.

'...en de sleutel weggooien,' vulde een collega aan.

'Ik zat... in 't café,' zei de verdachte.

'Welk café?'

'Mijn stamkroeg.'

'Welke stamkroeg?'

'Café Telstar.'

'Den Telstar? Aan de Waalse Kaai? Dat stinkend schijt-huis, noem je dat een café?' riep de wijkagent.

'Hoeveel pinten heb je gedronken?'

'Vierentwintig.'

'Vierentwintig?'

'Ja. Een bakske.'

Buurtonderzoek leverde geen nieuwe gegevens op.

'Een dolle schutter!'

'Met een geweer?'

'Neeje, ne pistonnekesrevolver!'

'Begint het vuurwerk?' vroeg Frieda.

'Vals alarm,' lachte Wilfried F.

Iedereen had de schoten gehoord maar niemand had de schutter gezien en niemand wist van waar hij had ge-schoten. *Willy Moens kreeg de eerste kogel tussen zijn ogen. Zijn schedel ontplofte en de kogel kwam er langs zijn hals uit. Volgende kogel. Bloed en hersens spatten als een natte stofwolk uit het hoofd van een rijkswachter te paard.* BÁMMM! *Een meisje viel dood op de parkeer-strook.* BÁMMM! *Wilfried F. vloog uit zijn schoenen met een gat zo groot*

11

als een tennisbal in zijn achterhoofd. BÁMMM! BÁMMM! BÁMMM! Zomaar, in het wilde weg, het was pure waanzin. Smeltwater en bloed kolkten in de riool. BÓÓÓMMM! Frieda keek naar haar rechterborst. Haar ribben lagen bloot. Een tweede schot rukte haar baarmoeder uit haar lichaam. BÁÁÁNG! en nog eens BÁÁÁNG! en BÁÁÁNG! en BÁÁÁNG! Een Hollander zakte op zijn knieën in de sneeuw, met zijn darmen als spaghetti tussen zijn vingers.

'Is VTM er al? Of de VRT?'

'Wie is de schutter?'

'Waar is hij?'

'Pas op! Pas op!'

'Bel de politie!' riep iemand.

Aan de lopende band werden dozen met dode lichamen uit het stadhuis naar buiten gedragen. Een fotograaf van de gerechtelijke politie filmde de lijken onder verschillende hoeken, om het bloedbad zo afschuwelijk mogelijk in beeld te brengen. Tussen de brokstukken van het oude jaar waren verweesde ouders op zoek naar hun kinderen. Vlakbij loeide een sirene met 180 decibel. Aangetrokken door de geur van bloed cirkelden de meeuwen boven het stadhuis, miauwend als jonge katjes. Assistenten van het gerechtelijk labo baggerden door de sneeuw en markeerden de ligging van de slachtoffers met blauw poeder uit een busje—een soort Vim—dat zij rond de dode lichamen op de sneeuw strooiden. Zij werden misprijzend 'de kuisploeg' genoemd. In de lucht speurde een politiehelikopter naar de sluipschutter.

'We zitten op een dood spoor,' zei de onderzoeksrechter.

'Hoe is zoiets mogelijk?'

'Kunnen we méér doen?' vroeg een procureur.

Verplegers rolden hun broekspijpen op.

Het leek alsof de hele stad tot haar enkels in het bloed stond.

'Wat gaat dit grapje ons kosten?' vroeg de stadssecretaris.

'Oh tiens, weer een dode,' zei een partijgenoot.

Twee tranen, verder niets.

'Heeft iemand de commissaris van de moordbrigade gezien?'

Witte straten. Lege straten. Tien voor één. De bestelwagen van Belgacom draaide kreunend de Zwartzustersstraat in. Er stonden nieuwe banden onder, van het Russische leger. De banden slipten in de zachte sneeuw. In een poort die toegang gaf tot de kruisweg van Sint-Paulus stond het hoertje onder de gebeeldhouwde letters IN IERUSALEM POTESTAS MEA. Schoon gerief, dacht Tuborg. De kerkdeur zat dicht. In een zijstraat ontplofte feestvuurwerk. Op de eerste verdieping van een huis volgestouwd met beelden en schilderijen, zoals in een museum, flikkerde een televisietoestel.

'We zijn te zwaar geladen!' riep Tuborg en hij trok aan het stuur.

Zijn armen werden moe.

Fred Flintstone holde in kleur over het scherm en knalde tegen een muur. Hij bleef eraan plakken, dan viel hij plat achterover op zijn rug. Tussen de huizen schoot een zevenklapper omhoog met een staart van sissende sterren.

'Zin om te neuken, schat?' vroeg het hoertje.

Tuborg draaide het raampje naar beneden. 'Hoe heet je, poeperdepoepje?' vroeg hij.

'Ikke? Ik hjeet Tante Terry,' antwoordde het hoertje.

'Ben je beroeps?'

'Wat denk je?'

'Ik denk dat je nog maagd bent,' lachte Tuborg.

'Klopt. Wie ben jij?' vroeg het hoertje.

'Een stierenvechter uit Spanje.'

'Een stierenvechter? Dan ben je bij mij aan het goede adres.'

'Waarom, poeperdepoepje?'

Het hoertje rolde met haar ogen. 'Mijn schaamlippen klepperen als castagnetten.'

Zo'n stuk! dacht Tuborg. 'Een stierenvechter en een maagd... dat moet vuurwerk geven, zeg!' zuchtte hij.

'Bij de zaak blijven, *toreador*,' zei Bruxman droog.

'*Abbia pazienza*, Brux,' lachte Tuborg. 'Tante Terry is de nieuwe liefde in mijn leven. Met haar win ik het wereld-kampioenschap snelneuken.'

'*Oep eejn bjeen*,' zei Tante Terry.

Zij spreidde haar benen en klepperde met haar castag-netten en Tuborg likte aan zijn lippen.

Bruxman veegde het zweet van zijn voorhoofd.

Het bleef sneeuwen, zoals in de helse winter van 1955, toen het ook vroor en sneeuwde zonder ophouden en de bermen bezaaid lagen met afgevroren vingerkootjes. Waar is de tijd? 1955. Ray Kroc—een man van twaalf stie-len en dertien ongelukken—verkocht zijn eerste ham-burger onder de naam McDonald's. Elvis Presley nam *Heartbreak Hotel* op, een singletje, hij schudde met zijn heupen en vond de rock-'n-roll uit. In Californië opende Disneyland zijn deuren. Marilyn Monroe reed op een olifant door New York en James Dean en Nathalie Wood waren top of de pops in Hollywood. In Korea woedde de oorlog en Vietnam—*het Gele Gevaar*—loerde om de hoek. Rusland bracht alle landen van het Oostblok bijeen in een 'Warschau-pact' dat door NATO als *het Rode Gevaar* werd be-stempeld. Spleetogen tegen schijtluizen. China dreigde met een atoomaanval en de communist Nikita Chroesj-tsjov sloeg met zijn schoen op tafel.

Bruxman zette de scanner af.

Jacques Dutronc uit de boxen.

Il est 5 heures—Paris—s'éveille...

Hij keek op zijn horloge. Eén uur.

Europa was bang voor het gele en het rode gevaar.

Regent het in de rest van de wereld, dan drupt het in Antwerpen. Van september tot december 1955 liet de socialistische burgemeester 'ten laste van het Rijk' twaalf ondergrondse atoomschuilkelders of 'schuilbunkers ten behoeve van de bevolking' bouwen: twee grote bunkers 'ieder voor 123 personen' en één kleine bunker 'die plaats biedt aan 70 personen' onder de Groenplaats; vier grote bunkers op het middenplein van de Frans Hensstraat, de Schijfstraat en de Maurits Sabbelaan; twee kleine bunkers onder de Vrijdagmarkt; één bunker voor hemzelf en zijn vrienden onder de Grote Markt en twee kleine bunkers onder de Handschoenmarkt en de Veemarkt. Om weerstand te bieden aan de langverwachte atoomaanval werden de bunkers verstevigd met scherp zand, 'steenslag die vrij is van aarde, stof, slijk en andere stoffen schadelijk voor het beton' en beveiligd met dubbele betonplaten 'van overgesulfateerd metaalcement' met een dikte van tien centimeter. In iedere kelder werden 'bunkerbanken' geplaatst, vervaardigd door de Werkhuizen Mertens in Mortsel, plus veldbedden, voedselvoorraden voor enkele weken—voornamelijk cornedbeef in blik—gasmaskers en grote hoeveelheden medicijnen, dekens en drinkwater. Alle ondergrondse bergplaatsen en wc's werden beveiligd met metalen deuren en voorzien van gietijzeren ventilatieroosters. De Firma Algemene Aannemingen Fl. Van den Bulck uit Merksem bouwde de twaalf atoomschuilkelders 'overeenkomstig de regelen van de kunst' voor een totaalbedrag van 10.617.123 oude Belgische franken, 'met dien verstande dat betaling slechts zal geschieden nadat de instemming van het Rijk is verworven'.

'Stop,' zei Bruxman.

'Zijn we er?'

'Ja.'

Tuborg keek verwonderd om zich heen. 'Waar zijn we?'

'De Veemarkt,' zei Bruxman. '*Mijn* Veemarkt. Als kind woonde ik om de hoek, boven de Plaka. Het basketpleintje op de Veemarkt was *mijn* speelterrein. Vroeger was het hier de buurt van beenhouwers en slachters. Kijk naar de namen van de straten, zij verwijzen ernaar. *Beenhouwersstraat, Lange Koepoortstraat, Veemarkt.* Ik ben opgegroeid met de stank van bloed en bloot vlees in mijn neusgaten.'

Hij was bang in het donker. Hij sliep met zijn kin onder de dekens, want zijn vader beweerde dat de duivel onder zijn bed woonde. Als hij vloekte, moest hij zijn mond spoelen met groene zeep. Zijn moeder was aan de drank. Iedere ochtend zag zij ratten in een hoek van haar slaapkamer. De dokters hadden alle hoop opgegeven. Iedereen in de familie zei dat hij een verwende rotkloot was. De familie had gelijk. Hij *wás* verwend en hij *wás* een rotkloot.

De bestelwagen stopte in het midden van het plein.

'Zeg niet dat we *hier* ons geld achterlaten, in het midden van nergens,' lachte Tuborg smalend.

'Natuurlijk wel.'

'Waar dan?'

'Ondergronds.'

'*Onder-de-grond?*'

'In de ouwe atoomschuilkelder van de socialisten.'

'Atoom...? Laat me niet lachen,' zei Tuborg.

'Ik lach niet. *Nooit.* Gestolen geld ligt veiliger onder de Veemarkt dan in de kluizen van de Nationale Bank. Ik geef het je op een briefje.'

'...kunnen we het net zo goed wegstoppen in een lege metrokoker,' zei Tuborg.

'Daar loopt te veel werkvolk rond. Lege metrokokers worden gebruikt als champignonkwekerijen,' antwoordde Bruxman.

Tegenover de straatlantaarns, in de sneeuw, stonden rode rubberkegels en tussen de basketbalringen was oranje plasticlint gespannen. Het lint was gestolen op een bouwterrein van de stad en wapperde in de wind. Stella stond in het midden van de Veemarkt, wild zwaaiend met zijn armen. Hij vloekte en gaf aanwijzingen en liet de bestelwagen anderhalve meter achteruit rijden. Stella was helemaal ondergesneeuwd. Hij leek op een sneeuwman met een gele veiligheidshelm op het hoofd. Bruxman en Tuborg sprongen elk aan een kant uit de Citroën Jumper. Sneeuw kraakte onder hun zware werkschoenen maat 42. Zij hadden koude voeten en stampten op de grond. Bruxman stak een sigaar op, in éen zilveren pijpje, en nam een zaklantaarn met een halogeenlamp uit de laadbak van de bestelwagen. Met een koevoet wrikte Stella drie betondeksels verstevigd met staal uit het middenplein. Elkington-deksels, volgens het bestek van aannemer Van den Bulck uit Merksem. Het was allemaal zo eenvoudig. Niemand vroeg wat zij daar te zoeken hadden, op dat uur, in het holst van de nacht in het midden van de Veemarkt. Niemand legde hen een strobreed in de weg. De drie bankrovers trokken de deksels opzij en keken in een zwart gat.

'Welkom in de teletijdmachine van Professor Barabas,' zei Bruxman. 'Wie hier binnengaat, wordt teruggeflitst naar de jaren vijftig.' Hij knipte de zaklantaarn aan.

De felle lichtkegel bescheen een diepe, loodrechte schacht met een ruwbetonnen trap. Bruxman stak de zaklantaarn een halve meter voor zich uit en daalde voorzichtig de trap af, naar een doolhof van gangen en nissen en kamertjes vol roestige buizen en losgeslagen en afgebroken en rottende kabels. Zware metalen deuren hingen volledig doorgeroest uit hun hengsels. Vijftig jaar geleden moesten zij na een atoomaanval de eerste schokgolven opvangen. Achter twee meter dikke muren van gewapend beton lag een ruimte die oorspronkelijk was bestemd voor ontsmettende douches. Uit het beton staken waterkranen en douchekoppen, overwoekerd met metaalschimmel.

'Hoe wist je dat...' zei Tuborg.

'...dat op deze plaats...?' vroeg Stella.

'Een atoomschuilkelder onder de grond zat?'

'Ja...aaa.'

'Ik was vijf jaar toen de bunker werd uitgegraven,' antwoordde Bruxman. 'Hier speelde ik verstoppertje.'

'Yabba-dabba-doo!' riep Fred Flintstone vanuit het huis als een museum.

In het brakke water op de bodem van de atoomschuilkelder slingerden oude bakelieten telefoons in het rond, met zelfgemaakte stickers waarop iemand in onhandige letters Deze lijn is NIET beveiligd had geschreven. Op de vochtige betonmuren stonden afdrukken van handen en voeten en aan doorgeroeste metalen deuren en gietijzeren roosters waren fabrieksplaatjes van bakeliet bevestigd met de waarschuwing NIET AANRAKEN en GEHEIM en VOORZICHTIG: LEVENSGEVAAR. In de bunker hing een natte vochtige warmte. Geeft niet, dacht Bruxman. Nat geld is ook geld. Tuborg schoof de zijdeur open en de bankrovers laadden het geld uit de bestelwagen in de atoomschuilkelder. Eerst monsterachtige hoeveelheden Belgische franken in gebruikte biljetten van duizend, tweeduizend en tienduizend frank die zij op de bunker-banken van de Werkhuizen Mertens in Mortsel stapelden. Daarna een onvoorstelbare berg Duitse marken, ponden, roebels, dollars en super-dollars, Japanse yen, Spaanse peseta's, Poolse zloty's, Italiaanse lire en Hollandse guldens, ruw en slordig verpakt, in blauw plastic, met touw eromheen. Zoals oud papier voor het container-park, dacht Bruxman. Het was een hels karwei. Papier weegt zwaar. *Geld* weegt zwaar. Eén miljoen Belgische frank in biljetten van duizend—een baksteen groot—weegt één kilo. Na een halfuur hadden de bankrovers slechts één gestolen pallet overgeladen. Tussen de vochtige muren van de atoomschuilkelder lag 4 miljard 325 miljoen frank, met een foutenmarge van 43 miljoen. Bijna één ton baar geld, da's geen kattenpis. Biljetten. *Bank*biljetten. Zij laadden het tweede pallet over—Amerikaanse dollars, Russische roebels, Zweedse kronen, Franse en Zwitserse francs en brave Hollandse guldens met een totaalgewicht van 1,1 ton aan geld, in cash—plus drie kartonnen dozen met waardepapieren van de Deutsche Bank, de Schweizerische Bankverein, de Bank of Japan en de Federal Reserve Board.

'We komen er niet meer aan, tot de politie ons vergeten is,' zei Bruxman.

'We *bevriezen* het geld,' zei Tuborg.

'Hoe lang?' vroeg Stella.

'Zes maanden. Misschien een jaar.'

'...en na dat jaar?'

'Dan verdelen we de buit en gaat ieder zijn eigen weg.'

'Hoe verdelen we?' vroeg Stella.

'Zoals afgesproken,' zei Bruxman.

'Eerlijk delen?' zei Stella.

Eerlijk? dacht Bruxman. Wat is eerlijk? Wie braaf is

krijgt lekkers, wie stout is, betaalt bibbergeld. Dat is eerlijk. 'Fifty-fifty,' zei hij. 'Ik neem één pallet, één helft is voor mij. Het andere pallet verdelen jullie onder elkaar.'

Stella opende zijn mond. 'Zo'n klein deel? Voor mij? Dan speel ik niet meer mee,' zuchtte hij.

Dood gewicht, dacht Bruxman.

Vanboven te weinig hersenen.

Vanonder te veel kloten.

Hij gaf Stella niet de gelegenheid nog iets te zeggen.

Bruxman speelde met het wapen in zijn broekzak en haalde de trekker over en schoot dwars door zijn broek zonder te mikken. BÁNNGGG BÁNNGGG. Twee kogels met het geluid van scheurend vlees. Stella hoorde de schoten niet, en de kogels hoorde hij ook niet. Zij boorden zich achter het linkeroor in zijn schedel en kwamen er aan de andere kant weer uit. Zijn hoofd spatte uiteen als een watermeloen en de brokstukken vlogen naar alle kanten en BÁNNGGG een derde kogel, minder dan een seconde later, draaide met honderdduizend toeren per minuut door de loop van het wapen en legde zijn hart stil en kwam er langs zijn rug uit, samen met bloed en pus en verse botsplinters van zijn linkerschouderblad. Stella mekkerde ay-ay-ay en strompelde achteruit en viel ruggelings op het beton, half onder water. Alle leven vloeide uit zijn lichaam. Hij was dood op het ogenblik dat hij de grond raakte. Hij was een gelukkig man. Sterven gaf een zalig gevoel, zoals in slaap vallen aan het eind van een lange, vermoeiende dag. Helaas, hij kon het niet navertellen. Gij zult niet doden. Haha, daar moest Bruxman hartelijk om lachen. Hij kuchte en trok zijn neusgaten wijd open. Kruitdampen wervelden in het rond en de bittere stank van cordiet vulde de bunker. Weer een broek naar de kloten, dacht Bruxman, en stak zijn vingers door de kogelgaten. De overall van Belgacom was bespat met bloed. Tuborg slingerde het dode lichaam van zijn broer over zijn schouder en zwierde het in de bestelwagen, tussen de rommel en de lege palletten. Er stonden gasflessen in de laadbak en hier en daar slingerden bankbiljetten in het rond. Onder het rijden waren zij losgekomen van de palletten. Tuborg graaide naar het geld, tot de laatste frank, en bricoleerde het in de diepe zakken van zijn overall bij de Amerikaanse dollars en Duitse marken die hij had 'gestolen' op de binnenplaats van de Nationale Bank.

'Waar blijf ik met mijn broer?' vroeg Tuborg.

'Verbranden en verder niets van aantrekken,' zei Bruxman. 'Alle sporen uitwissen.' Hij keek naar de donkere hemel. 'Microgolven? Gaarstoven? Doet er niet toe. Eens dood, altijd dood.'

Mensen begraven, dacht hij, da's een hobby gelijk een ander.

Tuborg schoof de Elkington-deksels over de donkere schacht en camoufleerde de atoomschuilkelder met losse sneeuw. Bruxman zette zijn gele veiligheidshelm af. Hij trok zijn oranje fluo-jasje en zijn overall van Belgacom uit en gooide de kledingstukken bij de gasflessen en zijn valse pruik en valse snor in de laadbak. De kerkklokken van Sint-Paulus sloegen twee uur. De bankrovers konden de petroleumgeur ruiken van het Scheldeslijk bij laag tij.

Sneeuw. Witte lege straten. Alles stil, alles donker.

Waar was Tante Terry?

Stipt om acht uur begon de dagelijkse briefing in het politiekantoor aan de Lange Nieuwstraat. In het dienstlokaal hing een gekleurd stratenplan van Antwerpen aan de muur. Op twee tafels met een blad van formica stonden hoge schrijfmachines naast een nieuwe computer die niemand gebruikte. De derde tafel lag vol leren riemen, met zwarte wapenstokken en handboeien en nieuwe lichtgewichtrevolvers van kunststof van het merk Glock, met vijftien kogels in de lader. Op de vensterbank lag een pak roodgelijnd papier. **Europees vingerafdrukblad**, stond erop. Agenten zakten onderuit op plastic stoelen en slurpten hete koffie uit de automaat. Zij droegen zwartleren bomberjacks en een leren broek verstevigd met gewatteerde kniestukken. In de keuken amuseerden vier agenten met binnendienst—gekleed in blauwe broek en blauwe trui—zich met een spelletje Monopoly. Zij gebruikten blauwe teerlingen en betaalden met echt geld. Er is te weinig blauw op straat, zeggen de mensen. In het politiekantoor was *te veel* blauw. Een officier rookte een sigaret en bladerde in een *Handleiding voor het gerechtelijk verhoor van kinderen* die hij van een collega in bruikleen had gekregen. Regel één: het verhoor van kinderen is bijzonder pijnlijk en mag enkel gebeuren door experts die hiertoe zijn opgeleid. Handen af, dacht hij, geen spek voor mijn bek. De teerlingen rolden over de tafel.

DOBBELSTEENTJES

BOL BOL BOL

ALS IK JE IN 'T BAKJE ROL—

—neuriede een oude flik.

Een topper van Louis Baret.

In godsnaam. Wie kent Louis Baret?

'Bij Monopoly ben je op de goede weg als je de Groenplaats kan bemachtigen plus de rue Royale in Doornik en de Lippenslaan in Kortrijk,' zei een agent die op handen en knieën onder de tafel kroop en de teerlingen opraapte van de grond.

Twee azen.

Iedereen was hondsmoe na de lange doorwaakte nacht.

'Ben je van dienst?'

'Altijd,' zuchtte een collega en keek op zijn horloge.

Met een zware sleutel opende Alain de metalen deur van de eenpersoonscel. De arrestant lag ineengekruld te slapen. Alain trok hem bij zijn oor omhoog van de matras en sleurde hem door de keuken naar het dienstlokaal. Met moderne handboeien van de American Handcuff Company werd hij met één hand aan een tafelpoot vastgeklonken. De arrestant was een kale Kroaat met rotte tanden. Hij liep mank, een werkongeval van enkele jaren geleden. In zijn heup zaten drie kogels.

'Het spijt me dat ik je heb gearresteerd,' zei Alain.

'Ik wil je enkele vragen stellen,' zei de officier.

'Hopelijk duren het nicht te lang,' antwoordde de Kroaat. Met zijn vrije hand wreef hij de slaap uit zijn ogen.

'Je begrijpt waarom wij in dit dossier uiterst voorzichtig zijn,' zei Alain.

Ich begrijp nichts, dacht de kale Kroaat.

'Ik rol een blanco proces-verbaal in mijn schrijfmachine en wij beginnen,' zei de officier. 'Wil je iets eten of drinken?'

Geen antwoord.

De telefoon rinkelde.

'Je naam is... Yaachov? Yaakov? Met k? Of met ch?'

De arrestant had die nacht geplette cafeïne-tabletten in zijn hersenen gesnoven, langs zijn neus. Hij was zenuwachtig en opgefokt en onzeker en agressief. Er zat een stier in zijn lichaam en het leek alsof de stier elk ogenblik uit zijn kleren kon barsten.

'Met k of ch?'

De Kroaat haalde zijn schouders op.

'Doe niet moeilijk, vent,' zei Alain. 'Wij doen ook maar ons werk.'

'Met k. Yaakov met k.'

De officier hing over het toetsenbord en tikte met twee vingers.

'Yaakov betekenen Jacob in het Hebreeuws,' zei de Kroaat.

'Werd je eerder gearresteerd in dit land?'

'Zal kunnen.'

'Of was het de eerste keer?'

'Ik denkte dat jullie alles weten.'

Opnieuw. Zelfde vraag. 'Was het de eerste keer?'

'Dat weet ich nicht meer.'

'Goed. Vertel je eigen verhaal, slim paljaske, in je eigen woorden,' zuchtte de officier.

De agenten in de keuken telden hun geld. De teerlingen dansten opnieuw van de tafel en rolden over de vloer door de gang tussen de voeten van de Kroaat.

'Wablief?' vroeg Yaakov. 'Ich zijn een bitchen hardhorig.

'Giet zijn voeten in betonnen schoenen en smijt hem in het Albertkanaal!' riep een flik die tandpijn had aan al zijn tanden tegelijk.

'Ich pleiten unschuldig,' zei de Kroaat.

'Onschuldig?'

'Ja. Ich ein gute soldaat. Ich volgen befehlen op.'

'Bevelen van wie?'

Alle Mongolen en Tsjetsjenen en Kroaten en Albanezen en andere Oostblokkers zijn één pot nat, dacht de officier. Een tsjoek-tsjoek blijft een tsjoek-tsjoek, hoe je 't ook draait of keert. *Op basis van verdachte elementen...* tikte hij, *...binnen het kader van... werden onze diensten belast met... een reeks huiszoekingen... Wij houden eraan te signaleren dat...* Hij bladerde in vergeelde stukken uit een oud dossier afkomstig van het Centraal Bureau voor Opsporingen en toonde de arrestant een foto van een kogelgat in een plafond.

'Och ja, dass...' zei Yaakov. 'Er zitten op mein wc ein Joegoslaaf die zein pistool schönmaakte.' Hij rolde met zijn ogen en bestudeerde de donkere ramen. Het was bitter koud buiten. Zachte, pluizige sneeuw dwarrelde uit de hemel. De eerste sneeuw van het nieuwe jaar. 'Per ongeluk gaan ein schot af.'

'Wie was die Joegoslaaf?'

'Weet ich nicht.'

'Wat deed hij op uw wc?'

'Kakken, natuurlich!'

'Strooi een handvol peper in zijn gat,' zei Alain. 'Misschien kakt Yaakov dan ook.'

'Zolang hij heel 't spel niet onderschijt...' antwoordde de wachtmeester.

'Peper of geen peper, Jacob kan de pot op,' zei de officier.

Alle politiegraden waren aanwezig in het dienstlokaal, van 'agent' en 'agent-brigadier' en 'agent-hoofdbrigadier' tot 'hoofdinspecteur' en 'hoofdinspecteur eerste klasse' plus een aantal calog'ers. Een moeilijk woord om burgerpersoneel bij de politie mee aan te duiden. Zij liepen rond in alle richtingen, als kippen zonder kop. Nervositeit heet dat, de poepers, zenuwen. De officier-van-wacht betrad het lokaal. Er kon geen lachje af. Hij had zich sedert Kerstmis niet meer geschoren en toch had hij een messcherp kaaksbeen. Hij schraapte zijn keel voor de briefing die het vaste ritueel was van iedere dag, driehonderd vijfenzestig dagen per jaar, driehonderd zesenzestig in een schrikkeljaar, een heel politieleven lang. 'Zeventien doden op de Suikerrui,' zei de officier-van-wacht. 'Een dode rijkswachter—om eerlijk te zijn, daar is niks aan verloren—en een agent met een kapotte knie. Kreupel voor het leven en zonder valse tanden want die heeft hij per ongeluk uitgekotst in de sneeuw. Draai doej pjeerde. Wilfried F. uit

Kapellen kwam voor het eerst naar het vuurwerk op de Schelde. Wie heeft de havermoutpap tegen de gevel van café Hoegaarden gezien? Zijn hersenen, naar het schijnt. De overblijfselen van zijn vrouw Frieda kunnen zó naar 't klein beenhouwerke op de Grote Markt. Een halve kilo vet spek, een entrecote of twee *saignant* en wat knoken en blote ribben. *D'er zat nen onnozelaer oep 't dak.* Meer weten we voorlopig niet. Wie? Vraagteken. Waarom? Vraagteken.' De officier-van-wacht zuchtte. Hij beet op zijn sigaar. 'De klucht is niet gedaan. De oorlog in Vietnam heeft ook vier jaar geduurd. *Inde twingteg verdringkinge in 't Scheld* en groot alarm op de Keyserlei. Op *nen diner* in het oldtimermuseum bij de luchthaven zijn vijfenzestig feestvierders vergiftigd. Vier doden, tot nu toe. Gif in de vogelnestjessoep. Is dat niet van den hond zijn kloten? Vogelnestjes hebben spijtig genoeg geen kloten. Ik weet het, de Keyserlei en de luchthaven van Deurne liggen in een andere politiezone en zijn ons probleem niet, technisch gesproken, maar toch... *'k denk da den daarde weireldoarlog is begonne,* mannen. *'t Stad sto'doep 't ontploffe. Allez, z'is al ontploft, a'ge 't maaj vroagt.*'

Stilte.

'Zijn er vragen?'

'Is er koffie, baas?' riepen de agenten in koor.

'Ik zal eens een goeie mop vertellen,' zei de officier-van-wacht. 'Allez, echt gebeurd. De profeet Mohammed ligt ziek te bed en Allah zendt de engel Gabriël naar de aarde met een pot hete koffie. Mohammed drinkt van de koffie, staat op van zijn ziekbed en bevredigt binnen het uur veertig gesluierde maagden.'

'Waar een kop koffie toe in staat is!' gromde Alain.

'Ich heb kein koffie nodig,' riep Yaakov.

'Ik ook niet,' zei Vic. 'Veertig maagden, zelfs daar draai ik mijn hand niet voor om. Sedert ik Viagra slik, is ieder schot in de roos, op de schietstand en in bed.'

'Je wordt scherpschutter op je oude dag.'

'Wie weet.'

'Stel je voor, koffie én Viagra, de twee samen, wat moet dát geven?' vroeg een calog'er zich likkebaardend af.

'Pillen zijn nergens goed voor,' zei Alain. 'Weet je wat uitstekend is voor de liefde? Chocolade!'

Met een ouderwets sleuteltje maakte hij de handboei van de Kroaat los. Hij leidde de arrestant naar de vensterbank. Op een stuk platte arduinsteen wreef hij vette zwarte blubberinkt uit een tube, met een rollertje.

'Ontspannen,' zei hij.

'Handen ontspannen,' zei de officier.

'Schudden met de polsen.'

Alain drukte de rechterwijsvinger van de Kroaat in de zwarte blubber.

'Rollen over het papier. Rollen met de vingers. Ro-o-o-o-llen.'

De arrestant had grote, ruige handen. Bruin en behaard. Onder zijn hoekige kapotgewerkte vingernagels zaten zwarte rouwranden. Moordenaarshanden, dacht Alain, en rolde de vingertoppen van de Kroaat in het midden van het rode voorgedrukte formulier, in daartoe bestemde vakjes onder de tekst **Gerolde vingerafdrukken—Empreintes roulées—Gerollte Fingerabdrücke** in het Duits. Eerst rechterduim, dan rechterwijsvinger gevolgd door zijn rechtermiddelvinger, rechterringvinger en rechterpink. Na de rechterhand was het de beurt aan de linkerhand. Aan zijn pinkvinger zat een ring met een grote steen.

'Ich hebben nichts misgedaan,' zei de Kroaat.

Duim, wijsvinger, middelvinger.

De aders in zijn hals stonden gespannen. Alles werd rood voor zijn ogen.

'Joa joeng, het zijn niet allemaal rozen in het leven,' zuchtte Alain. Hij drukte de linkerringvinger van de arrestant in de vette inkt op de platte arduinsteen en ro-o-o-o-lde de grote, bruine, behaarde vinger op het vingerafdrukblad.

Linkerringvinger, linkerpink.

'Bijna gedaan. Enkel nog een controleafdrukje,' zei Alain.

Empreintes de contrôle, Kontrollabdrücke.

Hij klemde de linkerduim tussen zijn twee vingers en precies op het ogenblik dat hij de duim van de arrestant over het formulier wilde rollen, rukte de Kroaat zich los en nam in één vloeiende beweging de rechtermiddelvinger en wijsvinger van de agent in een houdgreep en—kra-ák en nog eens kra-ák—brak de vingers op twee plaatsen en gooide zijn schouder tegen de agent, die naar een hoek van het lokaal strompelde en kermend van pijn met vertrokken gezicht op zijn knieën zakte en met uitpuilende ogen naar zijn kromme vingers keek. Vier agenten trokken gelijktijdig hun wapenstok en ranselden op het hoofd en de schouders en het lichaam van de Kroaat, die languit op de vloer viel en bont en blauw aan handen en voeten naar zijn cel werd gesleept.

'Rotzak!' riep Alain.

'Rotzak komt van *rotsayach*. Dat betekent moordenaar in het Hebreeuws,' zei de wachtmeester.

'Ik ben moe,' zei Vic. Zijn nachtdienst zat erop. 'Ik ga naar huis.'

'Naar huis? Of naar de hoeren?'

'Eerst naar de hoeren en dan naar huis.'

'Wie gaat mee?' riep Alain.

'Heb je Viagra bij?' vroeg de calog'er.

'Viagra? Waarom?'

'Je kent het spreekwoord. *Als de nood het hoogst is, is Viagra nabij.*' De calog'er schaterde van het lachen.

'Ik zou het bijna vergeten,' zei de officier-van-wacht. Hij droeg drie sterren van kapitein op zijn dienstpet en schouderstukken. 'Er is nog *t'jeen en t'ander* gebeurd vannacht. Enkele familiedrama's. Wij maken ons daar niet druk over. Familiedrama's zijn drama's van kutten en kloten, die lossen zichzelf op.' Hij zuchtte. Er zou veel gezucht worden, de volgende uren en dagen. Lieve God, dacht hij, laat het zuchten asjeblief geen weken of maanden duren. 'Werknemers van Belgacom hebben de Nationale Bank leeggeroofd. Moet er nog zand zijn? Van de daders geen spoor en wat erger is, de Nationale Bank ligt in onze politiezone. Wij kunnen er niet onderuit. Dus: ogen en oren open. Zoek die gasten, en geen pardon. Geen minuut te verliezen. De eerste die hen vindt, knoopt hen op aan de hoogste boom. Zijn er vragen?'

Niets, niemand. Geen vragen.

'Vrede aan alle mensen van goede wil,' zei de officier.

'*Komaen manne, d'eroep en d'er oaver!*' zei de wachtmeester. Briefing over. Gedaan ermee.

Enfin, een goed begin is het halve werk.

Marie-Thérèse stak de telefoonstekker in de contactdoos en trok de gordijnen open. Een stralende ochtend, zonnig en koud, met een azuurblauwe hemel waarin een onzichtbare hand witte, wolkige lijnen had getrokken, kriskras door elkaar. Nevel hing over het Galgenweel en in het riet langs het water warmden libellen zich aan de eerste zon van het jaar. Op de plas lag dun ijs. Het was een landschap als een prentbriefkaart. Geluk is 's ochtends door het raam kijken, dacht Marie-Thérèse. Geluk is koffiezetten. Zalig om hier te wonen, aan de rand van de stad en toch midden in de natuur. Alle bomen aan de horizon waren even hoog. In het Waasland kraaide een haan. Een sleepboot dieselde over de Schelde.

De telefoon rinkelde.

De commissaris deed alsof hij sliep. Hij lag in bed, met het hoofdkussen in zijn armen, zachtjes ademend. Hij had te weinig geslapen en zijn oogleden vielen slap van vermoeidheid.

'Laat maar bellen,' riep hij dromerig.

De telefoon bleef rinkelen.

Hij wierp de donsdeken van zich af en deed wat ieder mens doet, iedere dag opnieuw. Hij stapte met zijn verkeerde been uit bed en ging op de WC zitten. Tien minuten, een kwartiertje. Hij keek op zijn horloge en veegde zijn gat af met toiletpapier van den Aldi. Op blote voeten pletste hij naar de badkamer en ging op de weegschaal staan. Het ritueel van iedere ochtend. 75 kilo, schoon aan de haak. Willen of niet, hij kreeg een buikje. Ik moet iets doen aan mijn lijn, dacht hij, en hij trok met een tangetje het haar uit zijn linkerneusgat. Zijn wenkbrauwen werden iedere dag witter. Hij zuchtte en liep naakt door de living naar het raam. Sommige mannen verbeteren met de jaren. Andere worden het slachtoffer van drank en vrouwen en sigaretten en strompelen als een wrak naar hun einde. Ik mag niet klagen, hout vasthouden, dacht de commissaris. De geur van verse koffie—de verleidelijkste geur ter wereld—zweefde door de kamer. Hij bleef voor zijn boekenrekje staan en hield zijn hoofd schuin, om de ruggen te lezen. Op het tapijt lagen hoezen van oude vinylplaten. LP's uit de fifties en sixties, grijsgedraaid en kromgetrokken van de ouderdom. Chet Baker en Miles Davis en Oscar Peterson en Dave Brubeck maar ook Elvis Presley en Roy Orbison en de Everly Brothers in hun glimmende hemden. Fraaie hoezen en oude platen, de commissaris was er verliefd op. Hij had er de hele nacht naar geluisterd, doordrongen van weemoed die niemand kon verklaren en die altijd 's nachts komt, altijd 's nachts. Marie-Thérèse dekte de ontbijttafel. Verse croissants, cornflakes, muesli, knäckebröd, jus d'orange en sinaasappelmarmelade van een Engels merk. Met zijn kopje koffie in de hand—zwart, zonder melk, zonder suiker— stond de commissaris voor het raam, in zijn vertrouwde houding, blootsvoets op de kille parketvloer, zijn benen wijd gespreid, zoals een kapitein op een zinkend schip. Zijn adem verdampte tegen het vensterglas. *Wake up, Little Su—usie...* neuriede hij met een hoge neusstem. *Wake up, wake up Little Su—usie, wake up.* The Everly Brothers. Zijn rechterteelbal deed pijn en zijn maag zat in de knoop. Of misschien waren het zijn darmen. In gedachten verzonken gleed zijn blik van de koude winterzon naar de potloodlijnen in de blauwe hemel. Alle weiland was ondergesneeuwd.

Opnieuw rinkelde de telefoon.

'Alweer,' zuchtte Marie-Thérèse.

'Laat bellen, poesje.'

Uit de straat klonk het doffe kreunen van een auto die niet wilde starten.

Platte accu, dacht de commissaris.

'Ik moet toch naar de WC,' zei Marie-Thérèse en nam de hoorn op.

'Wie is het?'

'De wetsdokter.'

De commissaris nam de telefoon aan.

'Een lijk op je nuchtere maag?' riep Marie-Thérèse op het toilet.

Was het maar waar, dacht de commissaris.

Hij keek op zijn horloge. Elf uur. *Wake up, Little Su—usie, wake up.*

Sneeuw had de kleur van bloed. De kleur van bloed en de smaak van bloed. Hier waren mensen vermoord, dat was duidelijk. Bloed, overal bloed. De commissaris dwaalde met hangende schouders tussen de brokstukken van een huiveringwekkende nacht. Het werd geen winterwandeling. Bloed. Glas en scherven. Glas en bloed. Een zilveren damesschoen in de sneeuw. Honderd jaar geleden had een kleermaker zijn naam op de gevel van een hoekhuis geschilderd. De letters waren verweerd en nauwelijks leesbaar. Op een digitaal scherm naast Western Union flikkerden de wisselkoersen van buitenlandse biljetten in rode letters. Een paar huizen verderop lag de apotheker dood in zijn deuropening, onder een wit laken, naast zijn afgeschoten been, met het stompje van de voet er nog aan. Op de hoek van de Suikerrui en de Grote Pieter Potstraat staken twee roze armpjes met één hand uit de sneeuw. De commissaris ging dichterbij en trok aan het kinderlijkje. Het was geen kind, het was een pop in een blauwe jurk. Zij miste een oog. De schedel was gedeukt en gebarsten. Assistenten van het technisch labo pookten in de sneeuw en zochten bewijsstukken die zij nummerden en bewaarden in kartonnen dozen zonder opschrift. Rijkswachters takelden een paard uit de ondergesneeuwde straat. Een volbloed waaruit al het bloed was weggevloed naar de riool. De stijve zwarte poten staken hoog in de winterse lucht. In de hoeven en de ijzers zaten stalen mordexschroeven, opdat het paard niet zou wegglijden in de ondergesneeuwde straten. De nutteloze schroeven glinsterden in de koude ochtendzon. Het zadel werd losgesneden en het kadaver werd met krakende kettingen op een platte wagen getrokken.

'Wat gebeurt ermee?' vroeg de commissaris.

'Rechtstreeks naar een paardencrematorium in Wallonië,' zei een rijkswachter die in rubberlaarzen door de sneeuw baggerde. 'Zonder kist en zonder dodenmis want een paard heeft geen ziel. Eerst tien uren branden. Daarna de strooiwei, zeker? Van zo'n beest van zeshonderd kilo blijven ocharme twee emmertjes asse over.'

Alle slachtoffers vielen aan de linkerkant van de straat, voor wie met zijn rug naar de kathedraal staat, dacht de commissaris. In zijn hoofd klonk het grijze geluid van ronkende motoren, eindeloos herhaald.

'Enig idee wie de dader is?' vroeg een wapendeskundige van het labo. Hij zocht lege kogelhulzen in de sneeuw. In zijn ogen lag een mistroostige blik. Hij droeg een hoed en rookte een pijp.

De commissaris schudde het hoofd.

Hoed en pijp, daar had hij het volste vertrouwen in.

'Zouden we niet beter wachten, chef?'

'Wachten? Waarop?'

'Tot er iets gebeurt.'

'Het feest is voorbij. Er gebeurt niets meer.'

Hoe lang duurde de schietpartij? Vijf minuten? Een P90 vuurt per minuut negenhonderd kogels af. Vijfmaal zestig tellen, vijfmaal zestig luttele seconden, vierduizend vijfhonderd kogels. Hij mocht er niet aan denken. Zeventien doden in vijf minuten, dacht de commissaris, dat is drie en een halve dode per minuut. Uit een open raam klonk *Schele Vanderlinde* op de melodie van *Gigi l'Amoroso* gevolgd door *Let it Bleed* van The Stones. De commissaris lachte. Hij lachte groen. Onder de hangars verdwenen sintels en houtskool onder wegwaaiende sneeuw. Omgevallen vuurkorven en soepketels rolden over de kaai. Aan de hand van stafkaarten lokaliseerde de rijkswacht alle riolen en vergrendelde riooldeksels.

33

'Bijna niks te vinden. Ik begrijp het niet,' zuchtte de wapendeskundige.

Je vindt wat je zoekt als je lang en goed kijkt, dacht de commissaris.

De ijle mist klaarde op. Aan de blauwe steen ter hoogte van de Flandria-boten meerde een oranjekleurige Zodiak van de brandweer aan. De snelle buitenboordmotor viel stil en twee kikvorsmannen sloegen een touw om een staander en trokken de rubberboot naar de kant. Een blauw lijk werd in een dodenzak geschoven en naar een dodenwagen met witte spatborden gedragen. Om de linkerpols van het lijk zat een klein vrouwenhorloge. Het horloge was stilgevallen om twaalf minuten na middernacht.

'Wéér een lichaam?'

'Uit het water gehaald. Nabij de ponton in Hoboken.'

'Misschien moeten we de hulp inroepen van de douane,' zei een brandweerman.

'De douane?'

'Ja.'

'Waarom de douane?'

'Zij werken met mobiele scanners, om mensen op te sporen.'

De Schelde glinsterde als een school zilveren vissen. Prachtigmooi, dacht de commissaris. Kinderen kwamen op straat en wierpen sneeuwballen naar elkaar. Zij speelden alsof er die nacht niets was gebeurd. Een rolluik werd opgetrokken. De knop van de radio werd omgedraaid en uit het open raam klonk de jingle van het middagnieuws op Radio 1 dat opende met het bloedbad op oudejaarsavond. *Onbekende schoot in het wilde weg op zingende en dansende feestvierders, alsof hij vuurde op trainingsdoelwitten,* zei de nieuwslezer. De commissaris luisterde niet. Misdaad verkoopt, dacht hij en liep verder. Mensen zijn gewend aan misdaad. Wat zouden wij zijn zonder onze dagelijkse portie bloed en tranen? De Schelde ruiste zacht. Op de hoek van de straat slalomde een oude man tussen de politieversperring. Tranen stroomden over zijn wangen. Hij hield de bebloede jas van zijn dochter in zijn handen.

'Ik weet niet of ik mag huilen,' jammerde de oude man.

Uit de richting van het Steen en de Veemarkt kwam een hoempapa-fanfare in zwart uniform, met vlaggen en wimpels in de felste kleuren. De trompetten en bugels en trombones van de blazers schitterden in de zon. Zouden de muzikanten mordexschroeven onder hun zolen hebben? vroeg de commissaris zich af. Om niet uit te glijden op de plakkende sneeuw, zoals de rijkswachtpaarden?

'*Allez* mannen, *geef t'em worsten!*' riep een muzikant met een trommel.

Aan het Hansahuis werd de fanfare tegengehouden door de politie. Zij wilde niet dat de plaats van de misdaad werd vertrappeld door een kudde wilde olifanten.

Het winterterras van Restaurant Maritime was één stervormig kogelgat. Glasscherven met de letters Restau... en ...itime lagen versplinterd in de sneeuw. Daarnaast het groene kruis van de apotheker, in duizend stukken gebroken. Kogels hadden zwarte gaten geslagen in het trottoir.

Rechercheurs verzamelden forensisch bewijsmateriaal. Twee lijkbezorgers wrikten een bevroren lichaam uit de sneeuw. Naast het lijk lagen twee melkkartons vol kogelgaten. Een oude vrouw zat op haar blote knieën in het midden van de straat. Zij prevelde een gebed. Leid ons niet in bekoring, maar verlos ons van het kwade. De wapendeskundige toonde zijn buit. Achttien platgeslagen kogelkoppen en een handvol loodhagel. Geen kogelhulzen. De schutter bevond zich niet in de massa toen hij zijn wapens leegschoot, wist de commissaris. Of schutters, meervoud. De rechterkant van de straat baadde in hevig zonlicht. Hij keek omhoog naar de witte en de grijze gevels. Hij schoot vanuit een raam. Of vanaf een balkon.

Een zwarte rat met een staart van rubber schoot als een schicht over de straat en een agent van een beveiligingsfirma in het wisselkantoor van Western Union greep zijn long rifle en vlamde vanuit de deuropening vier kogels in het beest, dat als een bloederige spons een halve meter omhoog wipte en op zijn rug in de sneeuw viel, met de pootjes omhoog, klauwend in de ijle koude lucht.

'Altijd oppassen voor ratten,' zei de agent.

'Zij slepen afgebroken tanden en versplinterde botjes naar hun nest in de riolen en gaan met lijkdelen aan de haal,' zei de wapendeskundige.

Agenten van het Bijzonder Bijstands Team in zwarte Nomex-overalls trokken de wacht op achter een schild van kogelwerend perspex. De stad is in staat van beleg, dacht de commissaris. De hel is losgebroken. Het wordt oorlog. Laat het moorden ophouden, zet de molen stil. Rechercheurs van de lokale politie zochten naar verdwaalde kogels in een 'gerechtelijke omsluitingszone' die was afgesloten met dranghekken en blauw-wit-blauw plasticlint met de tekst POLITIE NIET BETREDEN POLITIE. Technisch assistenten van het labo in witte overalls, met een wit mondmasker, witte handschoenen van latex—niet tegen de kou—en witte schoenbeschermers droegen kartonnen dozen naar de Peugeot Partner van de gerechtelijke politie die op het trottoir naast Frituur N° 1 en tegenover Frituur d'Anvers stond geparkeerd. De dozen waren genummerd met zwarte viltstift. In Doos 1 lagen drie plastic zakken, genummerd A1, A2 en A3. Inhoud onbekend. In Doos 2 stonden acht confituurpotten. Er zaten lichaamsdelen in, op sterk water. In een pot van Materne zaten de paarse resten van een baarmoeder. Sommige lijkdelen leken te groot voor één pot. Dozen 3, 4 en 5 bevatten verloren schoenen en kledingstukken. Een jonge agent kon zijn nieuwsgierigheid niet bedwingen. Hij keek in Doos 2 en werd lijkbleek. Hij vouwde dubbel en kotste zijn darmen uit zijn lijf. Een gerechtsfotograaf nam detailfoto's in kleur en studenten van het Academisch Ziekenhuis schraapten hersenen en ander lichaamsweefsel van de kapotgeschoten gevel van café Hoegaarden.

'Vies. De hersenen vallen als slijm uit elkaar,' mopperde een student.

'In hersenen kan je pas snijden na zes tot acht weken fixeren.'

Een ziekenwagen vertrok met gillende sirene.

íí́-ÁÁ́, íí́-ÁÁ́.

Aan de overkant antwoordde een politiesirene.

DEE-DAH! DEE-DAH!

Straten lagen opengebroken. Overal puin en afbraakmateriaal. Betonblokken in het midden van de weg. Dit is mijn stad niet meer, dacht de commissaris. Zij is een bouwwerf geworden. Met hun grijpers en kranen hebben aannemers en werfleiders het hart en de ziel uit mijn stad getrokken. Tram 12 stopte aan de terminus ter hoogte van café 't Rond Punt. De commissaris stak het plein over. WACHTPLAATS GEEN TOEGANG stond boven de deur van de rouwkamer. Als er geen toegang was, waarom dan een deur? Waarom een wachtplaats? De commissaris kroop dieper in zijn regenjas en wandelde door de verlaten dreef, met aan zijn linkerzijde een bos met ontwortelde bomen en rechts ordelijke graven achter manshoge taxus, een trage groeier, die wordt aangeplant voor het nageslacht en aan het begin staat van de lange lijdensweg naar de wereld van de dood. Zwarte takken, grijze zerken. Alsof niet alleen de mensen maar ook de bomen en de graven het tijdelijke voor het eeuwige hebben verwisseld, dacht de commissaris. Zijn darmen speelden op. De lucht was zo zuiver, dat hij ze kon proeven. De namiddagzon gaf geen warmte meer. Hij had zich niet geschoren. Hij wreef over zijn wangen, met een schrapend geluid, en kon de zoete geur van zijn stoppels ruiken. Zij geurden naar ijzervijlsel. Vlakbij kraaide een haan.

Hoe is dat mogelijk? dacht de commissaris.

Een haan op een kerkhof.

Een grafdelver klemde een platte halfopgerookte peuk tussen zijn lippen. Hij sloeg het ijs op de grachten aan stukken, waadde door de brede, diepe sloten voor de ontwatering van het domein en zette fuiken en rattenklemmen in het ijskoude water. Hij droeg groene lieslaarzen. Onwillekeurig dacht de commissaris terug aan een mop die Peeters had verteld, een tijdje geleden, over Marie en haar doodskist. Marie was gierig, zij zat op haar centen. In plaats van in een dure kist laat ik mijn vent begraven in een kartonnen doos, dacht zij. Enkele weken na de begrafenis kreeg zij berouw. Zij zocht de grafdelver op en vroeg om de stoffelijke resten van haar man opnieuw te begraven in een échte houten doodskist. Het graf werd opengemaakt maar de kartonnen doos was leeg. Op de bodem lag een briefje, met de tekst: Marie, ik lig in rij vijf, bij een ander wijf.

De gang van het gerechtelijk lijkenhuis was versierd

met ingelijste prenten en gravures van Vesalius en zijn minder beroemde tijdgenoten Spigelius en Berengarius. Het was er lekker warm. In alle hoeken stonden jerrycans met formol van de firma Belgolabo. De wetsdokter kwam zuchtend uit de snijkamer en zette de dubbele deur wijd open. Hij had een groen masker voor, dat neus en mond bedekte. Achter zijn dikke brillenglazen knipperden zijn ogen van vermoeidheid. Hij liet het masker onder zijn kin zakken en smeet zijn handschoenen van groen teflon in een afvalmand. Hij waste zijn handen, met zeep en chloorwater, tot de lijklucht min of meer was verdwenen, en stak een sigaret op. Uit de kraan liep een dunne straal leidingwater. In het winterzonnetje leek het alsof een onzichtbare hand gouddraad had gesponnen tussen de prenten en gravures met afbeeldingen van opengesneden lijken.

'Ken je die mop van Jennifer Lopez en Jean-Marie Pfaff?' vroeg de wetsdokter. 'Zij zaten op de trein van Antwerpen naar Brussel...'

'Sorry, dokter, mijn kop staat er niet naar,' antwoordde de commissaris. Hij legde zijn verkleumde handen op de radiator. 'Ik zit met een probleem. Een *serieus* probleem.'

Een grijze dodenwagen stopte voor het lijkenhuis.

Een nieuw lijk, dacht de commissaris.

'Vreselijk, hoe het hier stinkt,' zuchtte hij.

'De dood heeft een eigen reuk,' antwoordde de wetsdokter.

Alles went, dacht hij, zelfs de stank van een vent.

De commissaris keek in de snijkamer. 'Ik denk niet dat ik ooit eerder zoveel lijken bij elkaar zag,' zei hij.

'Ik raak zelf de tel kwijt, Sam. Op zo'n manier wordt het lopendebandwerk.'

'De meeste lijken hebben kersenrode vlekken op hun lichaam,' zei de commissaris.

39

'Onderhuidse bloedingen,' zei de wetsdokter.

'Waarop wijst dat?'

'Zij werden vertrappeld. Omvergeknald en vertrappeld.' Hij wreef over zijn kale schedel. 'Zoals in westerns vroeger. Cowboys en Indianen en knallende geweren in Cinemascope en een kudde wilde bizons die op hol slaat en met het hoofd naar de grond alles vertrapt en wegmaait wat zij op haar weg tegenkomt. Zo moet het vannacht zijn geweest, Sam. Iemand vlamt in het wilde weg en de massa slaat op hol. Wie geluk had en niet door een kogel werd gedood, had het ongeluk dat hij door wilde bizons werd doodgetrapt.'

'Tel je één of meer schutters, dokter?'

'Hoe bedoel je?'

'Aan de hand van de kogels.'

'Weet ik niet. Eén, twee, twintig? Wie zal het zeggen? Het gebeurt zelden dat ik onmiddellijk de doodsoorzaak van een slachtoffer kan vaststellen. Lijkschouwing is een complex onderzoek waar verscheidene medische specialiteiten bij betrokken zijn.' De wetsdokter blies in zijn handen en zijn warme adem dampte uit zijn mond. 'Wurging is makkelijk,' zei hij. 'Wurging laat altijd sporen achter. Ovale vingerafdrukken, of een kneuzing van de schildklier. Gewoonlijk is bij wurging het kraakbeen aan de wortel van de tong en rond strottenhoofd en luchtpijp gebroken. Schotwonden zijn een ander paar mouwen. Voor een keer hadden wij geluk, de meeste lijken waren nog warm toen zij hier werden binnengebracht, hoewel zij enkele uren in de sneeuw lagen. Een dood lichaam koelt per uur 1 graad Celsius af. De meeste lijken kreeg ik op mijn bord met een inwendige lichaamstemperatuur tussen 30 en 34 graden. Ideaal om een lijkschouwing te verrichten. Alhoewel, er viel niet veel te schouwen. Dood is dood. *Soit.* Om een lang verhaal kort te maken, ik heb kogels gerecupereerd van vijf verschillende wapens plus twee soorten loodhagel. In theorie kan het zijn dat er vijf plus twee is zeven schutters zijn geweest.'

'Weinig waarschijnlijk.'

'Ofwel één schutter...' zei de wetsdokter.

'...die zeven verschillende wapens gebruikte?'

Klinkt goed, dacht de commissaris.

'Ik heb frisse lucht nodig,' zei hij.

'Kom, we maken een wandeling,' antwoordde de wetsdokter.

Hij droeg een bebloede rubberen schort over groene, antiseptische kledij die beschermt tegen infecties. Eigenlijk was het een koddig gezicht: een kaal hoofd met krullen boven de oren, een monumentale bril met een hoornen montuur, allebei de glazen met bloed bespat, en een mondmasker onder de kin. Hij blies de rook naar het plafond, trapte zijn sigaret uit en verwisselde zijn Zweedse klompen voor groene rubberlaarzen. Over zijn antiseptische kledij trok hij een dikke winterjas aan.

'Ken je Jezus Christus?'

'Niet persoonlijk, nee.'

Daar moest de wetsdokter hartelijk om lachen.

'Ik ben niet katholiek,' zei de commissaris.

'Ik ook niet, Sam. Ik ben een gierige jood met een kromme neus en voor joden is de geboorte van Jezus niet het begin van het geloof. Wij wachten op de komst van de Messias. Maar ik ken mijn vaderlandse geschiedenis. Jezus genas zieken, blinden, lammen, melaatsen en doofstommen en wekte de doden tot leven. Vraag me niet hoe Hij dat deed, het blijft een raadsel. Van mij mag Jezus een weekje in het lijkenhuis komen werken en *mijn* doden tot leven wekken. Ik heb er op overschot.'

41

De commissaris en de wetsdokter wandelden naast elkaar naar het erepark langs de joodse begraafplaats. Blauw licht filterde tussen hoge kale bomen en de winterwind speelde met de takken. Mozart werd in een massagraf gedumpt. Goethe bewaarde de schedel van Schiller op de schoorsteenmantel in zijn werkkamer. Napoleon Bonaparte werd tijdens zijn leven 'de menseneter' genoemd. Hij slaapt voor eeuwig in een protserige zeepkist in de Dôme des Invalides. Voor sommige mensen begint het leven ná de dood, dacht de commissaris. De koude lucht tintelde in zijn longen. Sommige grafstenen waren gebarsten. Er kleefde een administratieve sticker op, met de tekst AKTE VAN VERWAARLOZING. Twee grafmonumenten, dat van een zekere Weizmann en van een familie Cohen, waren beklad met hakenkruisen.

'Dat gebeurt, als mensen niet in vrede naast elkaar kunnen leven,' zuchtte de wetsdokter.

De commissaris had een tante die aan kinkhoest was overleden toen zij twaalf jaar was. Hij had haar nooit gekend. Paulina heette zij, zoals haar grootmoeder. Zij werd opgebaard in haar witkanten plechtige-communie-kleed en begraven op het Schoonselhof. Waar precies, dat wist de commissaris niet. Hij had er niet naar gevraagd en zolang zijn ouders leefden, hadden zij nooit de naam van het meisje in de mond genomen. Verdringing, heet zoiets tegenwoordig. Hij keek naar de zerken die schots en scheef omhoogstaken uit het sneeuwtapijt. Een kindergraf. Waarschijnlijk allang onteigend en geruimd, dacht hij. Een doodgraver had hem eens verteld dat de brokstukken van ontruimde graven worden gerecycleerd en vermalen in een breekmachine. Het puin wordt verkocht aan wegenbouwers die het als een soort zachte tussenlaag gebruiken—een sandwichlaag, heet dat officieel—tussen het beton en het asfalt. Voor de commissaris was het een ondraaglijke gedachte dat de botten en beenderen van Paulina ergens tussen Antwerpen en Gent in het fluister-asfalt op de E17 zouden liggen. Hij hoorde het klikken van een fototoestel. Een persfotograaf in een leren jekker nam de commissaris in zijn vizier. Klik-klik-klik-klik. Vier foto's. Hij keek om. Hij zag niemand en haalde opgelucht adem.

Weldadigheid stond in sierlijke letters op een grafmonument, naast een *pleureuse* met lang golvend haar, als symbool voor het eeuwige lijden. Namen op graven waren nauwelijks leesbaar. De wind blies over de begraafplaats en stuifsneeuw hoopte zich op tussen zerken met kerkhofsymbolen. Een omgekeerde fakkel is het leven dat uitdooft. Handen glijden in elkaar als bewijs van eeuwige trouw en liefde. Een uil staat symbool voor de ziel. Het hart is symbool van liefde. Een duif is de dag en een vleermuis is de nacht. Dag en nacht, goed en kwaad. Sneeuwvlokken dwarrelden op de zerken en spatten als zeepbellen uit elkaar.

'Je ziet er moe uit, dokter. Kom, we gaan even zitten.'

'Wat wil je, Sam, ik heb mijn bed niet gezien.'

'Te veel gefeest? De beest uitgehangen?'

'Ik?'

'Ja.'

'Wanneer?'

'Vannacht.'

'Was het maar waar. Werk, werk, werk. Wat heb jij gedaan, Sam?'

'In mijn jonge jaren was ik een zuipschuit. Ik was zo vaak dronken, dat ik voor de rest van mijn leven een kater heb,' zei de commissaris. 'Wij hielden het kalm. Een intiem etentje bij een Thai-Chinees bij ons in de buurt, dan naar het vuurwerk kijken van op Linkeroever en daarna thuis dansen en tot een stuk in de nacht LP's beluisteren. Chubby Checker, Elvis, *Good Golly Miss Molly*, een beetje Dave Brubeck, dat soort dingen. Met één goede fles erbij en zonder telefoon. Om vier uur in bed. Tien minuutjes ting-a-ling-a-ling en slapen.'

Zij gingen op een bank zitten, onder een treurboom waarvan de takken over het ijs op de Hollegracht zwiepten. Uit de boom waaide pluizige sneeuw. Ik zou weer kind willen zijn, dacht de commissaris, zelfs voor één dag. Sneeuwmannen maken en schaatsen en naar hartelust sneeuwballen gooien. Geen moord aan mijn hoofd, geen bloed, geen lijken, geen vijf plus twee is zeven schutters. Hij wreef over zijn stoppelbaard. Hij had een zure smaak in zijn mond.

'Sam?'

'Ja, dokter?'

'Zie jij een verband tussen de dolle schutter of schutters—meervoud—en de overval op de bank?' vroeg de wetsdokter plots.

'Welke overval? Op welke bank?'

'Op de Nationale Bank natuurlijk.'

'Een overval op de *Nationale* Bank?'

'Ja.'

'Wanneer?'

'Gisteren. Vannacht, eigenlijk. Klokslag twaalf uur. Middernacht.'

De commissaris werd lijkbleek.

Wie dat gelooft, is goed gek, dacht hij.

'Wist je dat niet, Sam?'

Pijnlijke stilte.

'Nee.'

'Woon je op de noordpool of zo?'

'Wij keken naar het vuurwerk op de Schelde, Marie-Thérèse en ik, op Linkeroever. Thuis hadden wij de stekker van de telefoon uitgetrokken. Is daar iets op tegen? Indien het ministerie iedere speurder een gsm zou geven, dan zou ik altijd en overal bereikbaar zijn.'

'Het is niet mijn taak om het proces van het ministerie te maken, Sam, maar één ding weet ik zeker: als je niet op de hoogte bent van de hold-up op de grootste bank van het land, ga je er een zware prijs voor betalen.'

De commissaris liet het hoofd hangen. 'Hier word ik op afgerekend,' zei hij en beet op zijn onderlip.

'Wie een fout maakt, betaalt altijd een prijs.'

'Je hebt gelijk, dokter. In deze wereld bestaan geen happy endings.'

'Zij bedienden zich niet van zware explosieven,' zei de wetsdokter.

Wolken hingen laag. Het begon in alle hevigheid te sneeuwen, alsof de hemel zich op de aarde stortte. De fotograaf was nergens te bespeuren. Een ijsvogel brak door het ijs op de vijver en kwam tevoorschijn met een spartelende goudvis. Door de lange dreef onder de kale bomen liepen de commissaris en de patholoog-anatoom terug naar het lijkenhuis. In de verwarmde gang, tussen de prenten en gravures, klopten zij de sneeuw van hun schouders. De bril van de wetsdokter dampte aan. Smeltende sneeuw liep in dunne straaltjes langs zijn slapen. Hij veegde zijn rubberlaarzen af aan een voetmat van gevlochten metaal.

De commissaris beet op zijn lip.

Waarom had hij de stekker van de telefoon uitgetrokken? Zelfs zonder gsm is een speurder vierentwintig uur op vierentwintig speurder, dag en nacht, weekends, feestdagen, zaterdagen, zondagen en Kerstmis en oudejaarsavond inbegrepen. Een speurder is altijd speurder. Hij had een zware beroepsfout gemaakt en voelde zich een mislukkeling. Een nul over de hele lijn. Zonder Viagra is zelfs ting-a-ling-a-ling niet meer wat het is geweest, dacht hij. Eén ogenblik van zwakte en zijn toekomst naar de kloten. Tranen liepen over zijn wangen en zijn borst schokte op en neer.

'Kop op, Sam, niet alles is verloren,' zei de wetsdokter. Het was pijnlijk, zo'n sterke man zo te zien huilen. 'Wij zijn vrienden.'

'Ja.'

'Vrienden helpen elkaar.'

De wetsdokter trok zijn dikke winterjas uit en zocht tussen de plooien van zijn antiseptische pak naar een verzegeld plastic zakje. Bloedvegen op de binnenkant van het plastic. Er zaten drie kogels in. De kop van de kogels was platgeslagen. De wetsdokter zwaaide de kogels voor de neus van de commissaris. '9mm. Heb ik persoonlijk weggesneden uit ruggengraat en schedel van een sukkel die op de Suikerrui in de sneeuw lag. Drie ballen in zijn lijf. Uit nieuwsgierigheid heb ik de kogels onder de microscoop gelegd. Ik ben geen technisch laborant, Sam, en ik ken niets van ballistiek, maar ik heb ogen in mijn kop en mijn ogen liegen niet. Iedere kogel wordt vervormd als hij door menselijk weefsel gaat... en de groeven en krassen op een afgevuurde kogel zijn even uniek als vingerafdrukken, of als het DNA van een mens.' Hij haalde diep adem. 'Ik herken zo'n kogel uit de duizend. Zelfs een blinde ziet welke kogels uit een Browning 9mm Parabellum komen. Ken je dat kinderspelletje, van vroeger? Koud kouder koudst? Warm heter heetst? Iemand verstopt een bal en zijn vrienden zoeken ernaar. Hoe dichter zij bij de bal komen, hoe warmer het wordt.'

'Bedoel je... dat... dat...?'

'Ja, Sam.'

'...dat de kogels uit... uit de...de...Browning van... van...?' stotterde de commissaris.

'Deze kogels komen *zonder enige twijfel* uit het gestolen dienstwapen van Peeters waarmee veertien dagen geleden een van de smeerlappen is neergeschoten die betrokken was bij de voorbereiding van de hold-up op de Nationale Bank.'

'Echt waar, dokter?'

'Mijn kop eraf als het niet waar is.'

Moet ik er een tekening bij maken? dacht de wetsdokter.

'Dat zou betekenen dat... dat de hold-up en... en de slachtpartij op de Suikerrui het werk zijn van een en dezelfde bende?'

'Twee in één, zoals shampoo van Pantene,' zei de wetsdokter. 'Shampoo + conditioner. Twee in één. De kogels wijzen in die richting.'

De commissaris trok bleek weg.

Wake up Little Su—usie, wake up.

'Wat ga je met... met de kogels doen, dokter?'

De wetsdokter glimlachte. 'Routine. Hetzelfde als altijd. Alle kogels die ik uit een lijk haal, gaan naar het technisch labo voor ballistisch onderzoek. Wat er verder mee gebeurt, is mijn zorg niet. Ik neem aan dat de scanner een digitaal beeld maakt en de krassen en groeven op de kogel vergelijkt met krassen en groeven op kogels uit andere moordonderzoeken. Secuur werk, dat tijd vraagt. Voor de eerste resultaten op tafel liggen, zijn we minstens twee weken verder. Dan wordt een rapport geschreven en uitgeprint en verzonden. Alweer verloren tijd. *Bref.* Je hebt minstens *twee* weken voorsprong op het technisch labo,

Sam. Vóór het ballistisch rapport in handen komt van de juiste mensen, gaat *weer* een week voorbij. Dat zijn *drie* weken in totaal. Je hebt drie weken voorsprong op de onderzoeksrechter en de magistraten. Dat is een zee van tijd. Vlieg erin, Sam. Geef er een lap op. Alle remmen los en *pakt ze bij hun radijzen*.'

'Dank je, dokter.'

'Maar pas op, Sam. Maak geen slapende honden wakker.'

Ik niet, dacht de commissaris.

Wees gerust, dokter, ik niet.

Ik zal mijn huid duur verkopen.

De deur zwaaide open. Uit de autopsiekamer walmde een vreselijke stank van bloed en drek en verrotting. Over de meeste lijken hingen witte lakens. Een stagiair deponeerde een hart en een handvol hersenen op een weegschaal—identiek dezelfde weegschaal als bij de slager om de hoek—en noteerde het gewicht op een schoolbord. Hersenen: 1,200 kilogram. Hart: 500 gram. Uit een koelcontainer staken twee dode voeten. Een assistent knipte een partij doorrookte longen uit een blubberige massa. De patholoog-anatoom zette zijn rubberlaarzen naast elkaar onder de prenten van Vesalius en zijn tijdgenoten. Op een grijze gravure stonden Latijnse spreuken in vertaling naast middendoor gesneden zwangere vrouwen. *De persoonlijkheid van een vrouw wordt bepaald door haar baarmoeder* en *Het lichaam van de vrouw staat in dienst van haar vagina*. Op een andere gravure tilde een man met een baard zijn buikwand op en toonde zijn darmen aan de wereld. Vervolgens stroopte hij zijn eigen huid af.

'Word je nooit moe, dokter?' vroeg de commissaris.

'Hoe bedoel je, Sam?'

'Van al dat bloed? Al die lijken? Al die ellende?'

De wetsdokter lachte. 'Ach Sam,' zei hij. 'Ik ben gewoon *ein dreckiger Jude*. Een smerige jood, en joden zijn nu eenmaal bloedzuigers. Daarom had Dracula een joodse neus.'

De hemel was grijs en grauw. Meer sneeuw op komst. Het werd bitter koud. De commissaris slofte over de slotgracht. Dun ijs op de vijver. Hij liep haastig de trappen op naar het kasteel waarin de administratie van Schoonselhof is ondergebracht. De panden van zijn mosterdkleurige regenjas klapperden in de wind. Aan de secretaresse van de begraafplaats vroeg hij de weg naar de WC. De commissaris stroopte zijn broek af. *Pffffft*. Wind, allemaal wind. Hij liep rood aan en trok van schaamte het toilet door. De flush maakte zo'n oorverdovend lawaai, dat het leek alsof hij naast of onder of zelfs in de waterval van Niagara stond, en zoals bij de beroemde waterval vlogen de natte spetters om zijn oren, meer *uit* dan *in* de toiletpot. Er was geen toiletpapier. De commissaris gebruikte zijn zakdoek om zijn billen droog te wrijven. Probleem: zijn zakdoek stond stijf van opgedroogd snot. Het leek alsof hij met schuurpapier over zijn billen wreef. Op de deur van de WC was een reproductie van een filmposter geprikt—The Big Sleep, met Lauren Bacall in een zwartzijden jurk en Humphrey Bogart in de rol van Philip Marlowe—met vier roestige punaises, een in iedere hoek van de poster. Humphrey Bogart had slaperige ogen. Hij droeg identiek dezelfde regenjas als de commissaris.

'Dat jij zo klein bent,' zei de secretaresse toen hij kreunend uit het toilet kwam. 'Op foto in de krant lijk je groter.'

'Klein? Ik, klein? Pardon, ik meet een *volle* één meter zeventig schoon aan de haak,' antwoordde de commissaris gevat. 'Hoe groot was Elvis Presley? Zwijg, ik wil het niet weten! Sylvester Stallone en Mel Gibson, díe zijn klein. Zij dragen schoenen met hoge hakken. Sylvester Stallone heeft zelfs hoge hakken *in zijn sokken*. Klein, ik? Hoe kom je erbij? Ik ben in ieder geval een stuk groter dan Danny de Vito!'

Hij voelde zich hondsmoe. Te weinig geslapen vannacht, dacht hij. Te veel gedronken en te weinig geslapen. Hij had wallen onder zijn ogen. Op een grafsteen ontcijferde hij de gebeeldhouwde woorden *Luctor et emergo*, wat Latijn is voor *Ik worstel en ontkom*. Ontkom aan wat? Aan de dood? Er bestaan geen winnaars in het leven, alleen verliezers. Aan het eind gaat iedereen dood. De commissaris zat vol zwarte gedachten. Vergeef het mij, dacht hij, ik ben ook maar een mens, en zoals alle mensen wissel ik goede en kwade dagen af. Het kon God-zij-dank alleen beter worden. Hij rook de brandgeur van het crematorium en de muffe stank van de strooiwei. Een tram rondde de terminus aan café 't Rond Punt en de commissaris spurtte naar de overkant.

Op steunberen aan weerszijden van de hoofdingang van het oude gerechtshof stond links *De Rechtvaardigheid* van Eugène de Plyn en rechts *De Wet* van Frans Deckers. Ieder bronzen beeld was vier meter hoog. Een vaardige hand had in een bronzen inscriptieplaat boven de bruine toegangsdeur de tekst VOORZICHTIG EN KRACHTVOL—HEERSEN RECHT EN WET gegraveerd. Naast de trappen stonden een Volkswagen-busje en een Toyota van de lokale politie. Boordradio's knetterden in code. Op de stoep naast het gerechtshof wachtten satellietwagens van VRT en VTM en een donkerblauwe Iveco van de rijkswacht. In een Opel Ascona zaten twee rechercheurs in burger. Geheimpikeurs, dacht de commissaris. Hij liep de trappen op, voorzichtig, om niet uit te glijden. Er waren meer trappen naar boven dan naar beneden. Reportageploegen van ATV en RTBf en buitenlandse televisiezenders renden door de wandelzaal van het gerechtshof en drukten hun microfoons onder de neus van magistraten en speurders die toevallig voorbij de camera liepen. Flora duwde haar wagentje met poetsgerei—dat zij haar 'cleanmobiel' noemde—door de zaal en dweilde de vloer. Een reporter vroeg in het Fins of zij commentaar wenste te leveren op de fatale gebeurtenissen op oudejaarsavond. Zij begreep er niets van. Flora was een van de twintig 'werksters van de onderhoudsploeg' en sprak geen Fins. Zij antwoordde in plat Aàntwààrps dat zij niets had gehoord of gezien want dat zij bezig was met andere zaken en giechelde en krulde haar tenen. Een substituut toonde de verslaggevers een voorbeeld van de bankbiljetten waar de rovers mee aan de haal gingen. Zwitserse franken, ponden, dollars, oude Turkse lira met zeven nullen, Marokkaanse dirham en kronen uit Noorwegen met de beeltenis van Edvard Munch.

'Zijn de nummers van de gestolen biljetten bekend?' vroeg een journalist.

Daar kon de substituut geen antwoord op geven.

'Is de Nationale Bank voldoende beveiligd?'

Nee, dacht hij, en zweeg.

'Zijn de mensen hun geld kwijt?'

'Sympa, ces cons,' zei een Waalse reporter.

'Pas d'armes,' antwoordde een Fransman.

'C'est rigolo,' zei de Waal.

'Wat zeggen zij?' vroeg Flora.

'Sympathiek. Geen wapens. Grappig,' vertaalde de substituut.

'Is de Nationale Bank verzekerd tegen diefstal?'

De substituut haalde zijn schouders op.

'The IRA is involved,' riep iemand van de BBC.

'Wat zegt hij?' vroeg Flora.

'Het werk van de IRA.'

'Nooit van gehoord,' zei Flora.

'Zware jongens.'

'Terroristen,' zei een reporter.

IRA, mijn kloten, dacht de commissaris.

'Stekebees, is er nog koffie?' vroeg de substituut.

'Straks, schatteke,' zei Flora en knipoogde en kneep in zijn wang.

'De hold-up is het werk van beroepsmisdadigers,' zei de procureur.

Overal spotlights. De commissaris stak zijn handen en zijn armen voor zich uit en baande zich een weg tussen de persmensen. Hij wilde niet gefilmd of gefotografeerd worden. Aan het eind van de wandelzaal sloeg hij rechts af, een brede gang in. Een dubbele zwaaideur scheidde de gang van de wandelzaal. Hij duwde de twee zwaaideuren tegelijk open. Achter een barst in het glas stak een grijs karton met de tekst UITSLUITEND VOORBEHOUDEN TOEGANG voor de personen door de H.H. Onderzoeksrechters en Wetsdokters ter verschijning Opgeroepen in onhandige drukletters. Aan het eind van de gang drukte de commissaris op een bel in de muur. Weer een grijs karton, met de tekst HIER AANMELDEN— BELLEN EN BLIJVEN STAAN A.U.B. in dezelfde onhandige drukletters. De commissaris keek naar de rafels aan de mouwen van zijn jas en neuriede de vertrouwde litanie uit de Carmina Burana van Orff die door zijn hoofd speelde telkens als hij voor het kabinet van de onderzoeksrechter stond. Paaa—paapaapaa—tuuum—tuuum— tuuum. De verzen van de Carmina Burana kreeg hij nooit meer uit zijn hoofd. Hij probeerde zijn kalmte te bewaren. Knarste zijn tanden. Eerlijk zijn, dacht hij. Gewoon zeggen waar het op staat. Klinkt het niet, dan botst het.

'Kom binnen!' riep de onderzoeksrechter.

Zij was in een rothumeur.

Zware tabaksrook hing als een stofwolk in het kabinet. In het midden van de antieke kamer met gebrandschilderde ramen stond een eikenhouten tafel met het patine van vals antiek. De tafel kreunde onder stoffige dossiers in gele mappen. Rond sommige dossiers zat een elastiek. Twee lampen tegen het hoge, oude plafond wierpen op de tafel een koud, doods licht zonder schaduwen.

'Proficiat, commissaris. Goed begin van het nieuwe jaar,' zei de onderzoeksrechter met een vals lachje. 'Negen overvallen met geweld—op een nachtwinkel, een frituur, twee garages en bij suikerfabriek Candico in Merksem— een bloedbad met ikweetniethoeveel doden en de hold-up van de eeuw op de koop toe, niet in Johannesburg dat volgens statistieken de gevaarlijkste stad ter wereld is, en niet in Chicago of New York, maar HIER, commissaris, op VIJF MINUTEN van het gerechtshof, in de grootste stad van Vlaanderen.'

De commissaris zuchtte. 'Het onderzoek is in volle gang,' antwoordde hij op afgemeten toon.

Veerle Vermeulen stak een Gauloise op. 'Uw onderzoek van de laatste kans,' riep zij schril. 'Uw hoofd ligt op het hakblok, commissaris. Eén fout, één verkeerde beslissing en uw kop gaat eraf.' Zij rukte haar leesbril van haar neus en drukte haar sigaret uit in een koperen asbak met een beeltenis van Manneke Pis, die zijn tingelingeling met twee handen vasthield en in een zeeschelp plaste.

Trut, dacht hij. Klotewijf.

Doe maar. Doe wat je niet kan laten.

Hij nam zijn nieuwe politiekaart uit zijn portefeuille—met zijn foto in kleur, zijn naam en voornaam in drukletters, en de woorden POLITIE POLICE POLIZEI naast een Belgische driekleur—en smeet de kaart onder de neus van de onderzoeksrechter op de tafel. Vroeger had hij zo'n mooie penning van verzilverd brons, die hij altijd bij zich droeg om te bewijzen dat hij een ambtenaar van de gerechtelijke politie was. Na verloop van tijd was het zilver afgesleten en werd een roodachtig metaal zichtbaar. Hij was trots op zijn penning. Zo'n politiekaart in drie talen, dat was toch maar flut. Net een betaalkaart, alsof hij bij de politie in het rood stond. 'Praat mij geen schuldgevoel aan,' zei hij kalm. 'Mij treft geen schuld. Ik heb niet geschoten. Ik heb de schatkist niet leeggeroofd.'

De commissaris zweette onder zijn oksels.

Angstzweet.

Een half rijkswachtpeloton, tot de tanden gewapend, had zich stand-by verschanst in een leeg lokaal op het Schoon Verdiep. De commissaris liep met twee treden tegelijk de trap op, struikelend over de uitgesleten treden. *Veni, veni, venias.* We vliegen erin, dacht hij. Dingdong—dingdong—dingdong. Zijn gezicht betrok. Daar was het weer, het klokje van de tijd. Het klokje dat de beste jaren van zijn leven wegtikte. Stress trok diepe lijnen in zijn gelaat. *Inne minne macra re re dominos alle bakke sjoebejakke rim dos dos.* Al wie dat niet zeg—gen kan die is—er—aan. Hardop neuriede hij het aftelrijmpje van vroeger. Niemand in de verhoorkamers, niemand in de lokalen van de speurders, niemand op de houten banken. Alles stil, alles leeg. De commissaris ijsbeerde door de lange gang. Handen in de broekzakken. Met zijn benen wijd gespreid staarde hij naar de wolken aan de hemel. Hij vloekte binnensmonds. Moord en misdaad hebben altijd een motief, dacht hij.

Niemand moordt *zomaar*, om een lijk meer of minder. Het was donker in zijn kleine verhoorkamer die de commissaris als kantoor gebruikte. Verf bladderde van het bureau en van de metalen archiefkast. De leeslamp had betere tijden gekend. Hij had er een polaroidfoto van Marie-Thérèse aan vastgehangen, met een houten wasknijper. Zij droeg een zomerhoedje van stro dat zij in een zotte bui in de Veritas had gekocht. De foto was kromgetrokken door de hitte van de lamp. De commissaris zuchtte. Hij hing zijn regenjas aan de houten kapstok en ging vóór zijn bureau zitten, op de ongemakkelijke houten stoel die de speurders 'de stoel van de verdachte' noemden, met zijn handen voor zijn gezicht. Hij lachte bitter. *Schluss*, zand erover. *Wake up Little Su—usie, wake up*. Het was koud in zijn verhoorkamer. Op zijn bureau lag post van twee dagen geleden. Ongeopend. Hij las het verslag van de wijkpolitie—de dagorder, hoewel het verslag in de loop van de nacht was geschreven—en sloeg zijn handen in elkaar, met zijn vingers ineengevlochten, alsof hij iemand de strot dichtkneep.

Alles rustig op de tweede verdieping.

Holle gangen.

Zwijgende telefoons.

De commissaris trok de onderste lade van zijn bureau open. Hij haalde er een rode kartonnen doos uit. In de doos zat een zwart pistool. Het was in een zeemvel gewikkeld. Geen verouderde Browning, zoals de andere speurders van de moordbrigade. Ook geen nieuwe Glock, zoals de stadspolitie, maar een pareltje van Italiaans design uit de fabriek van Pietro Beretta in Brescia, met walnoten kolfplaten op de handgreep. Vijftien patronen in 9mm Para. Het blauwe licht van het wapen weerkaatste in het schijnsel van zijn bureaulamp. De commissaris telde de patronen en woog het pistool op zijn hand. Hij haakte een lege holster uit zijn archiefkast, gespte de holster om zijn schouder en stak er het pistool in.

Bijna onhoorbaar zoemde zijn telefoon.

Een modern gifgroen apparaat. Het rinkelde niet, zoals een ouderwetse telefoon, maar zoemde of ratelde en hoestte zelfs, naargelang de stand van de regeltoets. De commissaris had het nog zo gezegd, geen nieuwe telefoon, ik herhaal: GEEN NIEUWE TELEFOON, maar God wikt en het ministerie beschikt.

Hij legde zijn hand op de hoorn.

Keek op zijn horloge.

Zes uur.

Nerveus werd op de deur geklopt.

De commissaris staarde naar de rug van zijn hand. Levervlekken. Ik word oud, dacht hij en riep: 'B-I-N-N-E-N!'

Vindevogel, van de Cel Gauwdiefstallen. Hij droeg een oranje sweatshirt met de tekst HUP HOLLAND HUP in zwarte letters. 'Vier bezoekers, commissaris,' meldde hij.

Twee rijkswachters en twee politieagenten in uniform zaten naast elkaar op de lange houten zitbank in de gang. Zij waren moe en hadden wallen onder hun ogen, en zij waren ongewassen en ongeschoren. Zij zaten elders met hun gedachten. Wakker blijven terwijl de rest van de stad feestviert, tot daar aan toe. Maar wakker blijven terwijl de rest van de stad slaapt, dat is andere koek.

'Kom mee,' zei de commissaris vriendelijk.

Er stonden niet genoeg stoelen in zijn verhoorkamer.

Over hun uniform droegen de agenten blauwe wintervesten met de letters P-O-L-I-T-I-E op de rug, in witte letters.

'Klopt het dat jullie gisteravond nachtdienst hadden voor het gebouw van de Nationale Bank?' vroeg de commissaris vriendelijk. 'Beschrijf in je eigen woorden wat er precies is gebeurd.'

'Staan wij onder verdenking?'

'Jullie zijn getuigen. *Kroongetuigen*.'

'Om de beurt hielden wij de Nationale Bank in het oog, vanuit de combi,' zei de agent met de snor. Hij drukte zijn sigaret uit tegen de poot van zijn stoel en stak de peuk in het borstzakje van zijn uniformjas. 'Ineens ontplofte de verdeelkast van Belgacom op het trottoir, aan de overkant van de bank. De jumpers knetterden en vonkten.'

'Hoe laat was dat?'

'Halftwaalf gepasseerd.'

'Spijtig, want ik was aan slag,' zei de andere agent. Een mollige man met een bierbuik en grote voeten. 'Ik zat met goeie kaarten. Drie azen, een heer en een dame. *Mor 'k em direct gezegd*, de bank zit zonder beeld. Telefoonpanne. *Belt—den Belgacom en den bureau*. Terreinondersteuning, noemen wij dat. Officier ter plaatse gevraagd. *Gin avans, commissaire. 'k Kreeg gin aentwoard. Ze sloapen—al oep den bureau, doechtek*. Een kwartier laten kwamen *vanzelfs* die twee techniekers van Belgacom. Natuurlijk hebben wij ze *direct* binnengelaten in de bank.'

'Was er iemand in de buurt?'

'Hoe bedoel je, commissaris?'

'Verdachten?'

'Korporaal niemand,' zei de agent met de snor.

'Niemand op straat?'

'*Neeje, niemante-nie*.'

'Trouwens, stel dat we een verdacht iemand oppakken, *commissaire*, ermee naar *den bureau* rijden, de computer opstarten, hem verhoren, het proces-verbaal uittikken en de verdachte terugbrengen naar de plaats waar we hem hebben opgepakt, dan zijn we anderhalf tot twee uur kwijt. Daar beginnen wij 's nachts niet aan.'

De agent met de snor knikte goedkeurend met het hoofd.

Een van de twee rijkswachters hing voorovergebogen tegen de radiator. Zijn handen slingerden naast zijn lichaam. Hij haalde traag zijn 'dienstboekje' uit de rechterbovenzak van zijn uniformjas en bladerde erin. Hij begon voorin en bladerde helemaal naar de laatste bladzijde, met houterige gebaren. Voor iedere nieuwe bladzijde bevochtigde hij zijn wijsvinger met speeksel.

De commissaris zuchtte en rolde met zijn ogen.

Wanneer komt het? vroeg hij zich af. Nu? Of nooit?

De rijkswachter veegde zijn natte vinger af aan zijn uniformbroek, trok een gezicht alsof hij nooit in zijn leven één seconde had gelachen, en zei: "k *Doechtet, ik doecht:* stront aan de knikker, Jos. Een ontploffing, alarm, en zoveel geld in die bank. Hier komen vodden van, *doechtek.* Daarom heb ik alles genoteerd in ons dienstboekje, dat alle rijkswachters verplicht zijn om dagelijks bij te houden, als een soort agenda.'

'Alles?'

'Ja. *Vanzekers.*'

'Zoals?'

'Merk en nummerplaat van de bestelwagen.' De rijkswachter likte opnieuw aan zijn wijsvinger. Een brede grijns. Hij had slechte tanden. 'Voilà, hier staat het. Op de laatste bladzijde van mijn boekje. Die gasten kwamen met een Citroën Jumper met geblindeerde ramen, één grote schuifdeur aan de zijkant, de letters B-E-L-G-A-C-O-M op neus en zijdeuren en...'

'Kleur?'

'Wit.'

'Nummerplaat?' vroeg de commissaris.

'XL-196.'

De commissaris trok een pijnlijk gezicht.

'Is er iets, *commissaire*?'

'Een oude nummerplaat,' zei de commissaris. 'Gestolen, zonder twijfel. Ieder jaar worden in ons land dertigduizend nummerplaten als gestolen aangegeven bij de politie. Dat blijkt uit cijfers van de Nationale Gegevensbank. Belgacom werkt met *nieuwe* nummerplaten met drie letters, gevolgd door drie cijfers, bijvoorbeeld AAA222.'

De toiletten stonden wijd open en de geur van urine golfde door de gang in de lokalen en de verhoorkamers. Medewerkers van het gerechtelijk labo droegen kartonnen dozen naar 'het museum' op zolder. Een trap en nog een trap, tot voorbij het washok met de stoffige poster van de koepel van Brunelleschi in Florence. Arbeiders plaatsten een metaaldetector naast de bezoekerslift. In het verhoorlokaal van de commissaris staarden de rijkswachters en de agenten naar het kartonnetje boven de deur op de lijst. *Verboden te roken*, was op het karton gedrukt. Een patser had door het woord *roken* een dikke vette streep getrokken en er *rukken* van gemaakt. *Verboden te rukken*. Hun mond viel open van verbazing en zij proestten het uit van het lachen.

'Valt er te lachen?'

'Verboden te... *rukken*... sorry *commissaire* maar... maar... je broek staat open,' zei een agent.

De commissaris werd rood van schaamte en trok haastig zijn rits dicht. 'Geef mij een beschrijving van de techniekers van Belgacom,' zei hij streng. 'Zo nauwkeurig mogelijk.'

'Tot in het kleinste detail?'

'Ja.'

De rijkswachters keken de agenten aan. De agenten staarden naar de rijkswachters. 'Zij droegen een overall van Belgacom en een gele plastic veiligheidshelm,' zeiden zij allevier tegelijk, alsof zij de les van buiten hadden geleerd. 'De technieker achter het stuur leek op een Italiaanse bokser. Een soort *Rocky*. Ken je *Rocky*? Machtige film, *commissaire*, met Sylvester Stallone. De tweede man was... was... gewoon, eigenlijk. Niks speciaals. Hij had een snor en een grijze paardenstaart.'

'Wit,' verbeterde de rijkswachter.

'Nee, grijs.'

'Wit of grijs.'

'Hoe oud?'

'Vijftig?'

'Vijfenvijftig.'

'Zoiets, ja.'

'Zo oud en zo'n paardenstaart,' zuchtten zij in koor. 'Dat Belgacom *doppers* van dat slag in dienst neemt, gaat ons verstand te boven.'

'Ik ben niet van gisteren, *commissaire*, ik ken mijn job,' zei de rijkswachter met het dienstboekje. 'Ik heb de naam van de technieker genoteerd.'

'Welke van de twee?'

'De chef van Belgacom. De technieker met de snor.'

'Dat wil zeggen, hij noteerde de naam op zijn badge,' zei de agent.

De commissaris trok zijn neusvleugels op. Zijn adem stokte.

'Ik luister.'

'Bruxman, met een **x**,' zei de agent.

Yes! dacht de commissaris. *Yes yes yes!* Hij slaakte een zucht van opluchting. 'Ickx zoals Jacky Ickx,' vroeg hij, 'of een gewone 'x' uit het alfabet?'

'Wie is Jacky Ickx?' vroeg de rijkswachter.

'Ik laat een robotfoto maken,' zei de commissaris. 'Nu, onmiddellijk.'

Het kon niet 'nu' of 'onmiddellijk'. In België werken slechts twee tekenaars exclusief voor 'de Firma', zoals zij de technisch-wetenschappelijke identificatiedienst bij de rijkswacht noemen. De enige tekenaar die vrij was op de eerste dag van het nieuwe jaar moest helemaal vanuit het verre Limburg komen en de E313 was dichtgesneeuwd. Elk land heeft een eigen systeem om robotfoto's te maken. In België worden robotfoto's met de hand nagetekend op basis van neuzen, oren, ogen en haarlijnen die door de getuige van een misdaad of door het slachtoffer uit een boek worden gekozen. Details worden bijgevoegd of uitgegomd op verzoek van de getuige of het slachtoffer. In ieder geval mag een goede robotfoto niet té levensecht of té gelijkend zijn, anders kijken de mensen alleen maar uit naar iemand die *voor de volle honderd procent*, als twee druppels op de foto lijkt, en dat is niet de bedoeling. Een robotfoto is geen levensecht portret. Sommige landen, zoals Duitsland, hanteren een ander systeem. In plaats van een beroep te doen op een tekenaar, schakelen zij de computer in. Op het scherm worden de verschillende onderdelen van een menselijk gezicht—kin, neus, oren, mond, ogen—als het ware aan elkaar gekleefd. Het computersysteem is snel en doeltreffend maar heeft als groot nadeel dat 'bijtekenen' en 'corrigeren' of details aanbrengen—een wrat, een moedervlek, enkele wilde haren—een stuk moeilijker is.

De tekenaar was niet in uniform.

Hij ziet eruit als een kunstenaar, dacht de commissaris.

'Wie zijn de getuigen?' vroeg de tekenaar.

De agenten en de rijkswachters tikten met twee vingers tegen de stijve klep van hun dienstpet.

'Heel goed,' zei de tekenaar. 'Kinderen en bejaarden zijn "slechte" getuigen. Een kind noemt iemand "een grote meneer" maar voor ieder kind is een volwassene een grote meneer. Bejaarden vergeten wat zij vijf minuten ervoor hebben gezien.'

Een trage spreker, zoals alle Limburgers.

'Een robotfoto moet lineair, gedetailleerd en eenvoudig zijn, op het simpele af,' zei de tekenaar. 'Niet overdrijven. Wij maken geen karikatuur. We beginnen met de vorm van het gezicht.'

'Ovaal.'

'Ja. Eivormig.'

'Geen rond ei. Eerder lang. Met een spitse kin.'

Een ei met een spitse kin, dacht de tekenaar.

'Een granieten kop.'

'Neusvleugels?'

'Breed,' zei de rijkswachter.

'Nee, smal,' zei de agent.

'Breed!'

'Smal!'

'Ik zou zeggen... potig.'

'Ja, dat is het juiste woord, een potige neus.'

'Ogen?'

'Koud.'

'Koelbloedig.'

'Ja, koude, koelbloedige ogen.'

'De ogen van een moordenaar.'

'Had hij een snor, een baard, stoppelbaard, bakkebaarden?'

'Donkere snor.'

'Kleur?'

'Van de snor?'

'Ja.'

'Peper-en-zout.'

'Heel elegant, zijn snor.'

'Een dikke snor? Een dunne snor?'

'Stevig.'

'Hij had goud in zijn mond,' zei de rijkswachter.

'Gouden tanden.'

'Goud pakt niet op papier,' zei de tekenaar.

Over de lippen van Bruxman waren zij het allevier eens.

'Volle lippen.'

'Klopt. Vol en dik. Nee, geen potloodlijn.'

'Hoerenlippen. De lippen van iemand die...'

'...die verbitterd is in het leven,' zei de rijkswachter. Hij vermoedde zelf niet, hoe dicht hij bij de waarheid zat. Hij legde zijn rechterhand op zijn pistool, een FN 9mm van Belgische makelij, in een zwarte gesloten holster.

'Haar?'

'In een paardenstaart.'

'Een paardenstaart?'

'Ja.'

'Een kort staartje, bedoel je?'

'Kort? Nee, lang. Hij draaide zijn hoofd en zijn paardenstaart hing over zijn schouder.'

'Kleur?'

'Weinig-peper-en-vééél-zout.'

'Voorhoofdskaalheid? Achteruitgekamd? In een middenstreep?'

'Dat konden wij niet zien. Hij droeg een gele veiligheidshelm.'

'Pukkels?'

'Pukkels? Waar pukkels?'

'Op zijn neus, zijn kin ...'

'Nee. Geen pukkels.'

'Wangen?'

'Ingevallen wangen.'

'Alsof hij lucht naar binnen zoog,' merkte de agent op.

'Oren?'

'Twee,' zei de rijkswachter en de tekenaar proestte het uit.

Na anderhalf uur schetsen en uitvlakken en bijtekenen stond de robotfoto op papier.

Het resultaat zag er zo uit:

'Wat denken jullie?' vroeg de commissaris.

'Bangelijk goed,' zeiden de agenten en de rijkswachters. 'Hoewel... hij lijkt jonger op de robotfoto... vriendelijker.' Zij schudden elkaar de hand.

Bimbambeieren, dacht de tekenaar.

Wie zoekt die vindt de eieren.

Om acht uur die avond waren alle zesendertig speurders van de moordbrigade—de 'afdeling Agressie' volgens het boekje—aanwezig in het gerechtsgebouw. De stad werd verdeeld in sectoren, wat de Duitsers een *Polizeirevier* noemen. Elke speurder nam een sector voor zijn rekening. In een eerste luik werden alle dossiers ondergebracht in verband met het bloedbad op de Suikerrui. Tweede luik was de hold-up op de Nationale Bank. Alle medewerkers van het gerechtelijk labo werden belast met sporenonderzoek, dag en nacht, de klok rond. Omdat het onderzoek *ante mortem*—vóór de dood—even belangrijk is als het onderzoek *post mortem*—ná de dood—werden de persoonlijke eigendommen van alle slachtoffers gefotografeerd: aanstekers, portefeuilles, ondergoed, truien, broeken, bebloede schoenen en zelfs het wisselgeld in hun broekzakken. Telkens wanneer nieuwe informatie beschikbaar kwam, zou een nieuwe fase van het onderzoek starten. Alle zevenentwintig parketten of gerechtelijke speurdiensten in het land werden ingeschakeld. Een moeilijke klus, maar 'moeilijk' is niet 'onmogelijk' in een onderzoek, dat vanaf het begin hopeloos leek.

In samenwerking met de Algemene Directie Gerechtelijke Politie zond de VRT een opsporingsbericht uit. GETUIGEN GEZOCHT. *Verspreid op verzoek van Mevrouw V. Vermeulen, onderzoeksrechter te Antwerpen. Op 31 december werd de Nationale Bank overvallen. De overvallers droegen werkkledij van Belgacom en waren waarschijnlijk gewapend. Zij zijn gevlucht met een lichte bestelwagen met nummerplaat XL-196. Wie inlichtingen kan verschaffen betreffende de feiten, gelieve contact op te nemen met het gerechtshof te Antwerpen of met de dichtstbijzijnde politiepost. Geheimhouding gewaarborgd.* De afdeling Agressie kreeg versterking van de afdeling Zware criminaliteit bij de Bijzondere Opsporingsbrigade—den BOB—van de rijkswacht en van het Bijzonder Bijstands Team, dat de elite is van de politie, en alleen optreedt in extreem gevaarlijke situaties.

De commissaris gaf zijn speurders de raad hun intuïtie te volgen en voort te gaan op wat zij hun 'buikgevoel' noemden. Hij was de dirigent van het orkest. Zijn speurders zorgden voor de muziek. Vingers kruisen, dacht hij, hout vasthouden. 'Speurder' is een eenvoudig woord en beschrijft precies wat het betekent, namelijk 'iemand die speurt'. Een goed synoniem is 'onderzoeker' omdat 'iemand die speurt' tegelijk 'iemand is die onderzoekt'.

'Ik hou van stilte,' zei Ali lyrisch.

Hij droeg een nieuw kostuum van Zara. Ringen aan zijn vingers.

'De stilte voor de storm,' zei Tony Bambino en peuterde met een lucifer tussen zijn tanden. De woorden hadden een vuile smaak in zijn mond. Zijn neus was op twee plaatsen gebroken en hij had een hazenlip. *Bec de lièvre* noemde zijn moeder hem, toen hij klein was. Hij was sterk als een beer, het resultaat van krachttraining in de gymzaal. Een geluk dat het niet regende. Als het regende, voelde hij een knagende pijn in zijn hazenlip, en was hij niet te genieten.

De commissaris wierp de deur in het slot. Zijn gezicht stond op onweer. Hij droeg zijn vertrouwde ribfluwelen broek met sleetplekken ter hoogte van de knieën en een zwarte polo van Lacoste met lange mouwen. Schoenen met de kleur van zeemvel. Zij waren vochtig van de natte sneeuw.

'Slecht nieuws?' vroeg Sofie Simoens. Zij zat met een vreselijke kater. Spaanse champagne van Freixenet, rode en witte wijn, bessenjenever, daarna whisky en gin, het kon niet op, van oud naar nieuw had zij alles geproefd.

'Ik heb een probleem,' zei de commissaris, 'en als ik een probleem heb, dan heeft de moordbrigade een probleem. Ik hang in de touwen en kan slechts twee kanten op. Links of rechts, zoals in een boksmatch.' Hij schraapte zijn keel. 'Om middernacht is de Nationale Bank leeggeroofd. De grootste roof aller tijden in dit land en waarschijnlijk een van de belangrijkste hold-ups in heel de wereld. Niemand weet wie de daders zijn. Onze goede naam staat op het spel. Eerste vraag: welke supergevaarlijke gangster heeft de kennis en de kundigheid om een raid op een eerbiedwaardig instituut als de Nationale Bank tot een goed einde te brengen?'

'Patrick Haemers,' zei Dockx.

'Die klootzak is dood,' zei Tony Bambino.

'Hoe is hij gestorven?' vroeg Deridder.

'Weet je dat niet?'

'Haemers was vóór mijn tijd.'

'Hij verhing zich aan de radiator in zijn cel.'

'Haemers was hard en meedogenloos,' zei Tony Bambino. 'Een snuiver. Verslaafd aan cocaïne. Hij kende geen medelijden. Bij een overval op een geldtransport op de autoweg in Groot-Bijgaarden liet hij de wagen van GMIC ontploffen in een regen van bloed en tranen en kogels. Een geldkoerier kwam om het leven en de chauffeur verloor zijn been, maar van zo'n kleinigheden trok Haemers zich geen bal aan.' Hij wreef zijn duim over zijn wijsvinger. 'Poen, daar was het om te doen.'

'Wij hebben een dichter in huis,' zei Sofie Simoens bewonderend. 'Poen—doen, dat rijmt.'

'Rijmen en dichten kan ik als de beste,' zei Tony Bambino.

'Rijmen en dichten zonder zijn gat op te lichten,' zei Dockx.

Tony Bambino trok zijn linkerbil omhoog en liet een fluitende wind. 'Voilà,' zei hij, 'contant betaald.'

'Zet hem te kakken, Sofie,' zei Deridder.

'Haemers is dus uitgesloten,' zei de commissaris. 'Volgende piste.'

'John Dillinger,' zei Dockx.

'Wie is John Di... Di... Dildo?' vroeg Deridder.

'Een gangster. Een bankrover,' zei de commissaris.

'Uit het jazztijdperk,' zei Dockx.

'Hoeveel bedraagt de buit?' vroeg de commissaris.

Tony Bambino raadpleegde de aantekeningen van de onderzoeksrechter. 'Twee ton, in gewicht,' zei hij. 'Een kleine tien miljard oude Belgische franken, volgens een eerste telling.'

'Niet te verwonderen dat zij een bestelwagen nodig hadden om alles in veiligheid te brengen,' zei Dockx.

Sofie Simoens knabbelde op een Petit Prince met een vulling van chocoladecrème. 'Hoe geef je in godsnaam zoveel geld uit?' vroeg zij.

'Laat God erbuiten,' zei de commissaris.

'Eén druk op de knop van een computer en het geld vliegt van hier naar een of andere bank op de Bahama's,' zei Desmet. 'Natuurlijk moet het eerst hier op een bank staan...'

'...en enkele sluizen passeren voor het als "wit" geld in het circuit komt,' zei Dockx. 'Je hebt hulp nodig, van boekhouders, geldwisselaars, bankiers die grote bedragen van het ene naar het andere belastingparadijs verplaatsen, en hulp kost geld. Hoe sneller "aangebrand" geld van bank en bedrijf verandert, hoe moeilijker het wordt om te achterhalen van wie het is en waar het vandaan komt.' Dockx was groot en sterk. Zijn sport was judo. Zwarte dan. Hij had bloemkooloren, van het smakken en vallen op de tatami.

'Opgezadeld met *twee ton* papiergeld, dat moet geen pretje zijn,' zei Sofie Simoens.

'Tien miljoen frank is een papieren broodzak vol geld,' zei de commissaris. 'Heeft de bankier van de Nationale Bank mij zelf gezegd. Een *groot* brood, uiteraard. Honderd miljoen past in een ordinaire reiskoffer. Maar twee ton? Dat zijn *tweehonderd* koffers van Delsey of Samsonite.'

'Het is mij om het even. Geld interesseert mij niet,' zei Dockx.

'Mij ook niet. Met geld kuis ik mijn gat af,' zei Sofie Simoens.

Sofie is niet op haar mondje gevallen, dacht Dockx. Niet op haar mondje en niet op haar kontje.

'Als dat waar is, Sofie, is de hold-up op de Nationale Bank de grootste diefstal van schijtpapier in de geschiedenis van de mensheid,' antwoordde Tony Bambino ernstig.

'Sofie heeft gelijk,' zei Desmet. 'Wat doe je met geld? Een paar keer lekker eten, evenveel keer de WC doortrekken, en 't is allemaal op.'

'De vier g's,' zei Dockx. 'God, geld, goud en gat. Daar draait alles om.'

'God mag je schrappen, die bestaat niet meer,' zei Desmet.

'In naam van Allah,' zuchtte Ali.

'Mijn broer werkt voor de Hoge Raad voor Diamant...' zei Tony Bambino.

'Amaai, *diamant!*' antwoordde Sofie Simoens en wreef haar duim over haar wijsvinger.

'...als nachtwaker en toiletruimer,' zei Tony Bambino lachend. 'Ik zal hem eens vragen wat joodse diamantairs en nep-handelaren van de Georgische maffia met hun geld doen.'

'Is het waar dat röntgenstralen geen vat hebben op

papiergeld?' vroeg Deridder. 'Naar het schijnt passeren bankbiljetten—zelfs in grote hoeveelheden—zonder probleem door zo'n x-raymachine voor bagage op de luchthaven.'

'Onzin,' antwoordde de commissaris. 'In alle papiergeld zit een metaalstrookje. Sleutels, messen, een schaar, papieren geld... x-rays maken alles zichtbaar op het scherm.'

'Behalve een gsm,' zei Tony Bambino.

'In een gsm zitten geen metalen onderdelen,' zei Desmet.

'Zoveel geld en er geen weg mee kunnen. Als je daar serieus over nadenkt, krijg je maagpijn,' zei Dockx.

'Stel dat een gedeelte van het geld wordt witgewassen, bijvoorbeeld in Tsjechië, via een fraude met valse kredietkaarten,' zei Tony Bambino. Hij was gekleed als een Tsjech, in zwarte, afgewassen jeans en een zwarte trui met rolkraag. 'Een rogatoire commissie wordt naar Tsjechië gezonden. In Tsjechië blijkt dat de kredietkaarten werden verkocht in Hongkong. Weer een rogatoire commissie, ditmaal naar Hongkong. De kredietkaarten zijn eigendom van een bank in Maleisië. Volgende rogatoire commissie, naar Maleisië. Denk je dat ons ministerie geld op overschot heeft om wereldreisjes van de gerechtelijke politie te bekostigen?'

'Je hebt gelijk,' zei Desmet. 'Onze politieke kazakkendraaiers hebben er niets aan als wij de halve aardbol rondreizen op zoek naar bankrovers van het type Haemers. Zij zien ons liever de dief van een gestolen bromfiets oppakken.'

'Eerlijk zijn. Niemand ligt ervan wakker dat de Nationale Bank is leeggeroofd,' zei Dockx. 'Ten eerste drukt de schatkist haar eigen geld en kan zij er zoveel bijmaken als zij wil. Ten tweede zijn bankiers de grootste dieven van allemaal. Als ik met mijn zuurverdiende centen een effect koop, geven zij mij een aalmoes als rente maar als ik om een lening vraag, krijg ik het mes op de keel en betaal ik mij blauw aan kosten en interesten.'

'Eerste werk,' zei Deridder. 'Reconstrueer de overval met behulp van de "trage" videobanden in de bewakingscamera's.'

'We hebben geen videobanden,' antwoordde de commissaris. 'De bankrovers legden het alarmsysteem plat.'

'Wordt iemand gescreend als hij solliciteert naar een betrekking in de Nationale Bank?' vroeg Sofie Simoens. 'Moet hij een bewijs van goed gedrag en zeden voorleggen?'

'Goede vraag,' knikte de commissaris goedkeurend.

'Het zou mij niet verbazen indien de bankrovers hulp kregen van binnenuit,' zei Dockx.

'Kan bijna niet anders,' zei Desmet.

'Wie werkt *binnen*?'

'De bankier, in de eerste plaats. Iedere dag gaat al het geld door zijn handen.'

'Nee... nee... hij niet... dat geloof ik nooit,' zei de commissaris.

'Een medeplichtige werkt niet noodzakelijk *binnen*,' zei Desmet.

'Dat begrijp ik niet,' zei Deridder.

'Iemand die *buiten* werkt en regelmatig *binnen* komt.'

'Zoals?' vroeg de commissaris.

'Een geldkoerier,' zei Desmet.

Dat was een mogelijkheid. De commissaris ordende zijn gedachten. Hij tuitte zijn lippen. 'Vraag foto's op van alle mobiele camera's en flitspalen in een straal van twintig kilometer rond Antwerpen. Tussen middernacht en 1 uur. Als we geluk hebben en hun vluchtsnelheid lag hoger dan de toegelaten snelheid, dan is er automatisch een foto gemaakt. Die gasten reden gewoon de leien af met hun bestelwagen van Belgacom. Een Citroën Jumper. Gestolen, waarschijnlijk. Indien een camera een witte Jumper heeft geflitst in Hemiksem—ik zeg maar iets— dan hoeven we niet in Berendrecht te zoeken.'

'Multinova's ook?' zei Deridder.

'Natuurlijk. Multinova's zijn ouderwetse driepikkels maar zij hebben één voordeel: de radar meet ook de lengte van het voertuig.'

'Waar begin ik?' vroeg Deridder.

'Flitscamera's zijn een zaak van de Dienst Metrologie van het ministerie van Economische Zaken,' zei Tony Bambino.

'Wie neemt contact op met de praatpalencentrale en camerabewaking op de Ring en in de tunnels?' vroeg de commissaris.

'Doe ik,' zei Ali en hij rukte de hoorn van de telefoon.

Minder dan vijf minuten later werden alle intelligente camera's in de stad in werking gesteld. Zodra een gezocht voertuig of een gezochte persoon in het gezichtsveld van de camera kwam, klonk in de meldkamer van de politie aan de Oudaan een signaal en werd het beeld 'bevroren' en aan een nauwkeurig onderzoek onderworpen. Honden-patrouilles rukten uit. Politiecombi's werden met gillen-de sirenes de weg op gestuurd. Zestig politiemensen kamden de rosse buurt uit. De onderzoeksrechter liet huiszoekingen uitvoeren en vroeg strafregisters op. Getuigen en verdachten werden verhoord. Speurders, magistraten, advocaten, gerechtelijke politie, rijkswacht, de hele machinerie werd op gang getrokken.

'Laat ik uitvissen welke mobiele oproepen langs de gsm-masten in de buurt van de Nationale Bank zijn ge-passeerd?' vroeg Sofie Simoens.

'Telefoonscreening? Op oudejaarsavond? Dat zijn

minstens een half miljoen telefoontjes en sms'jes,' zei Deridder. 'Trouwens, een slimme bankrover neemt geen maandabonnement bij Proximus of Mobistar. Hij koopt belkrediet met een Pay & Go-kaart. Eén kaart per week en op tijd weggooien. Niemand komt ooit te weten wie de beller was, of de koper van de kaart. Zelfs wij niet.'

'Spit alles uit, tot op het bot,' zei de commissaris. 'Hou elk element onder de loep, hoe onbeduidend ook. Afgeluisterde telefoongesprekken, gegevens over gsm-contacten, gestolen nummerplaten, afschriften van reisbiljetten van de reisagentschappen, alles, en kijk verder dan je neus lang is. Ik weet het, misschien liggen de bankrovers op dit ogenblik met hun buik in de zon op de Malediven. Checken en dubbelchecken. Laat je niet fucken en laat je geen oren aannaaien.'

'Hoe ver mogen wij gaan?' vroeg Tony Bambino.

'Zo ver mogelijk,' zei de commissaris. 'Alles kan, op voorwaarde dat het gebeurt onder volledige controle van de onderzoeksrechter.'

Die zelf niet weet aan welke regels de gerechtelijke politie zich moet houden, dacht hij.

De woorden lagen op zijn lippen, maar hij slikte ze in.

Maak geen slapende honden wakker, had de wetsdokter gezegd.

'Wat doen we met Maria Verelst?' vroeg Sofie Simoens.

'Laat vallen. Maria Verelst is een zaak voor de Cel Verdwijningen,' antwoordde de commissaris. 'De zatte fles—pardon, de echtgenote—van de procureur des Konings is *levend* teruggevonden. Wij zijn de *moordbri-gade*. Heeft haar ontvoering iets met de hold-up te maken? Of met de Suikerrui? Ik denk het niet. In Mexico-Stad verdwijnen iedere dag vier mensen en in Zuid-Amerika is kidnapping een echte industrie. Maar hier? Bij ons?'

'Wij sluiten geen enkele piste uit?'

'Geen enkele. Alles blijft mogelijk.'

'We hebben niets,' zuchtte Desmet. 'Geen spoor, geen aanknopingspunt, geen enkel bruikbaar element. Helemaal niets.'

'Eigenlijk zitten wij op een *dood* spoor,' zei Sofie Simoens.

'Klopt,' zei Dockx.

'Als je 't mij vraagt, zijn de bankrovers Albanezen van ginderachter,' zei Tony Bambino.

'Zou kunnen. België is een doorreisland voor de internationale misdaad. Maar ik heb je niets gevraagd,' zei de commissaris.

'Albanezen voeren hun opdracht uit en gaan naar huis, zonder een spoor achter te laten. Zij zijn slimme gangsters en kiezen de weg van de minste weerstand. Zij komen binnen bij een juwelier, netjes gekleed, en trekken hun wapen. De horloges zomaar voor het grijpen. Patek Philippe, Bulgari, Rolex, Vacheron Constantin... Je laat de horloges in je zak glijden en na verkoop is de opbrengst enorm.'

'Ik durf dat niet in het openbaar zeggen, maar het zou mij niet verbazen indien de bankrovers geheim agenten uit Oost-Duitsland of Roemenië zouden zijn,' zei Desmet. 'Destijds hebben zij in hun communistisch land als apparatsjik voor de politie gewerkt en hier in ons lief klein landje komen zij het schoon weer maken als "asielzoeker" en van een uitkering genieten terwijl zij bejaarde mensen overvallen of drugs verkopen en banken leegroven.'

'Ali, wat denk jij?' vroeg de commissaris. 'Je bent zo stil.'

'Ik denk dat Allah groot is,' zei Ali.

'Eigenlijk bewonder ik de knaller van de Suikerrui,' zei Tony Bambino. 'Een gast met kloten aan zijn lijf. Zelfs voor een scherpschutter is het moeilijk om iemand te raken op vijftig meter. Doe het maar na, schieten op alles wat leeft en beweegt en toch door de mazen van het net glippen.'

'Zie je wel,' zei Sofie Simoens. '*Leeft, beweegt*. Een dichter.'

Desmet keek op zijn horloge. 'Ikweetniethoeveel feestvierders zijn vannacht doodgeschoten,' zei hij. 'Toch zitten wij méér met onze gedachten bij de hold-up. Dat gaat mijn verstand te boven. Zouden wij niet beter de Nationale Bank overlaten aan onze collega's van de sectie Diefstallen, zodat wij ons voor de volle honderd procent fulltime kunnen bezighouden met de Suikerrui?'

'Geen sprake van,' zei de commissaris. 'Iedereen focust *tegelijk* op allebei de dossiers. Wij blijven op *twee* dossiers zitten. Suikerrui én Nationale Bank.'

'Waarom, chef?' vroeg Desmet.

'Dáárom, Djim. Omdat *ik* het zeg.'

Een antwoord dat geen antwoord is, dacht Desmet.

'Neem het van mij aan, Djim, als we het brein achter de hold-up op het spoor komen, zitten we dicht in de buurt van de dolle schutter op de Suikerrui,' zei de commissaris.

Deridder zuchtte. 'Dit wordt een nachtmerrie,' zei hij.

'Niet overdrijven, Sven,' zei Tony Bambino. 'Weet je wat *ik* een nachtmerrie vind? Ik zit met Joyce de Troch geblokkeerd in een lift en heb geen Viagra bij.'

'Viagra of geen Viagra, lift of geen lift, geef mij maar Jennifer Lopez,' likkebaardde Dockx.

'Iedereen kent zijn taak? Djim? Deridder? Ali? Werk aan de winkel. Ogen en oren open en geen tijd verliezen. Zelfs de FBI heeft bevestigd dat de kans op een succesvol onderzoek drastisch afneemt na de eerste vierentwintig uur.' De commissaris sloeg zijn handen tegen elkaar—zoals Dave Brubeck op een van zijn LP's, die met de mooiste hoes van allemaal—klap-klap-klapklapklap, en de echo galmde in de vier hoeken van het lokaal. Hij keek op zijn horloge. 'Er zijn... vijftien, wat zeg ik... zestien uur voorbij. Niets uitstellen. Morgen kan het te laat zijn. Eerste werk: de buurt van de Nationale Bank canvassen, dat wil zeggen: vragen stellen, huis aan huis en appartement voor appartement. Wie heeft iets gezien? Wie? Wat? Waar? Wanneer? Wie heeft iets gehoord? Wie? Wat? Waar? Wanneer? De oplossing ligt *altijd* in de buurt. Knoop de eindjes aan elkaar, en geen pardon, met niets of niemand. Alles is belangrijk. Een dode mus valt van het dak? Belangrijk. Warm!'

De speurders keken elkaar vragend aan.

'Begrijp ik niet, chef,' zei Desmet.

Wat valt er te begrijpen?

Koud, kouder, koudst.

Hoe verder van het vuur, hoe kouder.

Warm, heter, heetst.

Hoe dichter bij het vuur, hoe heter.

Kon het eenvoudiger?

'Ik heb de naam van een van de bankrovers,' zei de commissaris.

'Echt?'

'Zeg dat 't niet waar is,' zei Dockx.

'Een naam en een robotfoto.'

Tony Bambino floot bewonderend tussen zijn tanden.

'Hou het stil. Op dit ogenblik is Bruxman gewoon een naam. Meer niet. Er bestaat geen kredietkaart op die naam, geen bankrekening, geen levensverzekering. Ik heb de naam opgezocht in het gedeelte van het Rijksregister dat alleen voor ons toegankelijk is. Niks nul noppes. Bruxman zit in dezelfde situatie als een *sans papiers* zonder papieren. Officieel bestaat hij niet. Komaan jongens, een naam, een robotfoto. Beter iets dan niets. We gaan er achteraan. Alle begin is moeilijk, maar we moeten *ergens* beginnen. Wij zetten onze tanden erin. Met een overmijn-lijk-mentaliteit komen we het verst. Ik wil geen slecht nieuws horen. Vergeet niet dat het vooronderzoek schriftelijk is, met andere woorden, van iedere opsporingshandeling wordt *verplicht* een afzonderlijk procesverbaal opgesteld. Als iemand blaft en een grote mond opzet, blaf je dubbel zo hard terug. Je weet toch hoe je moet blaffen, Ali?'

'Ik moet dringend naar de WC,' zei Desmet. 'Plassen.'

'Alweer?'

'Mijn kraantje lekt. Ik denk dat ik prostaatkanker heb, chef. Ik kan mijn water niet ophouden.'

'Een universiteit in Engeland traint dalmatiërs en labradors om prostaatkanker op te sporen,' zei Tony Bambino.

'Wat doet zo'n labrador?'

'Aan je toeter snuffelen?' vroeg Deridder.

'Lik-*ken*, Sven, lik-*ken*.'

'Met zoooo'n tong,' zei Dockx en hij hield zijn armen een meter uit elkaar.

'Daarom heet een toeter in het Engels een likstok.'

'Sofie heeft thuis een boxer die aan haar spekmuis snuffelt en toch heeft zij geen prostaatkanker,' zei Deridder en grijnslachte.

'Op je woorden letten, Sven, of je krijgt een koek op je bakkes,' zei Dockx afgemeten.

'Van wie?'

'Van mij.'

'Dockx is zwarte gordel. Judo,' zei Sofie Simoens.

'Eén stoot *onder* zijn zwarte gordel en voor de rest van het jaar heeft Dockx gedaan met piepen,' zei Deridder kortaf.

Sofie Simoens en Tony Bambino zaten naast elkaar op het werkblad, dat werd gevormd door 2 x 2 = 4 oude bureaus uit het meubelmagazijn, twee van hout en twee van metaal, die handig tegen elkaar waren gepuzzeld. Op het werkblad stonden drie schrijfmachines, een faxtoestel, een computer van het merk Compaq en balpennen en potloden in een lege confituurpot. Over de schrijfmachines hingen hoezen van grijs plastic. Een bureaulamp met een groene lampenkap van glas bleef de hele middag branden. Ali leunde tegen de deur, naast een nieuwe scheurkalender, met een mooi klassiek cijfer 1 op een witte ondergrond, en daaronder JANUARI in kleine hoofdletters. Desmet stond onder een van drie ramen. Zij zaten hoog in de muur zodat zijn schouders amper tot aan de vensterbank kwamen. Hij beet op zijn vingernagels.

'Ik ken een sterke mop,' zei Ali.

Het werd héééél stil in het lokaal.

'Wat krijgen we nu?' zei Tony Bambino.

'Ali vertelt een mop?'

'Een *vuile* mop?' vroeg Sofie Simoens.

Ali gniffelde. 'Waarom worden Marokkanen vergeleken met sperma?' vroeg hij.

Stilte. De speurders keken elkaar aan.

'Omdat zij met een paar miljoen ineens komen, zoals zaadcellen in een klodder sperma, en toch is er maar één die werkt,' lachte Ali triomfantelijk.

De telefoon rinkelde.

Niemand had zin om op te nemen.

'Ik ken nog een goeie,' zei Ali likkebaardend.

'Een *tweede* mop?'

'Ja.'

'Óók over Marokkanen?'

'Ja.'

'Laat horen,' zei Tony Bambino.

'Waar stinkt het 's zondags van de Marokkanen?' vroeg Ali.

'Stikt of stinkt?'

'Allebei.'

'Op de Meir?' zei Sofie Simoens.

'Nee.'

'Niet op de Meir?'

'Nee.'

'Waar dan?'

'In de Zoo.'

'De Zoo?'

'Ja.'

'Waarom in de Zoo?'

'Marokkanen zijn geitenneukers en kameeldrijvers,' zei Ali. 'Daarom voelen wij ons thuis in de Zoo, tussen de geiten en de kamelen.'

'Is dat zo? Het is een feit dat joden 's zondags in het Stadspark wandelen, dat wij het jodenpark noemen. Gaan Marokkanen 's zondags naar de Zoo?' vroeg Desmet.

'Ja.'

'Dat wist ik niet. Ik leer iedere dag iets bij.'

'Marokkanen zijn ook paardenpoepers,' lachte Tony Bambino. 'Er zijn nochtans geen paarden in de Zoo.'

Lullen, praten. Het voorspel. Na het voorspel begint het eigenlijke werk. Speuren, onderzoeken. Mensen van het vak weten waar zij mee bezig zijn. Als een misdaad wordt begaan, moet een dader worden gevonden, koste wat het kost, en de dader moet worden gestraft. Dat is de wet van de maatschappij. Oog om oog, tand om tand. Zoals in de dierenwereld. Speurders worden betaald—toegegeven, *armoedig* betaald—om erop toe te zien dat de wet wordt nageleefd. Wie over de schreef gaat, wordt bij zijn nekvel gepakt, en wie gepakt wordt, die hangt en gaat de doos in. Alle speurders waren het erover eens dat werken voor de politie zenuwslopend was. Het was een verslaving. Een zenuwslopende verslaving.

'Heb je kinderen, chef?' vroeg Ali.

'Ik niet, nee. Jij?'

'Nee.'

Wat een geluk, dacht Tony Bambino.

Stel je voor, kinderen van een geitenneuker en een paardenpoeper.

'Ik heb ook geen kinderen,' zei hij.

'Ik ook niet,' zei Sofie Simoens.

'Volgens de profeet Mohammed zijn hete baden de beste remedie tegen onvruchtbaarheid,' zei Ali.

Geef mij maar Viagra, dacht de commissaris.

'EXCLUSIEVE LUXE**KLOTEN**,' mompelde Deridder.

'Ga jij ook naar de Zoo op zondag?' vroeg Dockx.

Vermoeide gezichten in het gerechtshof. Zorgelijke gezichten. Bimbambeieren, niemand vond de eieren. Alle politiediensten sprokkelden gegevens en verzamelden informatie, zowel de lokale recherche als de gerechtelijke politie, de opsporingsdiensten van douane en civiele bescherming, de Cel Verdwijningen, de Computer Crime Unit in Brussel, de Cel Financiële informatieverwerking en de Dienst Vreemdelingenzaken. Alle eigenaars van een witte Citroën Jumper werden ondervraagd. Resultaat: niks, noppes. Het technisch labo nam de uitgebrande bestelwagen van Belgacom onder handen. Vuilnisbakken en papiermanden werden leeggemaakt op zoek naar de moordwapens. Riooldeksels werden opgelicht. Bij Belgacom werd de lijst opgevraagd van alle 'verdachte' nummers die werden gebeld vanuit telefooncellen in de buurt van de Suikerrui. Het keurkorps van de gerechtelijke politie werd versterkt met vijftien speurders die in het kader van de Cel Terrorisme—die intern 'de Cel Terro' wordt genoemd—voor de Staatsveiligheid werkten en zes politiemensen die zich fulltime bezighielden met computermisdaad. De 'tapkamer' luisterde vaste lijnen en mobiele telefoons af en registreerde faxen en e-mails en kopieerde sms'jes.

Politiewerk is bureauwerk. Voor een buitenstaander mag dat vreemd klinken, het blijft een feit dat de meeste misdaden niet 'te velde' worden opgelost maar achter een saai bureau. Deridder tikte Navolgend proces-verbaal, ingevolge de opdracht van Mevrouw Veerle Vermeulen, Onderzoeksrechter op een verhoorblad, keek op zijn horloge, voegde eraan toe: Om 21 uur 15, en krabde aan zijn ballen. Hij was extra voorzichtig, want de wet-Franchimont geeft getuigen en verdachten het recht zelf te bepalen welke woorden hen in de mond worden gelegd tijdens een politieverhoor.

Iedere dag stellen alle speurders van de moordbrigade samen zo'n vijftig processen-verbaal op, van minimaal drie pagina's, zeven dagen in de week. Kort, puntig en met weglating van overbodige details. Dat zijn 50 x 365 = meer dan achttienduizend processen-verbaal per jaar. Minstens vierenvijftigduizend pagina's. Wie wil dat allemaal lezen? Geen kat, eerlijk gezegd. Niet te verwonderen dat de gerechtelijke administratie verzuipt in een onoverzichtelijke papierberg, dacht Deridder. Hij sprayde een deodorant van Lidl onder zijn oksels. De geur van mottenballen. De toetsen van zijn schrijfmachine voelden kleverig aan. Wat kleeft er allemaal op en tussen de toetsen? dacht hij. Een geelbruine smurrie die op oorsmeer leek, snot, etensresten, brillantine, sperma. Om vanillepudding niet te vergeten. Soms beet Sofie zo gretig in een boule de Berlin dat de pudding dwars door het lokaal tegen de muur spoot, tussen de heteluchtballonnen van Pamela Anderson.

Dossiers van de rijkswacht werden vergeleken met dossiers van de gerechtelijke politie, wat zorgde voor interne problemen. Het woord 'gendarme' komt van *gens d'armes*, wat Frans is voor 'gewapende mannen'. Op de tweede verdieping van het gerechtshof werd 'gens d'armes' spottend vertaald als 'gasten zonder armen'. Toch waren het Bijzonder Bijstands Team—'de botinnekes'—de Groep Schaduwen en Observatie, de Dienst Speciale Eenheden en het Speciaal Interventie Eskadron van de rijkswacht gedoemd om samen te werken.

Desmet rekte zich uit en geeuwde. 'Pijnlijke voeten,' zei hij. 'Gezwollen.' Jarenlang dweilde hij de straat af als hulpagent bij de stadspolitie en agent bij de mobiele brigade. Hij hield er platvoeten aan over. Hij stampte zijn schoenen uit en masseerde zijn tenen. Zijn jas hing over zijn stoel. Hij had zijn das losgeknoopt.

'Zet het venster op een kier, Ali,' zei Tony Bambino.

Op de hoek van de Anselmostraat stopte een bus van De Lijn.

Ali stond met zijn rug naar het raam. Hij bestudeerde de gelaatsuitdrukking van zijn collega's. In de politieschool had hij geleerd dat een menselijk gezicht zevenhonderd verschillende uitdrukkingen kan aannemen. Vreugde, verdriet, weemoed, woede, noem maar op, en dat zijn slechts vier van in totaal zevenhonderd gelaatsuitdrukkingen. Psychologen van de CIA en de FBI beschrijven de mogelijkheden van de spieren van het gezicht in een 'geheim' rapport dat zij Actie Gezicht noemen. Iedere uitdrukking krijgt een nummer. AG[Actie Gezicht]12 is de klassieke glimlach. Samengeperste lippen—woede, span-

ning, verbittering—is AG24. Gefronste wenkbrauwen—
AG4 gevolgd door AG5 en AG7—wijzen op twijfel en ver-
wondering.

'Waaraan denk je?' vroeg Tony Bambino.

'Mijn eerste week bij de politie...' zei Ali. 'In Oostende.
Het was nacht. Wij reden over de dijk. Ik zat aan het stuur.
Een man in lompen stak schuin de straat over. Dat vond
ik vreemd... je steekt niet *schuin* de straat over als je een
politieauto ziet komen. Ik zei tegen m'n partner: "Draai
het raampje naar beneden en vraag wat hij hier uit-
spookt." Gewoon om te zien hoe hij zou reageren. "Ik wil
jullie iets tonen," zei de man en hij sloeg de flappen van
zijn jas opzij. In een fractie van een seconde had ik zijn
gelaatsuitdrukking gelezen. AG5, AG14, AG21, AG22 en
AG24. Ik trok mijn revolver en door het open raampje
schoot ik een kogel midden in zijn borst. Later bleek dat
de man een vlammenwerper verborgen hield onder zijn
lompen en hij van plan was ons in de politieauto levend
te verbranden. Ik had zijn gelaatsuitdrukking juist gelezen en was hem te snel af.'

Cowboys, dacht Dockx.

Sofie Simoens klasseerde processen-verbaal in gele
mappen en zei aarzelend: 'Brux... man.'

'Met een **x**,' zei Tony Bambino.

'Voorlopig hebben wij geen enkele aanwijzing,' zuchtte Dockx.

'We zwemmen.'

'*Politioneel* zwemmen.'

'Ieder nieuw onderzoek begint moeilijk,' zuchtte de
commissaris. 'Er is geen land in zicht, wij verdrinken. Dan
komt de doorbraak.'

Tony Bambino peuterde met een lucifer tussen zijn
tanden.

'Wie één keer een mens vermoordt, gooit alle remmen los,' zei Desmet.

'Wacht, die naam... Brux... Brux...' zei Sofie Simoens.

'Bruxman zou een werknemer zijn van Belgacom,' zei de commissaris. 'Morgen staat zijn robotfoto in de krant.'

Dockx krabde in zijn haar. 'Bruxman... Bruxman... verdomd, chef, de naam zegt mij iets.'

'Mij ook,' zei Sofie Simoens.

'Maar wat?'

'Niets is zeker en niets staat vast,' zuchtte Ali. Hij speelde met de knoppen van de gettoblaster en drukte op de starttoets. Radio Antigoon? Nee, Louis Armstrong, met *What A Wonderful World*. Radio Minerva. De dagelijkse soundtrack van het gerechtshof.

'Zet dat ding luider, Ali,' zei Tony Bambino.

'Jazz moet knallen,' zei de commissaris.

'Bruxman hangt,' zei Dockx. 'Vroeg of laat. Als we hem levend bij zijn radijzen pakken...'

'...dan kleden we hem uit, van onder tot boven.'

'Wie is Bruxman?' vroeg Deridder.

'Ik zou niet in zijn schoenen willen staan,' lachte Desmet.

Ik wel, dacht Dockx. Ik wel. Met al dat geld op zak. Wat zou *ik* doen, indien ik van de ene dag op de andere een paar miljard in de koffer van mijn auto zou vinden?

Zijn neus jeukte.

Zijn oren jeukten.

Zijn vuisten jeukten.

Zelfs zijn ballen jeukten.

Krabben, dacht hij.

'Bankrovers hebben geen manieren,' zei Deridder. 'Zij houden geen rekening met de jaarwisseling.'

'Ook niet met weekends en feestdagen,' zei Desmet.

'Spijtig,' zuchtte de commissaris. 'Wij hebben de kans gemist. We hadden ze voor kunnen zijn. Maar er is niks verloren.'

'Hoe bedoel je, chef?'

'We pakken ze allebei op.'

'Wie?'

'De conciërge van het appartementsgebouw aan het Stadspark, om de hoek van de Nationale Bank, en de blonde neger die als klusjesman in het appartement werkte. Trente-Six. Of hoe hij ook mag heten.'

'Leeg. Het appartement was leeg en zat onder het bloed,' zei Sofie Simoens. 'Tussen de muren hing de muffe geur van sigaren. Geen meubels, geen gordijnen, niets. Donkere spatten op de witte muren. De vloer was doorzeefd met kogelgaten. Ik herinner mij een vreemd detail. In de keuken stonden lege champagneflessen.'

'De eerste vaststellingen in het appartement werden gedaan door Verswyvel, van het technisch labo,' zei de commissaris. 'Ik kan het weten want ik was erbij. Vraag zijn rapport op.'

'Zo'n naam!' zei Desmet. 'Trente-Six. Zesendertig...'

'...en dat allemaal omdat hij de zesendertigste zoon is van een stamhoofd in de Congo,' zei Dockx. 'Tja... tja...'

Sinds wanneer kunnen Zwarte Parels in de brousse van Kweetniewaar tot zesendertig tellen? dacht Deridder hardop.

'Als zij kunnen neuken, dan kunnen zij ook tellen,' zei Dockx.

'Genoeg getreuzeld. We gaan ervoor. Zet Trente-Six en de conciërge tegen de muur,' zei de commissaris. 'Een van beiden liegt. Ik wil weten wie de waarheid spreekt. Blijf ze ondervragen, tot een van beiden kraakt.'

'Geen probleem,' antwoordde Dockx.

'Zondagdienst wordt dubbel betaald,' zei Tony Bambino.

'Met een premie bovenop,' zei Desmet.

'Een premie en een dagvergoeding die kleine onkosten dekt van speurders met buitendienst.'

'Ga pingpongen als jullie niet méér ambitie hebben,' zei de commissaris. 'Deridder! Slaap je?'

'Nee, chef.'

'Je weet waar Trente-Six zich ophoudt?'

'Zijn adres zit in het proces-verbaal van zijn eerste ondervraging. Ergens op Linkeroever.'

'In de Chicago-blokken?'

'Waarschijnlijk.'

'Ga hem halen.'

Deridder stond zuchtend op van zijn stoel. Hij zette de deur open.

Een rijkswachter met een MP5-machinepistool patrouilleerde door de gang, met een Duitse herdershond aan de leiband. Flora slofte achter hem aan, op slaapkamerslippers met rode pomponnetjes.

Een brandweerwagen reed gillend door de straat.

'Dockx?'

'Ja, chef.'

'Breng mij de conciërge.'

'Hoe pak ik die kerel aan, chef? Met de botte bijl?'

'Piano piano,' zei de commissaris.

Met fluwelen handschoenen, met andere woorden.

'Ik ga mee,' zei Tony Bambino en hij trok zijn bomberjack aan.

Het lokaal stonk naar mannenzweet.

Mannenzweet en mottenballen van de Lidl.

In de tijd van de Koude Oorlog en het IJzeren Gordijn stond aan de grens met Rusland een groot bord met de waarschuwing *Hier begint de aars van de wereld*, in het Duits. *Hier beginnt der Arsch der Welt.* We hoeven niet meer naar Rusland te reizen, dacht de commissaris. De aars van de wereld begint op de plaats van de misdaad en eindigt in het gerechtshof. Ik krijg hier alles op mijn boterham. Drugsdoden, mensenhandel, inbraken, overvallen, verkrachting. Sekstoerisme, seriemoord en moord in koelen bloede. Ik heb het verkeerde beroep gekozen, dacht hij en staarde naar de vrouwentongen en de cactussen vol venijnige stekels in de bloempotten met gekleurd crêpepapier op de vensterbanken. Hij las de blauwe affiche met *100 Gezondheidstips uit de praktijk van Dr. Alfred Vogel* en de Reglementen uit het Strafwetboek der Zatlappen die naast een poster van Kamagurka hingen. Zijn post verlaten wanneer er iets te drinken valt: zes maanden gevangenis. Wie in zijn brock plast, wordt weggejaagd uit het gezelschap. Zijn blik gleed van de heteluchtballonnen van Pamela Anderson uit de *Playboy* naar de gettoblaster op de radiator naar de asbakken op het werkblad. De asbakken bleven leeg sedert Peeters door het Comité-P was geschorst met behoud van wedde en zonder verlies van pensioenrechten. De commissaris miste Peeters. Hij zuchtte. Van de verkeerde kleur en de verkeerde politieke partij maar rechtdoorzee en een verdomd goeie speurder. Hij peuterde in zijn neus en schoot een propje hard snot tegen de gettoblaster. In de hoeken van het lokaal krulde het streepjesbehang van de muren.

'*Maak geen slapende honden wakker.*'

Dat waren de woorden van de wetsdokter.

Wees gerust, dokter, ik niet.

Ik zal mijn huid duur verkopen.

Bruxman heeft geld, dacht de commissaris.

Hij heeft geld en zit in de stront.

Dus gaat Bruxman bloeden.

Leg de miljoenen maar op tafel, vriend.

Ik kom ze halen.

Er werd op de deur geklopt.

'Wie is daar?'

Twee telefoons zoemden tegelijk.

Iemand had geprobeerd de sticker MIGRANTEN BUITEN! van de hoorn te krabben. Op een ander toestel kleefde een sticker met de tekst VRIENDEN VAN DE POLITIE.

De derde telefoon rinkelde.

'Goed. *Résumé.* Wat weten we?' zei de commissaris. 'Dat iemand een groot aantal mensen doodschoot. Op hetzelfde ogenblik—middernacht, pil twaalf uur—werd de Nationale Bank leeggeroofd door een handvol wegwerpcriminelen onder leiding van iemand die zich Bruxman noemt. We hebben zijn robotfoto. We kennen hem niet, maar we weten hoe hij eruitziet, min of meer. Was Bruxman óók verantwoordelijk voor de mensen die koelbloedig zijn doodgeschoten?'

'Niemand kan op twee plaatsen tegelijk zijn,' zei Desmet.

De commissaris zuchtte. 'Juist. Goed gezien.'

Ali bestudeerde een verhoorblad.

'Een gek? Iemand die op dit ogenblik lekker rustig thuis TV kijkt en geniet van zijn misdaad?' vroeg Desmet.

'Geloof je dat echt?'

'Zijn massamoordenaars erfelijk belast?' vroeg Sofie Simoens.

'Gewoonlijk wel,' antwoordde Desmet.

'Iedereen was uitgelaten en in feeststemming,' zei de commissaris. 'Ineens BAMMM BAMMM BAMMM en lag de straat vol dode en stervende mensen. Wie was de schutter?'

The Terminator? dacht hij.

Indiana Jones?

'Bruce Willis?' vroeg Sofie Simoens.

Voor een speurder is een onderzoek een puzzel die hij moet oplossen. Als alle puzzelstukjes in elkaar passen, is de zaak opgelost. Voor een verdachte is een onderzoek in de eerste plaats een schaakspel. Is hij aan zet, dan verplaatst hij zijn stukken—een toren, een loper, een dame—tot de speurders met de rug tegen de muur staan. Schaak, en mat, heet zoiets in schaaktermen. Soms is er remise of gelijkspel. Uiteindelijk is ieder gerechtelijk onderzoek, zowel voor de speurders als voor de verdachten, een sport waarbij alleen verliezers zijn en geen winnaars.

Een verslaggever van een plaatselijke krant stond in de deuropening.

'Nu niet!' zei de commissaris.

Ali duwde de deur voor zijn neus dicht.

Er werd opnieuw op de deur geklopt.

'MOET IK ALLES TWEE KEER HERHALEN!' riep de commissaris.

'Koffie?' vroeg Flora. 'Wie wil er koffie?'

'Koffie met een koekje,' zei Sofie Simoens.

'Een koekje uit je broekje,' lachte Desmet.

'Vuile snoepers!' kirde Flora.

Speciale agenten van de Computer Crime Unit plaatsten gevoelige opname-apparatuur in het glazen hok van de telefoonwacht. Die avond om 8 uur 38 liep de eerste van drie anonieme telefoons binnen. Het gesprek duurde slechts enkele seconden en werd op band opgenomen. *'Een boem in nen'auto, bijkanst oep de plage van Sint-Anneke.'* Dat was het. Onmiddellijk rukte een politiepatrouille uit. Een anonieme Opel Vectra gevolgd door een mobiel atelier van het merk Mercedes en een donkerblauwe Iveco van de rijkswacht. De geblindeerde wagen van de rijkswacht had alle moeite van de wereld om de anonieme dienstwagen te volgen over de gladde ondergesneeuwde wegen. Dat is het probleem van alle Iveco's: zij zien er stoer en angst-aanjagend uit maar de remmen werken niet en zij maken geen snelheid. De bepantsering is van plastic in plaats van staalplaat. Showbakken, met andere woorden. Waarde-loos als politievoertuig. Ali zat aan het stuur van de Opel Vectra. Hij had zopas een cursus gevolgd op de winter-sporthelling in de anti-slipschool van de politie en stond op scherp. Er kon hem niets gebeuren. Mozes, Boeddha en Jezus mochten er zijn maar Mohammed en Allah, dat was andere koek, dat waren de grootste profeten van alle-maal. Uit de boxen knalde keiharde volksmuziek uit de Maghreb, *Shooq Ala Shooq*, met tamboerijnen en trommels en bellen. Ali lachte en neuzelde op het ritme van de muziek en was gelukkig. *Assalaamoe'alaikoem wa rahmatoel-laahi wa barakaatoeh*. Vrede zij met u en de genade en zege-ningen van Allah. De politiewagens werden achternage-zeten door een ziekenwagen die tegen hoge snelheid over de noodbrug aan de Opera slipte. ííí-ÁÁÁ, ííí-ÁÁÁ. De sire-ne van de ziekenwagen maakte het geluid van balkende ezels. Zo'n lawaai. Een mens zou er horendol van worden. Over de stad hing een gele glans, zoals zo vaak in de win-ter, 's avonds na de sneeuw. Alles kits, alles normaal. In razende vaart reed de patrouille door de Waaslandtunnel onder de Schelde naar het bos van Linkeroever.

Even voor negen uur—eenentwintig uur na de feiten—werden Trente-Six en de conciërge van het appartements-gebouw opgepakt en voor ondervraging voorgeleid. Zij werden op de houten bank gezet, tussen twee radiatoren, in de gang die pas was herschilderd in een kleur die het midden hield tussen eigeel en gifgroen. Het was donker en koud in het gerechtshof. Angst en huiver zaten vastgezogen in de metersdikke muren. Het monumentale gebouw uit 1871 was vermolmd en kreunde op zijn grondvesten en toch werd het in de volksmond 'justitiepaleis' genoemd. Veel justitie en weinig paleis. Er waren zoveel trappen en pilaren en dode hoeken dat een normaal mens er hoofdpijn van zou krijgen. Een griffier van het archief, in een blauwe stofjas, trok een kar door de gang en stapelde kartonnen dozen met stoffige dossiers naast de deur naar het lokaal van de speurders.

'Alle recente bankovervallen staan erin beschreven,' zei de griffier. 'Tachtig dossiers met onderkaften. Vijfhonderd namen in tweeduizend processen-verbaal die acht dozen vullen. Moet er nog zand zijn?'

De dikste en belangrijkste dossiers lagen onderaan.

Sofie Simoens zuchtte.

Ik heb alle tips nagetrokken, dacht zij.

Ik heb de hulp ingeroepen van een deskundige bij de FBI.

Ik werkte mij in het zweet.

Resultaat: niks. Nul komma nul.

Wat kon zij méér doen? Zij had haar blonde haar—geen Zweeds blond—met een elastiekje bijeengebonden in een paardenstaart, die tussen haar schouderbladen op en neer wipte telkens als zij lachte. Haar cowboylaarsjes tikketikten op de tegels. Vindevogel van de Cel Gauwdiefstallen liep als een balletdanser op de toppen van zijn tenen door de gang langs de dertien lokalen van de speurders. Hij had zich in drie dagen niet geschoren. Achter zijn linkeroor, boven op het montuur van zijn jarenzeventigbril, stak een half opgerookte sigaret. De tabak pluisde eruit. Sofie

Simoens blies het stof van de dossiers. Met de glimlach worden de grootste leugens op papier gezet, dacht zij en vroeg Vindevogel of hij mee de dozen in het lokaal wilde dragen.

De conciërge droeg een Tirolerhoedje. Zijn gat deed pijn van het zitten. Hij was bijna twee meter lang. Vroeger was hij buschauffeur geweest. Hij legde zich languit op de bank, met één arm onder zijn hoofd, schoof zijn hoedje over zijn ogen, drukte zijn zware hoornen bril op de punt van zijn neus, en viel luid snurkend in een diepe slaap.

'We leggen Trente-Six het vuur aan de schenen,' zei Dockx.

'Zonder pardon.'

'Op zo'n manier dat zelfs Jezus Christus er zijn voetzolen aan zou verbranden,' zei Deridder.

'Dikkenekken!' siste Trente-Six.

Deridder lachte. 'Ik heb een 36 van boord, makker. Dat is de kleinste mannenmaat. Welke boord heb jij?'

'38,' zei Trente-Six.

'Wie is hier de dikkenek?' vroeg Sofie Simoens.

De blonde neger droeg een wit hemd, een zwarte broek en een korte winterjas. Zijn linkerhand was dik omzwachteld, alsof hij een witte bokshandschoen droeg. Hij had rattig haar en rilde van de kou—of was het van schrik?—en zijn tanden kletterden tegen elkaar. Sidney Bechet uit de gettoblaster. *Petite Fleur*, op klarinet. De arme man blaast de ballen van zijn lijf, dacht Tony Bambino. Dockx ramde met twee vingers een van de achttienduizend processen-verbaal op een oude Olivetti. Twee half-elektrische schrijfmachines stonden rechtop gezet in het midden van het werkblad.

'Ga zitten,' zei de commissaris.

'We hebben geen medelijden,' zei Deridder.

'Smeer geen zalf aan zijn gat.'

'Integendeel. Pers hem uit, zoals een citroen.'

'Zet hem tussen de bankschroef...'

'... en draai de schroef aan...'

'... tot hij begint te janken.'

'Als hij jankt...'

'... pak ik hem bij zijn radijzen...'

'... en trekken we gewoon een beetje harder,' zei Tony Bambino.

'Als er getrokken wordt, steek ik met plezier een handje toe,' lachte Sofie Simoens.

'Laat 007 eens flink in zijn broek schijten, chef,' zei Desmet.

'Pas op! Je weet nooit wat eruit komt, als 007 zijn gat opentrekt,' zei Dockx.

'Ik ben 007 niet,' zei de blonde neger.

'Nee, hij is Bwana Kitoko,' zei Tony Bambino.

'Trek Bwana Kitoko een kloot af,' zei Sofie Simoens.

'Twee kloten,' zei Dockx.

'En chansonette?' vroeg Sofie Simoens.

Daar is zij weer, met haar slaapliedje, dacht Deridder.

'Wie is Bwana Kitoko?' vroeg hij.

'Koning Boudewijn,' zei Dockx.

'Heeft iemand de koning een kloot afgetrokken?' vroeg Deridder.

'Twéé kloten,' zei Tony Bambino.

'Wieg de verdachte met eenvoudige vragen in slaap,' zei Sofie Simoens, 'en zodra hij indommelt—pàts, kloot kwijt.' Zij was een van die vrouwen, die nooit het achterste van hun tong laten zien. Zij stelde vragen, maar gaf geen antwoorden.

'Breek Trente-Six in stukken en brokken,' zei Dockx.

'Maar laat zijn kloten hangen. Voorlopig.'

'Wat heeft hij aan zijn hand?' vroeg Deridder.

'Klem gezeten, tussen de deur,' zei Dockx.

'Te veel aan zijn pietje getrokken,' opperde Tony Bambino.

'Je weet, als je hulp nodig hebt om te trekken, ik steek met plezier een handje toe,' zei Sofie Simoens.

'Negers hebben een toeter van een halve meter,' zei Tony Bambino. 'Heb ik gelezen in de National Geographic.'

'Lang en dun. Als een potlood,' zei Dockx.

'Een halve meter? Daar trek ik met twee handen tegelijk aan,' zei Sofie Simoens.

'Volgens de National Geographic dromen alle mannen iedere nacht van seks,' zei Tony Bambino.

'Ik niet,' zei de blonde neger.

'Nee?' vroeg Tony Bambino.

'Nee.'

'Waarom jij niet en ik wel?'

Trente-Six lachte zijn grote witte tanden bloot. 'Ik doe iedere nacht aan seks,' zei hij.

Stilte in het lokaal.

Zelfs de gettoblaster zweeg.

'Waaraan denkt een neger als hij in de spiegel kijkt?' vroeg Tony Bambino.

'Ik denk niets,' zei Trente-Six.

'Niets? Nee?'

'Nee.'

'Je denkt: apensmoel,' zei Tony Bambino. 'Gorilla. Bosaap. HAHAHA.'

'Zwarte boskabouter,' lachte Dockx.

'Heb je een bankrekening?' vroeg de commissaris.

'Ja.'

'Waar?'

'Bij de Bank Belgolaise.'

'Hoeveel staat er op je rekening?'
'Twee keer niks.'
Tony Bambino bladerde in het verslag van de spoedge-
vallengeneesheer van de MUG, die was uitgezonden door
Sint-Vincentius. 'Vier personen met lichte verwondingen
werden ter plaatse verzorgd,' zei hij en zocht de namen
van de slachtoffers. 'Johanna T. kwam er goedkoop vanaf,
met een schampschot in haar zij. Zij mocht na verzorging
naar huis. Wij hebben haar telefoonnummer. Wim C.
brak zijn voet toen hij dekking zocht en uitgleed. Negen
kansen op tien gestruikeld over een trottoirrand. Een
zekere T.S. kreeg een kogel door zijn hand.'
'Wat betekent **T.S.**?' vroeg Sofie Simoens.
'Tetten-**S**eks,' zei Tony Bambino.
'Tetten-**S**tijve,' zei Dockx.
'Tien **S**econden,' opperde Deridder.
'Tien Seconden wat?'
'Tien **S**econden **S**tijve **T**etten-**S**eks.'
T.S.S.T.S., dacht Sofie Simoens.
'Trente-Six?' vroeg zij en haar collega's slaakten kreet-
jes van bewondering.
'Een hand bloedt verschrikkelijk,' zei de commissaris.
'Hoewel dat bij een schotwonde soms meevalt, omdat de
hitte van de kogel de bloedvaten dichtschroeit.'
'Spoedgevallen nam foto's en legde een noodverband.
T.S. kreeg een tetanusspuit en mocht naar huis, met de af-
spraak dat hij zich na enkele dagen voor controle meldt,'
zei Tony Bambino.
Trente-Six keek de speurders afwezig aan.
'Wat is er mis met je hand?' vroeg Dockx.
'Er zit een gat in.'
'Een gat?'
'Ja?'

'Hoezo, een gat?'

'Ik liep over de Suikerrui. Ineens begon iemand te schieten. Ik zag de kogels komen en probeerde ze af te weren en kreeg een kogel door mijn hand. Vandaag ben je er en morgen niet meer. Zo is het leven. *Mais bon.* We moeten daar niet moeilijk over doen.'

'Ongelooflijk maar waar,' lachte Dockx.

De commissaris keek naar de detailfoto's in kleur uit het dossier van het Medisch Urgentie Team. Weer bloed, weer gruwel en ellende. Het hield nooit op en kwam hem de strot uit. Hij had er klotegenoeg van. Zijn maag zat in de knoop. Nausea, heet zoiets met een geleerd Engels woord. Mottigheid, misselijkheid, walging. Hij tuitte zijn lippen en staarde door het raam naar de zwarte rechthoek van de nacht. In een moordonderzoek is geen enkel detail onbelangrijk, dacht hij. Dat heb ik op de politieschool geleerd. Zijn speurders keken hem stilzwijgend aan. Deridder prutste aan de gettoblaster. Het onderzoek draait vierkant, dacht Sofie Simoens. Alles draait vierkant. Ik voel het aan mijn water. Zij viste een handvol paperclips uit een kartonnen doosje en haakte ze ineen tot zij een slangachtig snoer had. *Dominique-nique-nique.* Dockx duwde op alle toetsen tegelijk en Soeur Sourire verslikte zich in haar woorden. Een koerier van Pizza Hut stapte met een stapel platte dozen uit de bezoekerslift en het lokaal van de speurders vulde zich met de warme geur van mozzarella en kruidige tomatensaus.

'Waar was je vannacht, Trente-Six?' vroeg de commissaris.

'Op de Suikerrui.'

'Om wat te doen?'

'Zoals iedereen.'

'Dat is?'

'Genieten van het vuurwerk.'

'Dus heb je alles gezien? Het bloed en de moorden?'

Trente-Six sloeg de ogen neer.

'Wil je een stuk pizza?' vroeg Sofie Simoens.

Hij keek haar verwonderd aan. 'Graag,' zei hij.

Wanneer trekt zij mijn kloten eraf? dacht hij.

'Margherita met dubbele kaas? Pepperoni? Of Hot'n' Spicy?'

'Wat is Hot'n'Spicy?'

'Pizza met groene pepers. *Spaanse* groene pepers.'

'Liever Margherita.'

'Wat is er gebeurd?' vroeg Dockx. 'Vertel. In je eigen woorden.'

Trente-Six klapte helemaal dicht. Hij zweeg. Hij bleef zwijgen.

'Niets te zeggen?'

'Nee.'

'Helemaal niets?'

'Niets, nee.'

'Je zou beter je hart luchten.'

'Hart? Welk hart?' vroeg Sofie Simoens.

Trente-Six zuchtte. Nu gebeurt het, dacht hij en hij beet in een stuk Margherita met dubbele kaas.

'Smakelijk, loverboy!' zei Sofie Simoens.

'Heeft hij een strafblad?' vroeg Dockx.

'Tik zijn naam in het Centraal Signalementenblad,' zei Desmet.

Deridder trok enkele velletjes Kleenex uit een doos en snoot zijn neus. Hij zette de computer aan. Op het scherm flikkerde de robotfoto van Bruxman—lange paardenstaart, donkere snor, hoekige kin met scherpe kaken, weemoedige ogen en een mond vol gouden tanden die niet pakten op papier—als 'dringend' en 'vertrouwelijk' opsporingsbericht dat door het Centraal Bureau voor Opsporingen van de rijkswacht werd verspreid naar alle politieposten in het land.

Hij ramde op het toetsenbord.

We hebben een serieus probleem, met die moderne computers, dacht hij. Als een misdadiger in het bestand zit, en zijn naam wordt ingetikt, dan vindt automatisch een kettingreactie plaats omdat alle rijksbestanden aan elkaar zijn vastgekoppeld. Dat is de theorie. De praktijk is een ander verhaal. In de praktijk zorgden de computers ervoor dat alles ingewikkelder werd en hopeloos in de soep draaide omdat het gerechtelijk apparaat niet met één, twee of drie maar met dertien verschillende informatiesystemen werkt en zoals iedereen weet is *dertien* een ongeluksgetal.

Gevolg: verwarring, onzekerheid.

Hij duwde op de print-toets en traag gleed het strafblad van Trente-Six uit de printer.

Tony Bambino hield zijn hoofd schuin. 'Tien jaar voor een gewapende overval?' vroeg hij.

'Ik zat zes jaar.'

'Negen, volgens de computer.'

'Zes.'

'Negen.'

'Na zes jaar stond ik buiten. Berooid. Ik ging aan de haal met een kassa van den Inno in de Nieuwstraat in Brussel. Ik werd opgepakt en kreeg drie jaar extra voor shoplifting.' Trente-Six zweeg.

'Wij weten alles, makker,' zei Dockx.

'Eén druk op de computer en je leven rolt eruit,' zei Desmet.

Als er inktcartouches op overschot zijn, dacht Deridder.

'Breng hem weg, Sven. Laat zijn hand chemisch onderzoeken,' zei de commissaris.

'De hand van... van Trente-Six, chef?'
'Ja.'
'Onderzoeken op wat?' vroeg Dockx.
'Nitrocellulose,' zei de commissaris.
Trente-Six begon hevig te zweten.
'Wat is nitrocellulose?' vroeg Deridder.
'Zwartkruit.'
'Wat is zwartkruit?'
'Zwartkruit heette vroeger gewoon buskruit,' zei Desmet, die zich in de handen wreef. 'Dat kan jij niet weten, Sven, daarvoor ben je niet slim genoeg. In oorsprong was buskruit een geneesmiddel tegen hoofdpijn. De oude Chinezen noemen het een "vuur-drug" en zij konden het weten, want zij hebben het buskruit uitgevonden.'
'Weet je hoeveel mensen werden doodgeschoten?' vroeg de commissaris.
'Ik heb ze niet geteld,' antwoordde Trente-Six.
'Heb je wroeging?'
'Wroeging? Waarom? Waarom zou ik wroeging hebben? Ik heb niets gedaan.'
'Goed. Laat ons aannemen dat je niets hebt gedaan. Maar... veronderstel dat je zou *gevraagd* worden om twintig mensen dood te schieten... Hoe zou je te werk gaan?'
'Als ik wil, ga ik nu lopen,' pochte Trente-Six.
'Doe maar.'
'Ik ben snel.'
'Even snel als mijn kogels?' vroeg de commissaris glimlachend en hij trok het pareltje van Italiaanse design uit de wapenfabriek van Pietro Beretta uit zijn schouderholster.
'De klok tikt, jongen,' zei Tony Bambino.
'*Vous avez l'horloge, moi j'ai le temps*,' antwoordde Trente-Six.

Wat zou ik doen indien ik chirurg was en ik kreeg een patiënt met een schotwonde over de vloer? vroeg de commissaris zich af. Hij kende het antwoord. 'Eerst nagaan of de bloedvoorziening naar de vingers in orde is en dan de politie verwittigen,' zei hij hardop. 'Vervolgens een röntgenopname en een CT-scan maken. Is er bloedverlies, dan zet ik een klem op het bloedvat. Proper maken, dood weefsel wegsnijden en stompjes aanfrissen.'

'Aanfrissen, chef?'

'Wegsnijden. Chirurgen spreken over "aanfrissen". Klinkt beter dan "snijden". Als het schot van ver is afgevuurd, dan is de kogel door de luchtwrijving "proper" met als gevolg een kleine, zuivere wonde zonder kruitsporen. Dat Trente-Six de waarheid spreekt, geloof ik niet. Ik denk dat hij liegt. Ik denk dat hij in zijn eigen hand heeft geschoten. Expres, van dichtbij. Een ideaal afleidingsmanoeuvre, nietwaar, Trente-Six? Wie zou kunnen vermoeden dat een slachtoffer, dat bloedend als een rund voor verzorging wordt binnengebracht, de eigenlijke dader is? Niemand, toch? Je vergist je, Trente-Six. Dokters kan je om de tuin leiden, speurders van de gerechtelijke politie niet. Mij in ieder geval niet. Je bent een halve hand kwijt, oké, maar je leeft tenminste. Een pistool is een laag-energetisch wapen dat een grote bloedwonde veroorzaakt als het van dichtbij wordt afgevuurd. Zo'n wonde wordt "gedebrideerd" en uitgespoeld en soms is een huidgreffe nodig—een huidtransplantatie— maar zelfs de beste verpleger of verpleegster kan onmogelijk alle sporen van zwartkruit of nitrocellulose verwijderen. Vinden wij nitrocellulose in de wonde, Trente-Six, dan háng je—'

'—aan de takken van de bo-o-men,' zong Sofie Simoens.

'Zoals een zwarte boskabouter,' zei Dockx. 'Of zoals Tarzan. Slingerend van bo-o-oom naar bo-o-oom.'

'Eet je pizza op,' zei Deridder. 'We gaan samen naar Spoedopname. Da's hier vlakbij, om de hoek.'

'—en van Spoedopname in rechte lijn naar de Begijnenstraat,' lachte Tony Bambino.

'Een moordenaar verbrandt gewoonlijk zijn kleren maar niet zijn schoenen en evenmin zijn broeksband,' zei de commissaris. 'Zoek dus ook naar sporen van zwartkruit op zijn schoenen en zijn broeksband.'

Deridder draaide het nummer van de rijkswachtbrigade in de catacomben onder het gerechtshof. 'Ik heb twee sterke binken nodig,' blafte hij in de telefoon. 'Waarom? Daarom! Om een gevangene te begeleiden naar Sint-Vincentius, tiens. De brigade is onderbemand? Omdat het nieuwjaar is? Voor ons is 't ook nieuwjaar, maat, wij zijn ook onderbemand.' Wie niet bekwaam is om aan zijn gat te krabben, dacht hij, kan altijd nog rijkswachter worden. Hij smakte de hoorn neer.

Dockx trok het proces-verbaal uit de schrijfmachine.

'Een goede raad, Sven. Snuffel aan zijn hand, als het verband eraf gaat,' zei de commissaris.

'Dat begrijp ik niet, chef.'

'Nitrocellulose ruikt naar zweetvoeten.'

'Daar zakt mijn broek van af,' zei Sofie Simoens.

'Ik ken die dingen, ik bezit een diploma EHBO,' lachte de commissaris.

'Wat is EHBO?' vroeg Deridder.

'Een Hoer Begint Onderaan,' zei Tony Bambino.

De deur zwaaide open. Twee rijkswachters in uniform haakten tegelijk een paar handboeien van hun gordel, keken rond in het lokaal en vroegen: 'Wie is de volgende klant?'

Het was stil op de gang. Even stokte de ademhaling van de conciërge, dan begon hij te snurken met een enorm ronkend geluid dat uit het diepst van zijn keel kwam. Hij slikte in zijn slaap en zijn adamsappel schoot op en neer.

Vindevogel schopte tegen de bank.

Ineens was de conciërge klaarwakker.

'Heb je een bed nodig, vriend?' vroeg Vindevogel. 'Dan stoppen we je in den amigo, in een van de cellen van de vroegere legerkazerne op de Luchtbal. De stadspolitie speelt er hotelier voor gangsters en andere klootzakken. Of slaap je liever in de rijkswachtkazerne op de Boomsesteenweg?'

Met de handen geboeid op zijn rug werd Trente-Six uit het lokaal van de speurders naar de dienstlift geleid.

De conciërge kwam langzaam overeind. Hij duwde zijn hoornen bril met zijn dikke mosterdpotglazen naar de punt van zijn neus. 'Dat is 'm!' riep hij met overslaande stem. 'Zeker weten. Dat is 'm! De klusjesman van Bruxman!'

De commissaris stond in de deuropening, rollend op de ballen van zijn voeten, met zijn handen in zijn broekzakken en zijn benen wijd gespreid. Zijn blik gleed langs de donkere ramen in de gang.

'Adieu, Bwana Kitoko!' riep Trente-Six vanuit de lift.

'Waarom heb je dat gisteren niet gezegd, tijdens de line-up achter glas in het politiekantoor van de Lange Nieuwstraat?' vroeg hij.

'Gisteren... heu... gisteren had ik mijn bril... heu... had ik mijn bril... heu... thuis... heu... was ik mijn bril thuis vergeten,' stotterde de conciërge, 'en zonder bril... heu... lijken alle zwarten op... heu... lijken alle zwarte negers op elkaar.'

'Pizza, chef?' vroeg Sofie Simoens.

'Nee, dank je.'

Donker. Sneeuw. Wind. Bijtende kou. Landwegen met verraderlijke bochten. Het was fascinerend en angstaanjagend. IJle mist tussen de bomen. Aan de rand van het bos stopte het politiekonvooi in een lang lint achter elkaar. Eerst de anonieme Opel Vectra dan het mobiele atelier en als laatste de waardeloze Iveco van de rijkswacht. Een vrouw met warrig haar schreeuwde haar longen uit haar lijf maar het was een schreeuw zonder geluid want uit haar mond kwam geen klank.

'Ga weg! Ga weg!' riep iemand.

ííí-ÁÁÁ, ííí-ÁÁÁ

—en langzaam stierven de sirenes uit.

'Ben jij Marokkaan?'

Ali stak zijn middenvinger op. 'Ik ben van de politie,' antwoordde hij.

Het bos werd afgezet.

Vlammen likten als laaiende toortsen aan het brandende voertuig. Zelfs de berm stond in brand. Het sneeuwde. Het vroor. De temperatuur bleef dalen maar in de buurt van de brandende bestelwagen werd de hitte ondraaglijk. De wind blies de meeuwen achteruit en wakkerde het vuur aan. Mensen denken dat gerechtelijke agenten van feest naar fuif walsen, zoals Hercule Poirot, en ondertussen met een vingerknip het ene raadsel na het andere oplossen. Was het maar waar. Speurders zijn slaaf van hun beroep. Zij staan bij wijze van spreken met hun blote voeten in de stront terwijl andere mensen plezier maken. Ali was geen uitzondering op de regel. Hij kwam stap voor stap dichterbij en beschermde zijn gezicht tegen de verzengende hitte. BELG...C... stond in drukletters op de zijkant van het voertuig. De rest van het woord smolt weg. Hij probeerde de nummerplaat te ontcijferen. X... L...19... Met een scherpe knal sprong het iso-glas aan duizend scherven—het leek alsof vlak naast zijn hoofd een pistool werd afgevuurd—en donkere rook walmde uit de stuurcabine. Het linkerportier zwaaide open en uit de gloeiende vuurbal kantelde een verkoold zwartgeblakerd lichaam, met een hoofd als een gebraden kip. De helft van de schedel was weggeschoten. Het lichaam viel in de berm. Het stonk naar verschroeid vlees op de barbecue. In de laadbak van de bestelwagen lag geen cashgeld. Geen Duitse marken of palletten Franse en Zwitserse francs of guldens en dollars en ponden en roebels en Japanse yen en Belgische franken en evenmin Syrische of Libanese ponden. In plaats van cashgeld lagen er lege en volle gasflessen. Metershoge gele vlammen schoten uit de bestelwagen en de gasflessen werden roodgloeiend en met tussenpozen van vijfenveertig en vijfenzestig seconden knalden zij uit elkaar en volgden drie ontploffingen in opklimmende kracht. Ali El Hadji was op het verkeerde ogenblik op de verkeerde plaats. Hij deinsde verschrikt achteruit. Zelfs de lucht was roodgloeiend. Hij sloeg zijn handen voor zijn ogen en een rauwe kreet borrelde uit zijn keel. *Bismillahi rahmani rahim.* El-fatiha. De eerste verzen van het eerste hoofdstuk uit de koran. *Alhamdu lillahi rabbi al-'alamien.* Hij wankelde en gaf bloed over en zakte in elkaar in de sneeuw. Drie seconden later was hij dood.

Bruxman *lachte*. Hij trok zijn bovenlip op en sperde zijn mond wijd open en het vuur kroop omhoog en de vlammen likten aan de nachtelijke hemel en de gloed van de brandende bomen danste op zijn gouden tanden. *Ha ha ha. Ha ha ha.* Hij lachte. Eerst aarzelend, daarna uit volle borst. Hij lachte zoals hij in jaren niet had gelachen. Twintig jaar, om precies te zijn. Hij stond in zijn slaapkamer aan de voet van zijn brits en keek door zijn verrekijker naar de drukte aan de rand van het bos. Hij was naakt. Rood haar op zijn armen, alsof zij van koper waren. Zijn hoofdhaar was kort tegen zijn schedel geknipt. Niet geschoren, maar geknipt. Aan het plafond hing een ronde Japanse lantaarn van wit papier. De brits was niet opgemaakt. Er lag een grauwe soldatendeken overheen— een gevangenisdeken—en op de deken lag een Remington met een kolf van kevlar. In Amerikaanse films uit de fifties is Remington het wapen van elitetroepen die de president van de Verenigde Staten bewaken. Het geweer was niet geladen. Op de vensterbank stond een doos met tien patronen en daarnaast, binnen handbereik, lag een Sig Sauer-pistool met dertien patronen van het kaliber 9mm Para in de lader.

Alles is een wapen. Dat had Bruxman in de gevangenis geleerd. Alles wat snijdt of verwondt kan als wapen worden gebruikt. In Leuven-Centraal stak een terdoodveroordeelde een lastige cipier met een verbogen paperclip een oog uit en in het Vakantiesalon van Brugge—de beste gevangenis van het land, er is zelfs een *sauna* voor de gedetineerden—knutselde een Hell's Angel met een gebogen lepel en enkele muntstukken een boksbeugel in elkaar. Hoe hij in de gevangenis aan muntstukken kwam, bleef een raadsel.

Alles wat hij wist, had Bruxman in de gevangenis geleerd.

Zelf kreeg hij de doodstraf. Er is niets verloren, had zijn advocaat gezegd. Wie door assisen wordt veroordeeld, heeft vijftien dagen de tijd om in beroep te gaan bij het Hof van Cassatie vanwege procedurefouten. Er worden *altijd* procedurefouten gemaakt, desnoods lokken wij de fouten zelf uit. Ofwel start de veroordeelde een 'procedure tot herziening' omdat 'nieuwe' elementen in de zaak zijn opgedoken. Flauwekul. Blablabla. Woorden om de lucht te vullen. Woede. Dat was het, wat hem sedert zijn veroordeling voortdreef. Woede. Dat was de reden waarom hij deed wat hij deed. Woede. In het spiegelende glas van zijn slaapkamerraam keek Bruxman naar zichzelf. Zilverdraden in zijn korte stekelhaar. De doodstraf werd levenslang en levenslang werd teruggebracht tot dertig jaar en geen advocaat ter wereld kon daar iets aan veranderen.

Woede.

In Sing Sing, op vijftig kilometer van New York, zitten zeshonderd veertien gevangenen opgesloten in cellen van één meter breed die kleiner zijn dan een WC. Eén keer in hun leven worden zij uit hun cel gehaald, om te sterven op de elektrische stoel.

Woede en herinneringen.

Een gorilla van een vent greep hem bij de keel en drukte een zelfgemaakte pruik op zijn hoofd en schilderde met viltstift een paar tieten op zijn schouderbladen en een navel in het midden van zijn rug en neukte hem in zijn kont tot de stront er langs zijn neus en zijn oren uitkwam. Bruxman gilde als een geslacht varken en schreeuwde heel de gevangenis bijeen. Op voorschrift van de gevangenisdokter kreeg de gorilla Androcur en Enanton wat verkrachters en pedofielen impotent maakt en hun seksuele drift verlamt. Hij nam zijn viltstift en schilderde twee zwammen op de schouderbladen van Bruxman en spoelde de medicatie door het toilet.

Zo ging dat, in Leuven-Centraal.

Sommige wonden genezen nooit.

Bruxman huilde. Zijn tranen waren twintig jaar oud.

Hij zette de radio aan.

I wanna fly like an eagle—to the sea

Fly like an eagle—let my spirit carry me
I wanna fly like an eagle—till I'm free
The Neville Brothers, uit de Top-100 van Toen. Een jambalaya van blues, soul, funk, jazz en beat. Voorzichtig blijven, dacht hij. Wat er ook gebeurt, ik zal mijn vel duur verkopen. Het was te snel gegaan. Te snel en te gemakkelijk. Zonder bazooka's en zonder bloedvergieten. Misschien heb ik gewoon *chance* gehad, dacht hij. Hoerenchance. Op de autosnelweg naar München verloor een gepantserde transportwagen een lading diamant en andere edelstenen. De stenen rolden als knikkers over de weg. Dat was pech. In Belfast werd de buit van een bankoverval per toeval teruggevonden in de toiletten van het plaatselijke politiekantoor. Tweemaal pech. Indien het voor iedereen zo eenvoudig zou zijn om de hand te leggen op twee palletten Belgische franken en buitenlandse valuta, dan zouden de Nationale Bank en de Bank of England en de Sveriges Riksbank en de Deutsche Bundesbank en de Banca d'Italia en alle andere centrale banken ter wereld iedere dag van het jaar bezoek krijgen van slimme bankrovers die niet graag werken en liever rijk zijn dan moe.

Op de vloer lagen stapeltjes bankbiljetten, voornamelijk dollars, ponden, Duitse marken, Italiaanse lire en enkele honderdduizenden franken. Zuivere biljetten. Er zat geen chemisch spul op, zoals op losgeld na een kidnapping. Er lagen zelfs enkele Colombiaanse peso's tussen. Drugsgeld, dacht Bruxman. Hij lachte, uit het diepst van zijn keel. *Ha ha ha. Ha ha ha.* Misschien kon hij het op een akkoordje gooien met de Nationale Bank. Alle gestolen geld terugbrengen om het met interest om te wisselen tegen zijn verloren gevangenisjaren. Hij zoende de biljetten, een na een, en snuffelde eraan.

Geld. De grootste drug van allemaal.

Hij nam een handvol koperen patronen uit de doos op de vensterbank. Dumdumkogels. Paddestoelvormig. Zij draaien rondjes in het lichaam en spatten uit elkaar, met gapende wonden en versplinterde botten als gevolg. Dumdumkogels zijn populair bij terroristen en jagers op groot wild. Officieel *bestaan* zij niet. Zij worden nergens verkocht omdat het gebruik ervan door de Conventie van Genève verboden is. Wie met dumdumkogels schiet, maakt zich schuldig aan oorlogsmisdaden. Bruxman liet de kogels door zijn vingers glijden en de patronen kletterden op de vloer en dansten onder het bed.

Hij dronk een whisky of twee. Veegde de rest van de dumdumkogels op de grond en zette de Remington aan zijn schouder. De olie waarmee het geweer was ingewreven, glansde in het licht van de vlammen, die walmden in de mist en vonkten naar alle kanten. Hij stelde de telelens scherp op de rand van het bos—de telescopische lens was degelijk, ouderwets Oostblokmateriaal, uit de fabriek van Carl Zeiss Jena—en zag met eigen ogen hoe de bestelwagen uitbrandde tot slechts een zwart karkas overbleef en elke vierkante meter van het bos werd uitgekamd met speurhonden. De zoektocht leverde het volgende op: 1) een originele Duitse autonummerplaat, verwrongen en gebogen, 2) jachtpatronen, 3) twee ambachtelijk gemaakte patronentassen, 4) oorlogsmunitie uit de Tweede Wereldoorlog, 5) papiersnippers (onleesbaar) en 6) een wegenkaart (verbrand en verpulverd). Agenten in zwart gevechtsuniform met de witte letters P-O-L-I-T-I-E op de rug zochten in het struikgewas naar bandensporen en andere aanwijzingen. Zij droegen een zwarte bivakmuts. In het donker lijken alle katten op elkaar, dacht Bruxman. Alle agenten ook, trouwens. Zijn vinger speelde met de trekker. Hij kneep zijn linkeroog dicht en keek door de lens en mikte op een hoofd in een bivakmuts. BÁMMM, deed hij. Een perfect schot. BÁMMM BÁMMM BÁMMM. Kippen zonder kop, dacht hij. Spijtig dat het geweer niet geladen was. Hij ging op zijn rug op de brits liggen en staarde naar de Japanse lantaarn. Bruxman kon niet meer slapen 's nachts. Daarom sliep hij overdag. Een kerkklok sloeg vier uur. Hier vinden ze me nooit, dacht Bruxman. Nooit. Niemand kent mij hier. Niemand weet waar ik écht woon. Hij dronk een derde en een vierde whisky. De ijsblokjes smolten als sneeuw voor de zon, tot zij kleine eilandjes leken in een oneindige oceaan. Alles werd wazig voor zijn ogen. Bruxman stootte het glas om. Het rolde van het bed en brak op de vloer aan scherven. Hij dommelde in en toen hij wakker werd, was het donker. Zeemeeuwen gleden kokhalzend langs het raam. Dansende sterren aan de hemel. De lucht geurde naar zwavel. Nauwelijks verkeer, op dit uur van de avond, alleen het gillen van de sirenes van brandweerwagens en politieauto's. Vier lijkbezorgers in witte vinylpakken droegen twee kisten naar een dodenwagen.

Waarom Ali? De commissaris was bang. Voor het eerst in zijn leven was hij bang. Niets zou ooit hetzelfde zijn, wat er verder ook zou gebeuren. Zijn handen lagen in zijn schoot. Hij keek ernaar. Zij beefden. Zijn hart bonkte in zijn keel. Hij trok zijn neusgaten wijd open. Hij voelde zich koortsig. Een knagende pijn in zijn maag. Mensen hebben het gevoel dat het leven stilstaat. Dat iedere dag gelijk is aan de vorige en de volgende dag. Voor de moordbrigade was iedere dag een *andere* dag. De dood houdt er geen kalender op na. De dood is secondewerk en wordt nooit routine, zoals tandenpoetsen of koffiedrinken, omdat de dood altijd op het verkeerde moment komt. Magere Hein met z'n zeis en Pietje-de-Dood weten zelf niet *wanneer* zij zullen toeslaan. De commissaris snoot zijn neus. Hij schudde met het hoofd. Niemand komt levend uit dit leven. Zijn maag gromde met een hol gevoel. Zenuwen. Angst. België is failliet, dacht hij. Het land gaat naar de kloten. Europa is failliet. Alleen begrafenisondernemers gaan nooit failliet want er zullen altijd doden zijn. Alle mensen sterven. De dood is even normaal als eten en drinken. Wolkenflarden aan de nachtelijke hemel. Een auto reed door de stille straat. Opspattende sneeuw. De commissaris stond voor een raadsel. Hij voelde zich vuil. Hij verlangde naar een warm bad. In een leeg lokaal rinkelden twee telefoons. Dan: niets meer. Stilte. Alles was vredig, alles was rustig. Hij had het koud en trok zijn regenjas aan. Hij liet zich onderuitzakken achter zijn metalen bureau en luisterde naar de nacht. Ogen dicht. Als hij zijn oren spitste, hoorde hij de warme stem van Harry Belafonte aan de overkant. De hemel verbleekte. Een nieuwe dag hing in de lucht. Er viel een dik sneeuwtapijt, met grote, pluizige vlokken. De commissaris rekte zich uit en ging naar buiten. Hij drukte zich dicht tegen de huizen en stapte snel naar Panos om de hoek. Hij dronk twee koffies—zwart, zonder melk, zonder suiker—en at een chocoladekoek en een hoorntje met pudding. De kwikthermometer wees min 9 graden aan. Bitter koud, zelfs voor de tijd van het jaar.

Op verzoek van de familie vond de begrafenis van Ali El Hadji in alle intimiteit plaats. Eerst werd hij drie keer gewassen, met water waaraan lotusblad en andere exotische parfums waren toegevoegd. Daarna werd zijn lichaam in drie witte lijkwaden gewikkeld en overgebracht naar de moskee in Hoboken. Beroepsklaagvrouwen in het zwart werden ingehuurd en gingen de begrafenisstoet vooraf. Zij huilden op bevel, met échte tranen, en lieten zich op iedere hoek van de straat theatraal in de sneeuw vallen. Ali had drie broers. Tarik, Hassan en Saïd. Zij droegen het lichaam, dat was gekist, zoals de wet voorschrijft. De imam richtte een smeekbede tot Allah, in het Arabisch, de taal van de koran. *La illaha ila'Allah mohamedan rasoeloe' Allah.* Op het islamitische gedeelte in perk P van het Schoonselhof werd Ali voor altijd op zijn rechterzij gelegd, met het gelaat naar Mekka, onder twee heuveltjes van aangestampte aarde. Marokkaanse mannen in Arabische kledij liepen op plastic sandalen door de sneeuw, hun gebeden gedempt tot zacht gefluister. De lucht was zuiver en koud en de eerste hazelaars stonden in bloei, ondanks sneeuw en vrieskou.

'Verbrande longen,' zei de wetsdokter. 'Ali is gestikt in zijn eigen bloed en zijn eigen braaksel. Hij had geen schijn van kans.'

'We hebben te doen met supergevaarlijke gangsters,' riep de commissaris en wierp zijn handen in de hoogte.

'Pak ze bij hun kloten, Sam!'

Gemakkelijker gezegd dan gedaan, dacht de commissaris.

Stilte in het park. Doodse stilte. Alles ondergesneeuwd. De wereld van de dood was maagdelijk blank. Op de vijver achter het oude kasteel lag ijs. Er waggelden witte zwanen overheen. Samen stapten de commissaris en de wetsdokter van perk P langs het kasteel naar het mortuarium. De hoge ramen waren tot op manshoogte dichtgeschilderd, met witte verf, zodat niemand van buiten naar binnen kon kijken. Alleen in de hoeken schilferde de verf van het glas.

Een assistent zette een venster open, om de stank buiten te laten.

Wat de commissaris zag, sloeg hem met stomheid.

Er stonden zeven snijtafels, drie van wit marmer en vier nieuwe tafels van glanzend roestvrij staal. Op iedere tafel lag een lijk. De nieuwe tafels waren uitgerust met een moderne afzuiginstallatie van glanzend chroom, voor buikwinden en blubberscheten en andere vieze lichaamsgeurtjes. Een vrouwelijke stagiair in een groen beschermend vinylpak nam röntgenfoto's van de doden, om na te gaan of er niet per ongeluk verdwaalde kogels of kogelfragmenten in de dode lichamen waren achtergebleven. Zij lijkt op Sofie Simoens, dacht de commissaris, dezelfde ogen en hetzelfde haar. Maar zij droeg geen cowboylaarsjes van slangenleer. Alle schedels waren opengekapt met een beitel, om kogels te verwijderen. Een man had een kogelgat in zijn oor. Zijn hoofd was naar links geknakt en een zwarte tong stak tussen zijn lippen en bengelde naast zijn mond.

'Een dood lichaam heeft geen begrip van uur of tijd,' zei de wetsdokter. 'Toch is er haast bij. Verrotting wordt onmiddellijk na de dood ingezet, door bacteriën—*Clostridium welchii*, *Escherichia coli* en *Proteus vulgaris*—die het lichaam van binnenuit aanvallen, in het eerste stadium van post mortem. Het gevolg is lijkstijfte in de spieren van gezicht, hals, armen, benen en romp, in die volgorde. In de tweede fase van rigor mortis—twaalf tot vierentwintig uur na de dood—verdwijnt de lijkstijfte en wordt de verdere verwoesting van het dode lichaam ingezet door andere bacteriën, voornamelijk *Micrococcus albus* en *Bacillus mesentericus*. Wij kunnen het rottingsproces niet afremmen, Sam. Zelfs de modernste koelkasten zijn niet opgewassen tegen de natuur.'

Assistenten lieten elektrische figuurzagen ronken en poetsten de snijtafels met alcohol, om de stank van de lijken te camoufleren.

'In zijn tijd strooide Vesalius welriekende kruiden over de vloer,' zei de wetsdokter en ploeterde op zijn Zweedse klompen door de sneeuw. Zijn gezicht was purper en gezwollen van de kou. Met zijn grote harige handen wreef hij over zijn schedel. Hij opende de deur naar de autopsieruimte.

In één vloeiende beweging maakte de stagiair een Y-vormige inkeping in het dode lichaam van een vrouw, tussen haar borsten over haar buik tot voorbij haar navel. Een assistent waste het bloed weg, met water en zeep, en plamuurde de kogelgaten met ruwe plasticine met de kleur van versgemalen kalfsgehakt.

'Kijk hoe mooi zij slaapt,' zei de wetsdokter.

Maar zij wordt nooit meer wakker, dacht de commissaris.

Het lijk protesteerde en liet een harde pruttelwind en de stagiair kneep met twee vingers haar neus dicht. Onder de oude snijtafel van wit marmer—zonder afzuiginstallatie—stonden holle schalen om weggesneden organen op te vangen. De schalen leken op soepborden. Op de rand van de tafel lagen glanzende scalpels in alle maten en vormen, naast elkaar, zoals zilverbestek in een driesterrenrestaurant.

'Je snijdt het slachtoffer open,' zei de wetsdokter. Hij hield zijn hand voor zijn mond en geeuwde. 'Bloed is het eerste wat je ziet. Daarna vet en weefsel en vergroeide of verrotte darmen. Je snijdt hart en longen, lever, maag, milt en pancreas en ten slotte de nieren en de blaas los en haalt de organen in *blokdelen* uit het lichaam. Ofwel verwijder je de organen *in situ*, dat wil zeggen in één keer.

Makkelijk, alles hangt met snot en slijm aan elkaar vast. In blokdelen of in één keer, veel kwaad kan het niet, het lijk is toch dood.'

De maag van de commissaris schoot in zijn keel.

Hij wendde het hoofd af.

De assistent wrikte aan een handgreep en maakte een koelcontainer open. OM DE KOELINSTALLATIE IN WERKING TE STELLEN, GELIEVE DEZE RICHTLIJNEN TE VOLGEN, stond op een handgeschreven document dat met zes stukken oude en vergeelde plakband aan de binnenkant van de metalen deur was gekleefd. RECHTERKNOP INDRUKKEN. DAN SCHAKELAAR UIT NULSTAND NAAR LINKS DRAAIEN. DE KOELKAST IS IN BEDRIJF. Daaronder een eenvoudige tekening, in zwarte viltstift, plus de tekst: VAN DE ANDERE BE-DRIJFSKNOPPEN DIENT AFGEBLEVEN TE WORDEN, in de rechterbenedenhoek. Krassend gleed een soort metalen veldbed op wieltjes uit de koude koker. Er lag een mens op of, beter gezegd, de verbrande en kromgetrokken res-ten van wat ooit een mens was geweest.

De stagiair zette met een snerpend geluid een elektri-sche figuurzaag tegen de verkoolde en zwartgeblakerde schedel en de commissaris, die het klappen van de zweep kende, trok zijn kop-in-kas en sprong geschrokken twee passen achteruit. Een fractie van een seconde te laat, want donkere smurrie spatte tegen het raam en hij kotste de pudding en de resten van zijn chocoladekoek uit zijn lijf. Een zure smaak in zijn mond, voor de rest van de dag.

'Kom mee naar mijn bureau, Sam,' zei de wetsdokter. 'Daar is het lekker warm.'

'Nee, dokter, dank je,' antwoordde de commissaris, hoewel zijn oren bijna van zijn hoofd vroren. Hij zucht-te. 'Een lijk meer of minder, daar kijk ik niet van op. Maar te veel is te veel. Ik ben ook maar een mens met twee armen en twee benen. Ik heb er mijn buik van vol.'

Het dodenhuis was een laag modern gebouw zonder verdiepingen, witgeschilderd, met een grijs dak met een hoge schoorsteen in het midden, waardoor het meer op de gaskamers van Auschwitz leek dan op een stedelijk mortuarium. Onbekenden hadden anti-joodse graffiti op de witte gevel gespoten. Op deze wereld lopen veel normale mensen rond, dacht de commissaris, maar helaas ook veel klootzakken. Zelfs onze vriend Hitler was ooit kandidaat voor de Nobelprijs voor de Vrede. Met zes miljoen joden op zijn geweten! Is dat niet godgeklaagd? Vlak naast de hoge ramen stonden acht cipressen, die net zoals klimop en wilde liguster een christelijk symbool zijn voor rouw en heropstanding. De cipressen zwaaiden heen en weer in de nijdige wind.

'Zal ik je een geheim verklappen, Sam?'

'Je kent mij, dokter. Horen, zien en zwijgen.'

'Dit mortuarium... mijn bureau... de lijkenkamer... de snijtafels en koelcontainers... 't is een schande, eigenlijk... alles is opgetrokken zonder bouwvergunning.'

Het verbaasde de commissaris niet.

Niets verbaasde hem. Toch kan zoiets alleen in België, dacht hij.

Hij verliet het lijkenhuis en trok opgelucht de deur achter zich dicht.

Kille mist kleefde als Velpon aan bomen en struiken. De stilte werd verbroken door een cassettebandje met koranverzen uit de richting van perk P aan de rand van de begraafplaats. *Bismillah ar-Rahman ar-Rahîem.* Ali is een martelaar. Hij treedt binnen in het paradijs van Allah en krijgt tweeënzeventig maagden en tachtigduizend bedienden. *Alhamdoe lillahi rabbiel'alamien.* Geen bloemen, geen kransen. *Allahoe Akhbar.* De ogen van de commissaris traanden. Hij sperde zijn neusvleugels wijd open. De lucht was ijselijk koud. Hij wist niet dat hij zoveel verdriet kon hebben. Wist niet dat verdriet zo'n pijn deed. Klotewereld, dacht hij. Klotekloteklotewereld. *La illaha ila'Allah mohamedan rasoeloe'Allah.* Hij vloekte en schopte woest de verse zachte poedersneeuw voor zich uit. Naast het graf van Ali liet een bakker van het Kiel een bloemstuk leggen met de tekst *Uit eerbied voor alle politiemensen* op een wit lint en daaronder ʜɪᴊ ʀᴜsᴛ ɪɴ ᴠʀᴇᴅᴇ, in een Arabische letter.

Bij de ochtendpost zaten zeventien brieven van anonieme briefschrijvers, die in kringen van het gerecht 'kraaien' worden genoemd. Nieuwe onderzoeksrechters werden aangesteld. De gerechtelijke politie benaderde informanten uit het milieu om tegen betaling inlichtingen te verstrekken. In vette letters stonden de gebeurtenissen van de voorbije vierentwintig uur in de krant, met spectaculaire kleurenfoto's en schreeuwerige titels op de voorpagina. **MASSAMOORD MINSTENS 19 DODEN**. Nochtans had de persmagistraat de sappigste details over de moorden—de drek, het bloed, de goorheid—niet vrijgegeven aan de pers. Daaronder in een kleinere letter **HOLD-UP NATIONALE BANK** en wéér daaronder, in een nog kleinere letter **SCHATKIST LEEGGEROOFD GEEN SLACHTOFFERS**. Iedereen was op de hoogte van de feiten, via de krant en het televisiejournaal. Alle bladen—zelfs buitenlandse—drukten de robotfoto af die door de Algemene Nationale Gegevensbank was verspreid naar alle persagentschappen en politiediensten in het land. *Verdachte zou 'Bruxman, met een x' heten (geen voornaam bekend), hoewel dat net zo goed een alias kan zijn. Sportieve lichaamsbouw, ongeveer 1,75 meter groot. Heeft lang grijs haar en een donkere snor. Zou enkele gouden tanden hebben. Wie meer weet over de man op de foto wordt verzocht contact op te nemen met de onderzoekers via het gratis tele-*

foonnummer of met de politie in zijn buurt. Minstens negentien doden. Het waren er twintig, plus twee rijkswachtpaarden en een rat, dacht de commissaris. Commentaarschrijvers vonden geen verklaring voor de meervoudige moord, dus werd zij voor het gemak in de schoenen van 'mogelijke terroristen' geschoven. Waarschijnlijk was het puur toeval en een samenloop van omstandigheden dat de wijkpolitie in dezelfde periode uitpakte met een opmerkelijke statistiek. *Uit officiële cijfers blijkt dat het misdaadcijfer in de regio sterk is gedaald.* De kranten publiceerden de statistiek in de marge van de verslaggeving over het bloedbad op de Suikerrui en de hold-up op de Nationale Bank.

'Leugens,' zei Dockx.

'Hier zou ik zeven kleuren stront van schijten,' zei Tony Bambino.

'Iedere dag lijkt deze stad méér een kopie van Chicago in de tijd van Al Capone en toch houden politiekers met een stalen gezicht vol dat er geen probleem is,' zei Desmet.

'Wie is Al Capone?' vroeg Deridder.

'Weet je dat per jaar méér moorden in Antwerpen worden gepleegd dan in de rest van België samen?' zei Dockx terwijl hij in een spiegeltje naar zijn dunnend haar keek.

'Wat zeggen de statistieken?'

'Vijfentwintig moorden per jaar, tegenover drie in Kortrijk, vier in Brugge en in Leuven, en twaalf in Gent.'

'Tijd om Europol in te schakelen, chef?' vroeg Tony Bambino.

De commissaris zuchtte. 'Waarom? De Europese politie bezit geen enkele macht,' zei hij en schudde zijn hoofd. 'Frankrijk ligt naast de deur en toch gelden daar andere wetten dan hier. Zo mag de *police judiciaire* geen undercoverwerk verrichten. Een speurder uit Parijs die een getuige wil verhoren in Gent moet eerst toestemming vragen aan de minister van Justitie in zijn land. Die stelt op zijn beurt de vraag aan de minister van Justitie in België die wel of niet met het verzoek uit Frankrijk naar een onderzoeksrechter stapt. Da's allemaal papierwerk en vertraging. Een seksmaniak toert rond in West-Vlaanderen. Hij sluit een minderjarig meisje op in zijn bestelauto en ontvoert haar naar Frankrijk, waar hij haar verkracht en vermoordt. Toch mag hij in België alleen voor opsluiting en ontvoering worden veroordeeld. Is dat niet van den hond zijn kloten? Duitsland staat niet toe dat de *Kriminalpolizei* telefoons aftapt en Scotland Yard weigert toestemming te geven om in het geheim bewijzen en getuigenissen te verzamelen. Interpol tot daar aan toe, maar Europol?'

'Een lege doos,' zei Desmet. 'Europol woont in een mooi gebouw in Den Haag, met prachtige parkeerplaatsen en palmbomen in de hal, maar de agenten die ervoor werken hebben zelfs niet de bevoegdheid om misdadigers te arresteren.'

'Er bestaat zelfs geen Europees aanhoudingsbevel,' zuchtte Dockx.

'Terwijl misdaad in-ter-na-tio-naal is,' zei Tony Bambino. 'Al de vuurwapens die wij hier in modelstaat België in beslag nemen—zelfs de schietgeweren van de Bende van Nijvel—zijn negen kansen op tien aangekocht bij de firma Ukroboron in Oekraïne.'

Misdaadbestrijding is een zottekensspel, dacht Desmet.

Wij zijn marionetten en de gangsters trekken aan de touwtjes.

'Hoe komen die spullen over de grens?'

'Grenzen zijn poreus,' zei Sofie Simoens. Zij haalde haar schouders op.

'Er zitten gaten in,' zei Dockx, 'zoals in de stippellijnen op de landkaart.'

'Eerst-schieten-en-dan-vragen,' zei Tony Bambino. Die hele reutemeteut, de speurders werden er zo moe van.

Sofie Simoens haalde alle dossiers over bankovervallen uit de stoffige dozen. DIT DOSSIER BEVAT 12 STUKKEN UIT HET OPSPORINGSDOSSIER stond op een gele kaft die met drie rubberbanden werd bijeengehouden. Het cijfer 12 was met zwarte viltstift onderstreept. Zij maakte een onderscheid tussen 'dringende' en 'niet-dringende' stukken en noteerde de persoonlijke gegevens van alle bankrovers die de voorbije tien, vijftien jaar door de rechter met een lange gevangenisstraf werden bedacht en in de loop der jaren onder voorwaarden werden vrijgelaten. Zij nam contact op met het Bestuur der Strafinrichtingen en startte een voorbereidend opsporingsonderzoek. *Het staat zekerlijks vast dat...* tikte zij na lezing van de dossiers op een interne memo en vroeg schriftelijk de toestemming *...om huiszoeking te verrichten en na te gaan of (namen niet ingevuld) in het bezit zijn van vuurwapens of andere zaken die van nut kunnen zijn in het onderzoek betreffende...* Onder de hoofding 'verdachte handelingen' stuurde zij de memo door aan de onderzoeksrechter.

In de gang van het gerechtshof hing—zoals altijd—een muffe geur van stof en urine en tabak. Een geur uit een andere eeuw, eerlijk gezegd, uit een brave eeuw, toen de centrale hal door gegoede burgers en weldoorvoede magistraten 'la Salle des Pas Perdus' werd genoemd, zoals op de Quai des Orfèvres in de tijd van Maigret, en er in dit land geen sprake was van asielzoekers en Tsjetsjeense misdaadbenden die stad en streek onveilig maken.

De vloertegels stonden vol natte, verloren voetafdrukken.

'Lopen er voldoende tips binnen, per telefoon?' vroeg de commissaris.

'Meer dan honderd, tot nu toe,' antwoordde Deridder.

Alle binnenkomende tips werden op band opgenomen.

'Pluis alles uit. Ga er met een fijne kam door.'

'Zorg ik voor back-up, chef?'

'Hoe meer back-ups hoe beter.'

'Deze week ben ik twee middagen afwezig, chef. Ik zit in de rechtbank, als getuige in een assisenzaak.'

'Dan zorg ik voor versterking.'

'Vindevogel is een goede kracht,' zei Sofie Simoens.

In bed, dacht Deridder, met zijn ogen dicht.

Desmet vroeg telefonisch serienummers op van oude nummerplaten en naam en adres van de laatste eigenaars van afgedankte voertuigen. Zijn vingers speelden met een sigarenkistje met een vlakgom en een potloodslijper en kleine potloodjes van Ikea in. Er stonden flesjes verharde Tipp-Ex naast, en een halflege inktpot en een rond doos-je van hoestpastilles waarin rode en blauwe elastiekjes zaten.

'Djim?' zei Deridder.

'Ja?'

'Ken jij het nummer van het labo?'

'Ja.'

'Uit het hoofd?'

'Wie heb je nodig?'

'Verswyvel.'

'Verswyvel van het technisch labo?'

'Ja.'

'Zeven negen zeven twee nul vier.'

'Dank je, Djim,' zei Deridder en hij toetste het nummer in.

Desmet kromp ineen van het lachen.

'Waarom lach je?'

'Een grapje, Sven. Dat was een grapje. Zeven negen zeven twee nul vier is de titel van een oude schlager van Will Tura, uit 1980 of zo.'

'Wie is Will Tura?' vroeg Deridder.

De telefoon rinkelde.

Desmet nam de hoorn op. 'Voor jou, Sven,' zei hij en zuchtte.

'Wie is het?' vroeg Deridder.

'Verswyvel.'

'Verswyvel van het technisch labo?'

'Ja.'

Wat een toeval, dacht Deridder.

Op woensdag trok de commissaris zich in een besloten vergadering terug met alle achtentwintig speurders van de moordbrigade. Zij bespraken de stand van zaken van het lopend onderzoek en dokterden een strategie en een strijdplan uit voor de komende dagen en weken. In iedere moordzaak—onafgezien het aantal slachtoffers—worden drie 'nevenfeiten' onmiddellijk onderzocht.

1.—Welke misdadigers zijn zopas ontslagen uit de gevangenis?

2.—Waar bevonden zij zich op het ogenblik van de feiten?

3.—Welke verdachten met een strafblad hebben zich kort na de moord(en) met 'onverklaarbare' verwondingen gemeld bij een dokter of in een ziekenhuis?

'Trente-Six, in ieder geval,' zei de commissaris.

Belgacom meldde geen diefstal van bedrijfswagens.

In totaal zette de commissaris meer dan honderd medewerkers op de zaak, vooral rijkswachters en agenten van de lokale recherche. Zij werkten in stilte, in de schaduw, en trokken iedere anonieme tip en ieder telefoontje na. Ieder spoor, ieder detail werd onderzocht en platgerechercheerd. Sofie Simoens vlooide verder gevangenisdossiers uit. Ik geloof niet in de perfecte misdaad, dacht de commissaris. Iedereen maakt fouten, zelfs de sluwste misdadiger, en juist omdat iedereen fouten maakt, geloof ik niet in de perfecte hold-up. Dutroux en Horion en de Wurger van Linkeroever of Haemers zijn opgepakt doordat zij fouten hebben gemaakt en niet door geniaal speurwerk van de politie.

Dockx raadpleegde vergeelde informatiefiches.

Vindevogel werd toegevoegd aan de moordbrigade. Hij bestudeerde een memo over politie-acties zoals infiltratie, observatie—schaduwen van verdachten, met andere woorden—en pseudo-koop, vooral van drugs. Vele politie-acties zijn geregeld door een geheime ministeriële rondzendbrief. Telefoons aftappen is bijvoorbeeld uitsluitend toegelaten met een gemotiveerd mandaat van de onderzoeksrechter.

Desmet kreeg het warm en zette een raam open.

De koude winterwind kreeg vrij spel in het lokaal.

'Wij zijn geen Eskimo's,' zei Sofie Simoens.

'Wat denk je dat het hier is? O'Cool, of wat?' vroeg Tony Bambino.

Er werd kostbare tijd verloren. Hoe meer mensen en diensten, hoe minder vooruitgang, en time is money. De commissaris riep zijn speurders tot de orde. 'We moeten roeien met de riemen die we hebben,' zei hij. 'Ik ben een man van de praktijk en in de praktijk heb ik geen vertrouwen in de rechterlijke macht. Dus gaan wij onze eigen weg. Luister goed. Naast ieder "officieel" onderzoeksdossier, waarin alle processen-verbaal zitten, maken wij een tweede dossier, een "vertrouwelijk" dossier voor intern gebruik. Een soort "dossier-bis" waar de onderzoeksrechter niets van afweet. Wat ik doe is tegen de wet maar de wet kan de pot op. Wie het hier niet mee eens is, mag nu gaan, en hoeft niet meer terug te komen. Is dat goed begrepen? Klaar en duidelijk?'

'Gesnipt gesnapt gesnopen,' zei Desmet.

De andere speurders knikten.

Door de gang klonk Bluesette op mondharmonica.

'Reken op mij, chef. Altijd,' zei Sofie Simoens.

Dat moet botsen, vroeg of laat, dacht zij.

Er werd op de deur geklopt.

Sofie Simoens hield haar vinger voor haar mond. 'BINNEN!' riep zij.

Flora stak haar hoofd om de deur. 'Zal ik je thermosfles bijvullen, commissaris?' vroeg zij.

'Spoedbrief van Sint-Vincentius!' riep de telefoonwacht vanuit zijn glazen hok.

Het was geen brief maar een bruine enveloppe.

De commissaris schudde ze leeg boven het werkblad. Er vielen twee computergetypte rapporten uit plus een aantal röntgenfoto's. Hij las de medische verslagen en hield de foto's tegen het licht.

'YES!' riep hij en stak zijn vuist in de lucht. 'YES YES YES!'

'Nitrocellulose?' vroeg Tony Bambino met glunderende oogjes.

'Méér dan dat,' lachte de commissaris en diepe rimpellijnen trokken van zijn neus naar zijn mond. 'We hebben de schutter van de Suikerrui bij zijn pietje. Een zuivere wond, zonder kogelfragmenten. Botten en beentjes en pezen waren niet geraakt en alle bewegingen van de vingers konden worden uitgevoerd. Op zijn andere hand— zijn schuttershand—werden sporen gevonden van antimonium. Een zilvergrijs kristal. Antimonium is een scheikundig element met symbool Sb en atoomnummer 51. Het komt niet voor in de vrije natuur en blijft als *residu* achter telkens wanneer een wapen wordt afgevuurd. Trente-Six is een vogel voor de kat.'

'Enfin, eindelijk,' zuchtte Dockx.

'Waar zit de neger opgesloten?' vroeg Vindevogel.

'In de Begijnenstraat,' zei Deridder.

'Laat hem zitten. Hij zit er goed.'

'Knap, chef,' zei Desmet.

'Hoe wist je dat Trente-Six de man was die we zochten?' vroeg Sofie Simoens.

'Eerlijk? Dat wist ik niet.'

Zijn speurders keken hem verbaasd aan.

'Ik gokte en had geluk. Ik heb juist gegokt.'

Wie niet waagt, niet wint, dacht de commissaris.

Aan alles in het leven zit een goede en een slechte kant. De onderzoeksrechter vertrok op skivakantie naar Val d'Isère, dat was de goede kant. Een *korte* vakantie, zij zou hooguit enkele dagen wegblijven. Dat was de slechte kant. In het gerechtshof rinkelden de telefoons als gek. Eigenlijk *zoemden* of *ratelden* zij, naargelang van de stand van de regelknop. Iedereen had een of andere mening of vertelde zijn eigen verhaal. Wanneer vervalt je levensverzekering? vroeg een anonieme grapjas. Morgen? Dan doe je er goed aan vandaag te sterven! Schaterlachend wierp hij de hoorn op het toestel. Een kloefkapper kwam tot de conclusie—aan de hand van de ligging van de lichamen ten opzichte van het magnetische noorden—dat Trente-Six geen mens was maar een buitenaards wezen. 'Menselijkheid' en 'medelijden' bestonden niet meer. Het bleef sneeuwen. Door het slechte weer konden gevangenen niet worden vervoerd. Op verzoek van de verdediging werden de zittingen van de Kamer van Inbeschuldigingstelling in het Beroepshof uitgesteld en verplaatst naar een latere datum. Alles moest wijken voor het gerechtelijk onderzoek.

'Werd de familie van de slachtoffers op de hoogte gebracht?' vroeg de commissaris.

'Zoveel mogelijk.'

'Hoe bedoel je?'

'Van twee slachtoffers weet niemand wie ze zijn.'

'De wetsdokter en het labo zijn ermee bezig,' zei Desmet.

'Eén slachtoffer ligt in coma,' zei Vindevogel.

'Zij is ziekenverpleegster van beroep,' zei Deridder. 'In haar handtas zaten achtendertig voorwerpen.'

'Onder andere drie condooms met fruitsmaak,' zei Sofie Simoens.

'Klote klote klote,' zuchtte Tony Bambino.

'Houden wij onze luchthavens extra in de gaten, chef?' vroeg Dockx.

'Bruxman vlucht niet,' zei de commissaris. 'Zeker niet naar het buitenland. Misschien naar Holland, maar dat is geen buitenland. Iemand met zoveel geld zit er liever bovenop, zoals een kloek op haar eieren. Die man zit safe. Wat kan hem gebeuren? Stel dat we hem vinden en een eerlijke rechter veroordeelt hem tot de maximumstraf. Tien jaar, wegens roof en bendevorming. Dankzij de wet-Lejeune staat hij binnen drieënhalf, maximaal vier jaar weer op straat. Stinkendrijk. Multimiljonair voor de rest van zijn dagen.'

Ik koos een verkeerd beroep, dacht Tony Bambino.

Misdaad loont niet, zeggen de mensen. Flauwekul.

Ik had bankrover moeten worden.

Trente-Six werd door drie gerechtspsychiaters en evenveel gerechtspsychologen aan een mentaal en psychologisch onderzoek onderworpen. Zijn dossier puilde uit van gruwelijke verslagen en verschrikkelijke foto's. Hij had een vragenlijst ingevuld. Wat vind je van een boom? Een boom is een boom. Hou je van Sneeuwwitje? Ik hou van Chocopasta Kwatta. De psychiaters stelden een 'psychologisch profiel' op en verklaarden unaniem dat Trente-Six leed aan 'theatraliteit', 'mythomanie', 'megalomanie', 'hysterie' en nog enkele moeilijke ziekten uit de Griekse geschiedenis. Wat heeft dat allemaal te betekenen? Zulke moeilijke woorden, dacht de commissaris. Hij slofte naar de gerechtsbibliotheek op de derde verdieping en zocht in een verklarend woordenboek naar de juiste betekenis van de woorden. *Megalomanie: van het Griekse megalè (groot) + mania (razernij): grootheidswaanzin. Mythomanie: van het Griekse muthos (verhaal, mythe) + mania (waanzin): ziekelijke fantasie, leugenzucht. Hysterie: van het Griekse hustera (baarmoeder): zenuwziekte, vooral bij vrouwen. Theatraliteit: van het Franse theatral: overdreven, met veel vertoon.* Samengevat: zenuwzieke razernij met een ziekelijke fantasie. De commissaris zuchtte. Hij krabde in zijn haar. Dit is geen politie-onderzoek, dacht hij, dit is een kruiswoordraadsel.

'Zien wij iets over het hoofd?' vroeg Tony Bambino.

Desmet keek naar zijn afgedragen pantoffels die boven op de computer stonden. Hij snuffelde eraan alsof het rotte vis was en trok een vies gezicht en smeet de pantoffels in de papiermand bij de scheurkalender van vorig jaar.

De telefoon zoemde.

Tony Bambino rukte de hoorn van de haak.

'Hij is bezig. Waarmee? Met een verhoor.'

'Wie is het?' vroeg Deridder.

'Sandra.'

'Zeg dat ik terugbel.'

'Sven belt zelf terug, Sandra.'

In het lokaal van de speurders werden twee telefoontoestellen bijgeplaatst. Onafgebroken rinkelden en zoemden de vijf telefoons. De balie van het Hilton Hotel. De gast van een luxe-suite met uitzicht op de Groenplaats verliet het hotel in de nacht van oud op nieuw en liet zijn kleren en persoonlijke bezittingen achter op zijn kamer. Volgens het hotelpersoneel beantwoordde zijn beschrijving aan de robotfoto in de krant. De piloot van het oldtimermuseum bij de luchthaven van Deurne herkende de man op de robotfoto aan zijn snor en zijn paardenstaart. Zeker weten, geen twijfel mogelijk. Hetzelfde verhaal van de verkoopster van een winkel van uniformen en bedrijfskleren in de Hoogstraat. 'Diejen Bruxelmans me z'ene peirdesteirt en z'en moustasch, diejen-e'd'in oengze winkel draai overalls gekocht oem er de schatkist mé leeg te jatten.' Volgend telefoontje. 'A kwam dooi mengse kopen,' zei de bejaarde uitbaatster van het winkeltje van ouderwetse bric-à-brac op de Suikerrui. 'Mor waaj verkopen geen dode mensen.' Een joodse kapper in de buurt van het Centraal Station kreeg Bruxman als klant in zijn kapsalon. Scheerbeurt om de twee dagen.

'Is er een beloning uitgeloofd?' vroeg de kapper.

'Een beloning? Waarvoor?'

'Ik dacht dat er misschien een beloning zou zijn.'

Enfin, de kapper wilde de commissaris onder vier ogen spreken.

'Te-le-foon!' riep Tony Bambino.

'Over hoeveel tips spreken we?' vroeg Dockx.

'Driehonderd,' zei de commissaris langs zijn neus weg.

'Driehonderd?'

'Beter dan drieduizend.'

Sofie Simoens kantelde haar stoel en klemde de hak van haar rechter cowboylaarsje van slangenleer onder het werkblad. Zij trok haar voet half uit de laars en gespte met een dubbele riem een kalfsleren holster over haar witte sok om haar enkel. In de holster stak een mini-revolver met een rubberen greep, een Black Widow, met een loop van slechts vijf centimeter—51 mm, om precies te zijn—en een gewicht van amper 250 gram. Een speelgoedrevolvertje. Er zaten vijf kogels kaliber .22 in de cilinder. Zij zuchtte en bladerde in de *Flair*. Haar ogen stonden glazig.

Zotgeneukt, dacht Deridder. Ik ken dat.

Sofie denkt maar aan één ding.

Neuken neuken neuken.

Ofwel heeft zij tranen met tuiten gehuild.

Desmet tikte *een pévé* op een oude schrijfmachine met een belletje. Alle schrijfmachines in het gerechtshof waren museumstukken. Zij werden slechts in een noodgeval gebruikt, behalve door Tytgat, die niet overweg kon met een computer en van zichzelf vond dat hij te oud en te wijs was om moderne dingen aan te leren.

'Schrijf je een boek, of wat?' vroeg Dockx.

Desmet krabde in zijn haar. 'Je hebt twee manieren om een proces-verbaal te schrijven,' zuchtte hij. 'De eerste is de manier van de reisbrochures. Ik noem dat toeristenproza. Je gebruikt woorden om reizen te verkopen. Zon, zand, zee, seks en sangria. In toeristenproza wordt niet geneukt en gevloekt en zeker niet gekotst en nooit vloeit er bloed. Zo'n proces-verbaal gaat bij mij in de prullenmand. Ik ben een liefhebber van het proces-verbaal in de taal van de straat. Het leven zoals het is. Geen fun, geen fantasie, enkel feiten. In míjn processen-verbaal wordt wél gekotst, Dockx. Seks en sangria staan er óók in. Er wordt in gevloekt en gescheten en op iedere bladzijde vallen twee doden.'

Hij verbeterde komma's en punten en zette zijn handtekening onder zijn proces-verbaal.

'Sofie! Telefoon!' riep Tony Bambino.

Zij pinkte een traan weg en bladerde verder in de *Flair*.

'Spijtig, van Ali,' zuchtte Desmet.

'Ali was schizo,' zei Dockx.

Het klonk als de titel van een film.

'Da's eigen aan Marokkanen,' zei Sofie Simoens. 'Die mensen voelen zich hier niet thuis.'

Akkoord, Ali was een allochtoon, dacht Tony Bambino. Allochtoon. Een moeilijk woord. Vroeger waren dat gewoon gastarbeiders die konden oprotten als het vuile werk gedaan was.

'Naar het schijnt telt Antwerpen drieënzestig moskeeën,' zei Dockx, 'en er komen er iedere dag nieuwe bij. Allemaal gefinancierd door Afghanistan en Saudi-Arabië.'

'Geloof ik niks van,' zei Deridder.

'Je gelooft me niet?'

'Nee.'

'Waarom niet?'

'Omdat ik je niet geloof.'

'Hoeveel kerken zijn er in de stad?' vroeg Desmet.

'Zeventien.'

'Zeventien kerken tegenover drieënzestig moskeeën?'

'Als je 't mij vraagt, dat is van den hond zijn kloten,' zei Dockx.

'Weet jij hoe een moslimjongen heet die homo is, Sofie?' vroeg Tony Bambino.

'Een isla-mietje,' zei Sofie Simoens. Zij droeg een zachtgroen pulletje van kasjmier.

Drie telefoons belden tegelijk.

Dr. Fradler schuifelde op zijn krakende leren schoenen door de gang.

'Van het goede te veel,' zei Deridder.

'Van het *goede* heb je nooit te veel,' zei Desmet.

In de deuropening pafte Vindevogel een Bastos zonder filter. De vingers en vingernagels van zijn rechterhand zagen roestbruin van de nicotine. Aan zijn pinkvinger droeg hij een ring met een grote rode steen. Het overschot van zijn haar was over zijn voorhoofd gekamd om zijn kaalheid te verbergen. Hij was tweeënveertig jaar en leek er tweeënzestig.

De vierde telefoon maakte een knorrend geluid.

'Sofie! Telefoon!' riep Tony Bambino weer.

Zij zette haar stoel op zijn vier poten en nam de hoorn op.

'Dejen diefstal in de Nationale Bank? Op oudejaars- avond?' Iemand met een accent van de polder. Antwerpen- Noord, dacht Sofie. Ekeren, Stabroek, dic kanten. 'Zijn in de bank ook dollars gestolen? Dollars en Hollandse guldens? Of Duitse marken?'

'Met wie spreek ik?'

'Porsche. De garage aan 't Kempisch Dok. Hier rijdt juist een klant naar buiten met een 996 Carrera Turbo. Een poepchique directiewagen. Donkergrijs, alles leder, met elektrisch schuifdak en verwarmde stoelen. 450 pk, 307 km/uur. Zo rijden er maar drie rond in België. Slechts 10.000 km op de teller en wees gerust, madam, daar is niet mee geprutst. Catalogusprijs vier miljoen inclusief BTW.'

Da's een smak geld, dacht Sofie Simoens.

'Welke naam gaf hij op?'

'Salvatore Lazère. Een Italiaan, denk ik.'

Maffia, dacht Sofie en tikte de naam in de computer.

'Hoe betaalde hij?'

'Ja wadde. Cash. Boter bij de vis.'

'Gebruikte biljetten?'

'Nieuw, gebruikt, alles door elkaar. Geld van alle lan- den.'

'Dollars?'

'Dollars en guldens en Duitse marken.'

'Waarom denk je dat het geld afkomstig is van diefstal?'

'Er zit een borderel tussen met het stempel van de Nationale Bank.'

'Ik kom!' zei Sofie Simoens en smakte de hoorn op het toestel.

—en op datzelfde ogenblik liep de melding binnen dat een brokkenpiloot aan het stuur van een donkergrijze Porsche 996 Carrera Turbo tegen 250 *in 't uur op zijn minst* in het linkerbaanvak over het viaduct van Merksem vlamde, tussen het Sportpaleis en de 'eieren' van Aquafin.

'Komaan Sofie, we blokken hem af!' riep Vindevogel en smeet zijn sigaret weg.

'Afblokken? Met een Opel Vectra? Hoe ga je dat doen?'

'Zal ik eens vlug laten zien!'

Zij liepen naar beneden en onder het lopen trok Sofie Simoens een kogelvrij vest aan. Zij liep zoals een mannequin op de catwalk, met de ene voet voor de andere, op één rechte lijn.

Op de oude computer vormde zich—veel te traag—een pixelbeeld van de Italiaan, opgebouwd uit gekleurde puzzelstukken.

'Pas op! Die man is zot en gevaarlijk!' riep Dockx.

'Je kan toch met de auto rijden?' vroeg Sofie Simoens hijgend.

Vindevogel lachte en drukte zijn jarenzeventigbril met monsterachtige glazen stevig op zijn neus. In zijn broek van Terlenka zat een scherpe plooi. Slechts twee knoopjes van zijn hemd waren dicht. Hij had een harige borst en evenveel haar op zijn buik. 'Drie keer de Rally van de Condroz gewonnen en twee keer gestart in Parijs-Dakar,' riep hij met een stem als een klok. 'Dan weet je 't wel, zeker? Heb je toiletpapier bij, Sofie?'

'Toiletpapier? Waarom?'
'Je gaat in je broek schijten van schrik.'
We zullen zien, dacht Sofie Simoens.
We zullen zien wie in zijn broek gaat schijten

Rechters en magistraten maakten van de middagpauze
gebruik om tussen spelende kinderen en besneeuwde
bomen over de Britselei te kuieren, op weg naar de
Westbury. Voor de winkel van Délifrance aan de overkant
schoof een lange rij aan voor een broodje smos of een warme suikerwafel. Het was droog en bijtend koud. Sofie
Simoens liet zich op de passagiersstoel vallen en trommelde met haar vingers op het dashboard. *Oeperdepoep-zat-*
oep-de-stoep. Waar ben ik aan begonnen? dacht zij. Dit
wordt het verhaal van de haas en de schildpad. De haas is
de Porsche Carrera Turbo op de Singel en de schildpad,
dat zijn wij in onze krakende mestkar. Vindevogel gespte
breed lachend zijn gordel om en stak de sleutel in het contact en drukte onmiddellijk het gaspedaal in. Een zwarte
roetwolk schoot hoestend en kuchend uit de uitlaat en de
motor liet een brullend geluid horen en de Opel Vectra
knalde over het trottoir met de neus in de richting van de
zon.
    'Muziek, Sofie?' vroeg Vindevogel en hij zette de auto-
radio aan.
    'Het wordt moeilijk,' zei Sofie Simoens.
    'Moeilijk gaat ook, Sofie. Heb je een dienstwapen bij?'
    'Altijd. Ik voel mij naakt zonder mijn blaffer.'
    Vindevogel schakelde en trok aan het stuur en ramde
zijn grote voeten op de pedalen en de oude Opel Vectra
met 118.500 km op de teller, catalogusprijs twee keer niks
inclusief BTW, vloog met gierende banden over de
Amerikalei en dook zigzaggend in de Amantunnel onder

de leien. Sofie Simoens klemde zich met twee handen vast aan de passagiersstoel. Amantunnel, waar komt die naam vandaan? dacht zij en Vindevogel zwengelde het zijraam open—zijn pols werd er moe van—en kleefde een blauw zwaailicht op het dak. Hij reed met gestrekte armen, rechte schouders, zijn hoofd onbeweeglijk op zijn lichaam, een en al concentratie. The Stones denderden uit de boxen, lekker luid, Route 66 in de originele versie met Keith Richards and Brian Jones, *Well if you ever plan to motor west* bam bam *Just take my way* bam bam *that's the highway that's the best, Just get your kicks* bam bam—*on Route* bam bam 66, en uit de politieradio klonken verwarde berichten en Vindevogel lachte zijn rotte tanden bloot en Sofie Simoens kneep haar kontje bijeen en dacht *Piep-zei-de-muis-in-'t-vogelenhuis* en kruiste haar vingers. De dienstwagen schoot licht onderstuurd uit de eerste tunnel en slipte en slierde over de harde aangekoekte sneeuw en sneed de bochten af en bumpte over de witte lijnen en twintig meter voor de Kennedytunnel poepte de Opel Vectra in het gat van de Porsche Carrera Turbo en werd Sofie Simoens helemaal nat van spanning en opwinding.

'Zo'n vaart, en zonder pitstop!'

'Gas geven! Alles open!' riep zij.

'Hou je vast aan de takken van de bomen, Sofie!' zei Vindevogel en hij zette zich schrap en schakelde van derde naar vierde versnelling en plofte zijn zware rechtervoet op het gaspedaal en in razende vaart slalomde de krakende mestkar met loeiende sirene en flikkerend zwaailicht tussen de vrachtwagens uit Polen naar het licht aan het eind van de tunnel en scheurde op topsnelheid door de bocht.

Een moordend tempo. Vinnig, onvoorspelbaar.

Get your kicks bam bam *on Route* bam bam 66.

'Wij-zijn-de-mannen-die-de-gas-doen-brannen,' riep Sofie Simoens.

Een agent blafte in de politiescanner. *Tweej onwoezeleirs oep de Ring. De'n ene denkt dattem Schumacher is! en de'n andere is ze'n bruur!* gevolgd door gepiep en gekraak. Over wie heeft hij het? dacht Vindevogel. Over mij? Ik zal die gast een poepje laten ruiken. Een poepje van zijn eigen deeg. Met zijn neus in de lucht, zoals een hond die snuffelend een spoor volgt, rukte hij aan het stuur en side-flipte tussen het gas en de rem en de Opel Vectra hotste en botste over de gaten in het wegdek en Vindevogel schakelde naar de vijf en schoot naar rechts uit de bocht van de afrit naar Linkeroever, met 170 km/uur in de chicane door de late ochtendmist, op twee wielen en met één hand aan het stuur.

Sofie Simoens kirde van opwinding en haar hart bonkte in haar keel. 'Is 'm dat?' riep zij met een hoog, hees stemmetje. Haar ogen gloeiden en zij trok de speelgoed-revolver uit de holster in haar laars—vinger op de trek-ker—en blies zoals een cowboy het stof uit de loop.

'Gooi een stinkbom op zijn kop en rook hem uit zijn hol! Op het volgende rechte stuk!'

'Da's maar een woord!'

Schakelen. Gas terugnemen.

Sofie Simoens wrong haar bovenlichaam door het raampje, zoals een echte pistolero in een Amerikaanse film. De tegenwind blies haar achterover. Goed mikken, dacht zij en haalde driemaal de trekker over.

BAFFF—! BAFFF—! BAFFF—!

Drie ballen in zijn banden.

Zij zag het vuur uit de loop komen en haalde driemaal adem en plots werd alles zwart voor haar ogen.

'Heb je ervan? Zit je met de poepers in je broek, Sofie?' riep Vindevogel.

'Ik heb mij natgeplast.'

'Ik ook!' zei Vindevogel schaterlachend.

Allebei nat vanonder, dacht Sofie Simoens. Een nieuwe stretch-string van Zeeman, hemelsblauw met een boord van kant, en helemaal nat. Waar gaan we dat schrijven? Met een zigzag-beweging kwam Vindevogel links uit de slipstream van de zware sportwagen, die spinde, met rokende kapotgeschoten banden, en langs de vangrail schraapte in de bocht van Afrit 7 en hobbelend op zijn velgen met een doodsmak tussen de bomen tot stilstand kwam in de zuigende sneeuw. De chauffeur droeg geen gordel en vloog met een enorme klap tegen het dashboard. De motor sloeg af. Vindevogel ging op de rem staan. De wielen blokkeerden. Hij zette de dienstwagen 'in tweede positie', dubbelgeparkeerd in grotemensentaal, en rukte het portier open en trok de suffe chauffeur met zijn armen in de lucht omhoog uit de sportwagen. Bloed spoot uit zijn neus. Hij vloekte de stenen uit de straat. Vindevogel klikte zijn polsen in handboeien en tastte zijn zakken en zijn kruis en zijn oksels af. Hij had geen verborgen wapens en geen papieren op zak. Zelfs geen identiteitskaart. Enkel grote bedragen nieuw en gebruikt cashgeld, vooral guldens en Franse francs en dollars en Duitse marken. In zijn vestzak zat zijn gele kaart, die elke vijf jaar automatisch werd verlengd en hem het recht gaf om in België te verblijven. Hoe kwam hij zonder papieren uit die garage? vroeg Sofie Simoens zich af. Geld, natuurlijk. Geld opent alle deuren. Zeker een Tsjetsjeen uit de Kaukasus, dacht Vindevogel. Misdaad en corruptie zijn er even gewoon als eten en drinken. Wie in die landen niet corrupt is, is niet normaal. Alle tjeven en Tsjetsjenen zijn misdadigers en een gevaar voor onze welvaartsmaatschappij.

'Hoe heet je?' vroeg Sofie Simoens.

'*Scusi, signorina,*' zei Salvatore Lazère en wreef met twee handen over zijn afhangende wangen. Hij had een modieuze stoppelbaard.

'*Mi chiamo Sofie Simoens. Sono una agente investigativa.*'

'*Sì, che vuole? Che cosa?*'

'*Possiamo parlare?*'

'*Certo.*' Hij wierp haar een knipoog toe. Aan zijn linkerpols droeg hij een gouden Rolex, glanzendnieuw.

'Hoeveel kost dat ding?'

'Een half miljoen.'

'Een-half-miljoen?'

'Wat wil je? Alles goud. Een Rolex, dat is geen popcorn.'

'Geen gezeik, makker, en geen praatjes,' zei Vindevogel. Zijn hand hing krampachtig boven de kolf van zijn FN 9mm in zijn open pistoolholster en zijn vingers tintelden van spanning en ingehouden woede. Zeg iets, dacht hij, zeg iets, om het even wat, en ik klop op je bakkes.

'Neuk je moeder, strontzak.'

Bam! De kolf kraakte tegen zijn kin.

Sofie Simoens zuchtte. 'Volgens je gele kaart heet je... Laz...Laz...Lazère?'

'Jan Lul,' zei de Italiaan en Vindevogel gaf hem een klassieke links-rechts direct en ramde vervolgens zijn vuist in de maag van de Italiaan die dubbelvouwde over de motorkap van de Porsche, alsof hij niet van vlees en bloed maar van marsepein was. Kreunend en happend naar lucht kantelde hij in de berm in de sneeuw naast de sportwagen. Zijn adem walmde in de mist en zijn armen en benen lagen in een vreemde hoek onder zijn lichaam. Hij droeg gespikkelde schoenen van zwart krokodil, met koperen knopen en gespen. Een Italiaan met grote voeten, dacht Sofie Simoens. Kom je ook niet iedere dag tegen. Uit de dreigende hemel viel natte sneeuw die de mensen 'ijsregen' noemen en in de berm bloeiden de eerste sneeuwklokjes.

Vindevogel schopte de Italiaan tegen zijn stomme kloten.

'Kloot op grote voet,' lachte Sofie Simoens.

'Draagt hij links?' vroeg Vindevogel. 'Of rechts?'

Sofie Simoens bukte zich, zoals een klein meisje, en keek in het kruis van de Italiaan. Haar billen stonden ver uiteen. Plaats genoeg voor drie kutjes naast elkaar, dacht Vindevogel. Een driebaansweg van kutjes. Daar zou ik wel eens op willen rijen, dacht hij. Rijen? Of vrijen? Allebei, eigenlijk.

'*Sinistra*,' zei Sofie.

'Gelukkig,' zuchtte Vindevogel.

'Waarom? Wat is het verschil?'

'Alleen homo's dragen rechts.'

Dat wist zij niet. 'Waar koop jij je onderbroeken?' vroeg zij.

'Bij de Krak in de Hoogstraat,' zei Vindevogel. 'Drie voor honderd frank, XXL, dat heb ik nodig voor zo'n spel als dat van mij.'

De krakende politieberichten uit de scanner werden overstemd door een zoetgevooisde fluwelen stem uit de autoradio. Elvis natuurlijk, die *You'll Never Walk Alone* zong en Vindevogel, met zijn schoenen tot aan de veters in de sneeuw, spreidde zijn armen en playbackte een perfecte imitatie van de enige stem uit de duizend die door iedereen in heel de wereld wordt herkend. Zie hem daar staan, dacht Sofie Simoens, een speurder in een onderbroek van drie voor honderd frank die denkt dat hij Elvis Presley is. Zij gloeide van genot. Waar begin ik aan? dacht zij.

Vindevogel zonk op één knie in de sneeuw. 'Ik ben niet van peperkoek, Sofie,' zei hij. 'Ik ben een harde man. Een echte buldog en een bloedhond. Ik ken geen medelijden en ben niet emotioneel, zoals de meeste mannen. Zelfs een ezel met een hoed op weet dat, en als hij het *niet* weet, dan is hij nog stommer dan een ezel met een hoed op. Maar ik heb een hart van goud.' Hij keek haar verliefd aan, en zijn tong stond stijf in zijn broek.

'Hoe heet jij met je voornaam?' vroeg zij.

'Staf,' zei hij.

'Staf Vindevogel?'

'Ja.'

'Bedankt, Staf,' zei Sofie en drukte een natte zoen op zijn voorhoofd.

De Italiaan kroop overeind—

'Pas op! Hij heeft een mes in zijn klotepoten!' riep Vindevogel.

—en zwaaide met een vlijmscherp stanleymes in de ijle koude lucht en stortte zich op Sofie Simoens en in een flash zag Vindevogel zijn wereld ineenstorten en met het schuim op zijn lippen gaf hij de verdachte een geweldige dreun op zijn smoel en sloeg zijn bloemkooloren nog platter dan zij al waren, *vlam-vlam-vlam*, ik ben de stier van het gerechtshof, dacht hij, laat ze maar komen, hij was zo groot en zwaar geschapen, dat zijn ballen ervan schudden als hij zijn tanden poetste, hij liet de Rambo in zich los en de brokstukken vlogen in het rond. Pure rock-'n-roll. Hij stoorde zich niet aan de gong en bokste rustig door en er ging een siddering door het lichaam van de Italiaan, alsof het onder stroom stond. Sofie Simoens lag bewusteloos in de sneeuw, met een open wond aan haar linkeroog. Vindevogel riep het switchboard van de radiokamer op. Aan de stoplichten voor de Waaslandtunnel kwamen de eerste combi's aangereden, met gillende sirenes, gevolgd door twee felgekleurde ziekenwagens die wow-wow-wow-wow-wow deden in plaats van ííí-ÁÁÁ, ííí-ÁÁÁ alsof de batterijen van het zwaailicht dringend aan vervanging toe waren. De koude winterzon wierp dansende lichtvlekken op het warme, dampende bloed dat over de wang van Sofie Simoens stroomde en grote gaten lekte in de sneeuw, die nooit koud is op prentbriefkaarten maar zacht, warm zelfs, omdat hij slechts dient om de bomen en de struiken een winterse glans te geven. Prentbriefkaarten zijn bedrog. Erg is dat niet, de mensen willen bedrogen worden.

Sofie Simoens werd afgevoerd naar het ziekenhuis van Middelheim. Zij ging onmiddellijk op de operatietafel. Iedereen was ervan overtuigd dat de aanhouding van Salvatore Lazère het onderzoek in een stroomversnelling zou brengen. Omdat hij een rijk beschreven strafblad had, en 'gevaarlijk' was, werd hij opgesloten in een betonnen wachtcel in de grauwe catacomben onder het gerechtshof. Zijn ondervraging begon om vier uur in de namiddag. De politie legde het verhoor vast op video, zodat—na vergelijk van de videobanden—de verdachte kon worden betrapt op tegenstrijdigheden. Tot ergernis van de speurders stond Salvatore Lazère bij het Centraal Bureau voor Opsporingen geregistreerd als 'erkend tipgever', wat betekende dat hij een informant was van de politie en voor 'bewezen diensten' werd betaald uit een 'geheime' kas. Het betekende ook, dat de commissaris hem met fluwelen handschoenen moest aanpakken. De Italiaan was bont en blauw gemept. Zijn ogen zaten dicht. Bangelijk. Zijn gangstersmoel stond vol schrammen en zwellingen en zijn voorste tanden staken door zijn bovenlip. Zijn hemd en zijn kostuum waren doordrenkt van het bloed.

De commissaris nam Vindevogel apart. 'Was dat nodig?' vroeg hij.

De nieuwe speurder trok zijn schouders op. 'Ik had niet gezien dat hij een mes trok,' loog hij. 'Ik dacht dat hij met een tafelpoot zwaaide.'

Een tafelpoot, dacht de commissaris.

Waarom zou iemand met een tafelpoot zwaaien?

'Welk mes?'

'Een stanleymes. In de Porsche lagen sleutels, schroevendraaiers, tangen en andere werktuigen en twee nieuwe, ongebruikte overalls en rubberen handschoenen. Hij was op dievenpad, chef, mijn kop eraf als 't niet waar is.'

'We beginnen eraan,' zei de commissaris.

'Tot hoe laat, chef?'

'Tot hij kraakt.'

'In orde, chef.'

Het 'instructieboekje' is een handleiding voor het verhoor van een verdachte door gerechtelijke politie, parket en onderzoeksrechter. In het boekje zijn negen 'technieken' vastgelegd. 1) Confronteer verdachte met verklaringen waaruit zijn schuld blijkt; 2) Breng onderwerpen aan die de indruk geven dat zij het misdrijf rechtvaardigen; 3) Onderbreek elke ontkenning en elke verklaring van onschuld; 4) Ga in tegen alle bezwaren die verdachte oppert; 5) Zorg ervoor dat verdachte zich niet afsluit; 6) Toon sympathie en begrip en zet verdachte ertoe aan om alles te vertellen; 7) Stel verdachte in de gelegenheid zijn gezicht te redden; 8) Laat verdachte alle details van het misdrijf bespreken. De laatste 'techniek'—Leg de verklaringen van verdachte vast in een volledige schriftelijke bekentenis—was een kwelling voor de speurders. Allemaal, zonder uitzondering, hadden zij er een hekel aan om typist te spelen. Geen enkele speurder kan typen, tenzij met twee vingers, en geen enkele speurder heeft een zittend gat.

'Rustig aan,' zei de commissaris.

'Niet te hard van stapel lopen?' vroeg Dockx.

'Laat de tijd zijn werk doen,' zei de commissaris, 'dan wordt stukje bij beetje de ware toedracht duidelijk.'

'In tegenstelling tot wat de mensen denken, zijn mannen loslippiger dan vrouwen,' zei Tony Bambino. 'Geef hem de tijd om te praten.'

'Sven noteert het proces-verbaal in drievoud,' zei de commissaris. 'Dockx kruipt achter de computer en duikt in het verleden van de verdachte. Waar is hij geweest? Wat heeft hij gedaan? Wie waren zijn vrienden?'

'Alle info is welkom?'

'Alles.'

'Geen kloten aftrekken, chef?' vroeg Tony Bambino.

'Nee.'

'Niet in slaap wiegen?'

'Nee.'

Desmet zuchtte. 'Dit wordt een marathonverhoor,' zei hij.

Tytgat leunde tegen de radiator. Niets prettiger dan een warm gat, dacht hij. Zijn schouder zat stevig ingepakt. Hij droeg zijn arm in een verband.

Dockx niesde en snot en speeksel spatten tegen het scherm. Hij zette de computer aan en ramde op het toetsenbord van de oude Compaq. Hij dacht aan de eerste mop van het jaar—eentje van de telefoonwacht—en glimlachte. *Wat betekent Spa?* Juiste antwoord: *Steve pijpt allah.* Goed begonnen is half gewonnen, dacht Dockx. Op de tafel tussen de schrijfmachines en de computer stond een leeg bierglas, met een rand van opgedroogd schuim. Hij surfte van de dertien informatiesystemen van de politie naar het registratiesysteem van Europol.

De Italiaan werd binnengebracht door twee rijkswachters.

De speurders namen 'de juiste houding' aan, in een halve cirkel rond de 'stoel van de verdachte'. Volgens het instructieboekje moet 'de juiste houding' tegelijk 'zalvend' en 'wantrouwend' zijn en de verdachte in de war brengen, waardoor hij verkeerde of tegenstrijdige verklaringen aflegt zonder dat hij er erg in heeft. Makkelijk zou het niet worden, maar moeilijk gaat ook.

Tony Bambino trommelde met tien vingers op het werkblad. 'Waar komt je geld vandaan, Salvatore?' vroeg hij

'Welk geld?'

'Vier miljoen. De prijs van een Porsche Turbo.'

'Plus een paar honderdduizend ballen,' zei Desmet.

'Welke honderdduizend ballen?' vroeg Tony Bambino.

'In de zeven zakken van je mooie kostuum.'

'Ik heb dat geld eerlijk gevonden.'

'Gevonden?'

'Waar gevonden?'

'Gevonden in de Nationale Bank?' zei Tony Bambino.

Foutje, dacht de commissaris.

'Op straat.'

'Op straat? Waar op straat?'

'Op de Amerikalei.'

'Je liegt, makker.'

'Ik zweer het, op het hoofd van mijn moeder.'

'Laat je moeder hier buiten,' zei Dockx.

'Het arme mens heeft niets misdaan,' zei Desmet.

'Op de achterbank van de Porsche lag een draagbaar machientje om geld te tellen,' zei Vindevogel.

'Waar vind ik Bruxman?' vroeg de commissaris.

'Ken je Trente-Six?' zei Deridder.

'Wie zijn je medeplichtigen?'

'Ik zeg niets.'

'Van wie kwam het plan?'

'Ik zeg niets.'

'Wie is het brein...?'

'...van de overval...'

'...op de Nationale Bank?'

'Ik weet van niets en ik zeg niets.'

'Waar is het gestolen geld?'

'Welk geld?' vroeg de Italiaan. Hij glimlachte.

'Veeg die glimlach van je gezicht,' zei Tony Bambino. Hij was opgewonden en trilde op zijn benen.

'Dat mannetje weet waar Abraham de mosterd haalt,' zei Dockx.

'Welke Abraham?' vroeg Deridder.

De commissaris sloeg een dossier open. Op de linkerflap zat een oude gevangenisfoto van de Italiaan, in zwartwit. Hij was niet geschoren. Zijn linkeroog zat dicht. Op een zwart bord stonden zijn naam en gevangenisnummer, met krijt, in onhandige letters. De foto was met een roestige paperclip aan het dossier vastgemaakt.

'Waar woon je, Salvatore? Officieel?' vroeg Desmet.

'In de Krimineelstraat, HAHAHA!' zei Tytgat.

Deridder zuchtte en schoof heen en weer op zijn stoel.

'Heb je ooit van de CIA gehoord, Salvatore?' vroeg Tony Bambino.

Wie niet? dacht Tytgat.

'De CIA heeft op verschillende plaatsen in het buitenland—ook in België—gevangeniscellen die te klein zijn om in rechtop te staan. Hotel California, noemen zij zo'n cel. Een gevangene wordt er geblinddoekt naartoe gebracht en weet niet waar hij terechtkomt. Soms is het warm in de cel, dan weer ijskoud. Soms is er eten, dan is er dagenlang niets. Vandaag is de cel zuiver, morgen is zij smerig. Op die manier verliest een gevangene alle besef van tijd en plaats. Hij wordt gegrild, zijn vertrouwen wordt geschokt, tot hij doldraait en overgaat tot bekentenissen. Dat zijn wij met jou ook van plan, *bambino*. Grillen en doldraaien tot je praat, en als je praat, dan zal het zijn om iets te zeggen en niet om flauwekul te verkopen.'

'Wij willen *alles* weten,' zei Deridder.

'Wij weten wát je deed...' zei Dockx.

'...maar niet *waarom* je het deed...'

'...en met wie,' zei de commissaris.

'Je mag zelfs liegen. Iederéén mag liegen,' zei Tytgat.

'Zelfs een kloot als jij heeft het recht om te liegen...' zei Vindevogel.

'...en wij hebben het recht om je niet te geloven,' zei Tytgat.

'Ik heb dorst,' zei de Italiaan.

'Wat wil je drinken?' vroeg Dockx.

'Geef hem een blikje 7-Up,' zei Deridder. 'Ken je dat, Salvatore, 7-Up van de koning zijne Flup?'

Vindevogel schoot in een bulderende lach.

'Of iets... iets sterkers?' vroeg Tytgat

'Wat is in godsnaam sterker dan 7-Up van de koning zijne Flup?'

'Water van de kraan,' zei de commissaris.

'Je vriendje zit in de Begijnenstraat,' zei Tony Bambino.

'Welk vriendje?'

'Trente-Six.'

'Ken ik niet.'

'Op een rantsoen van water en brood.'

'Te weinig om te overleven...'

'...en juist genoeg om niet te sterven van de honger.'

'Alhoewel. Koffie of thee à volonté in de Begijnenstraat.'

'...en alle dagen verse soep.'

Er is een tijd geweest, dat de oude en versleten gevangenis in de Begijnenstraat 'het hotel met den houten lepel' werd genoemd. Die tijd was lang voorbij. Niet dat het vandaag *zilveren* lepels zijn, dacht de commissaris, maar toch...

'Doe niet onnozel, man. Je weet wie Trente-Six is,' zei Dockx.

'Ik weet niets.'

'Hij liegt,' merkte Tytgat rustig op.

'Alles is een kwestie van tijd,' zei de commissaris. 'Eén dader is ontmaskerd. Trente-Six. De rest volgt vanzelf. Wees gerust, vroeg of laat praat jij ook je mond voorbij.'

'Stop een fopspeen in zijn bakkes...' zei Tony Bambino.

'Een fop-*penis*, bedoel je?'

'... hij zegt toch niks.'

'Wat is een fop-penis?' vroeg Deridder.

'Een tutter, Sven. T-u-t-t-e-r, tutter. Om op te zuigen.'

'Een mini-penis eigenlijk,' zei Dockx.

'Wat ga je doen binnen twintig, dertig jaar, als je krom loopt van de reuma?' vroeg Desmet. 'Banken beroven? Laat me niet lachen! Een kreupele bankrover, ze zullen je zien komen! Voor ons is er geen probleem, wij zitten safe. Wij trekken een flink pensioen op kosten van alle misdadigers en bankrovers zoals jij die wij in de loop der jaren in de gevangenis hebben gedraaid.'

'Ik ben geen bankrover.'

'Wat dan?'

'Ik... ik ben... een meeloper.'

Zes uur. Alle lokalen op de tweede verdieping liepen leeg.

De Italiaan zuchtte. Hij kreeg het warm en koud.

'Moe, Salvatore?'

Hij knikte.

'Ik ben ook moe. Wij zijn allemaal moe,' zei de commissaris.

Vindevogel stak een Bastos op, zonder filter.

Donker. Avond. Bitter koud.

De oude bode klopte op de deur en betrad het lokaal.

'Voor de commissaris,' zei hij.

'Voor mij?'

'Ja.'

'Wat is het?'

'Een doos.'

'Een doos?'

'Ja.'

'Wat zit erin?'

'Weet ik veel.'

'Toch geen bom, hoop ik?'

'Pralines, vermoed ik.'

'Pralines?'

'Een kilo pralines van Leonidas.'

'Wie zou mij *pralines* sturen?'

'Een fan,' zei de oude bode en neuriede een sentimenteel liedje dat een hit was op Radio Luxemburg in het midden van de jaren vijftig. Hij liep op zijn laatste benen en toch zou hij nooit met pensioen gaan, net zomin als *le vieux Joseph* op de Quai des Orfèvres ooit met pensioen ging. Die bleef ook op post, jaar in, jaar uit, tot grote verbazing van een doorgewinterde speurder à la Maigret— ouderwets, degelijk en betrouwbaar—die zelf het spook van de rolstoel en het bejaardentehuis zag opdagen aan de einder. Oud worden, wat doet dat eigenlijk met een mens? vroeg de commissaris zich af.

'Je kent die man toch?'

'Wie, chef?'

'De bode.'

'De bode? Nee, weet ik niet.'

'Louis Baret,' zei de commissaris.

'Nooit van gehoord,' zei Deridder.

'Tony Corsari, La Esterella, De Woodpeckers, Gaston Berghmans en Louis Baret, dat waren de Grote Vijf in Vlaanderen, in de beginjaren van de Vlaamse televisie.'

'Eerst wereldberoemd in Vlaanderen...' zei Desmet.

'...en daarna pakjesdrager in het gerechtshof.'

'That's life,' zuchtte Deridder.

'Ken je die mop van de brand in de Stadsfeestzaal?' vroeg Tony Bambino. Zijn stijve stoppelhaar was kort tegen zijn schedel geknipt. Het was niet grijs, of bruin of zwart, zelfs niet blond. Zijn haar was doorzichtig, er zat geen kleur in, zoals in varkenshaar. 'Het dak stortte in en vlammen sloegen uit de vensters van de winkels en de huizen op de Meir toen plots een raam werd stukgeslagen op de hoogste verdieping en een moeder haar baby door het raam wierp voor zijzelf door vlammen en rook werd verstikt. Jean-Marie Pfaff stond tussen de toeschouwers. Met een geweldige safe pakte hij de baby in zijn twee handen—Applaus! Applaus!—en trapte onmiddellijk uit.'

'Begrijp ik niet,' zei Deridder.

'Jean-Marie dacht dat het een voetbalwedstrijd was, Sven. Hij trapte uit. Hij nam de bal aan—de bal, de *baby*—en trapte de baby tot voorbij de middencirkel.'

'Welke middencirkel?' vroeg Deridder.

Er zat een strik om de doos. De commissaris trok de strik los. Hij vouwde de geschenkverpakking open. De bode had gelijk. Het was een *ballotin* en er zaten pralines in, niet van Leonidas maar van Neuhaus. Truffels, orangettes, crème fraîche, witte chocolade, boterkoekjes en pralinerepen. Onder een laagje likeurpralines in gekleurd zilverpapier lag een Browning 9mm Parabellum. Dat wapen ken ik, dacht de commissaris in een flits. Het dienstpistool van Peeters. Gestolen en teruggebracht. Hij trok enkele velletjes Kleenex uit de doos en pakte er het pistool mee en snuffelde aan de loop. De stank van cordiet brandde in zijn neusgaten. Onder een laag orangettes en crème fraîche lag een handvol nieuwe bankbiljetten. Duitse marken en Spaanse peseta's en Japanse yen en Franse francs. De commissaris smeet het geld en het pistool op tafel tussen de schrijfmachines en stopte een witte chocoladepraline in zijn mond.

'Je vriend Bruxman daagt mij uit, Salvatore,' zei hij en wreef over de brug van zijn neus. 'Het wordt hard tegen hard, man tegen man. Hij of ik.'

Vindevogel stond op. 'Ik ga naar de wc,' zuchtte hij.

'Moet er nog iemand naar de wc?' vroeg de commissaris. 'Het is nu het moment.'

'Ik heb al genoeg op die bril gezeten,' zei Dockx.

'Wie wil een praline?' vroeg de commissaris en allemaal tegelijk graaiden de speurders in de doos.

Tony Bambino keek de Italiaan recht in de ogen. 'Twee ton papiergeld, Salvatore, weet je wat dat is? Dat is een olifant. Of beter gezegd, dat zijn twee olifanten. Dat is log, dat is zwaar, dat krijg je zomaar niet in beweging. Eén zaak staat vast: Bruxman moet ervoor zorgen dat hij binnen drie, maximaal vier jaar van al zijn gestolen geld verlost is, want in 't jaar stillekens wordt Europees papiergeld vervangen door de euro en is zijn buit geen halve fluit meer waard.'

Iedereen lachte, behalve de Italiaan.

'Allemaal toeval,' zei hij.

'Toeval bestaat niet,' antwoordde de commissaris.

'Kijk, kijk! Hij heeft dollartekens in zijn ogen, zoals de superschatrijke oom van Donald Duck!' riep Vindevogel.

'Dagobert Duck! Iedere ochtend neemt hij een duik in een zwembad vol geld,' lachte Tony Bambino.

'Zitten je kaken klem, Salvatore?' vroeg Dockx.

'Ik weet niets.'

'Je zégt niets.'

'Strooi een handvol peper in zijn gat,' grinnikte Tony Bambino. 'Wedden dat hij zal piepen?'

'Strooi jij of strooi ik?' vroeg Dockx.

'Allebei samen!'

'Twee ton bankbiljetten,' zuchtte de commissaris. 'Hoeveel bedraagt je aandeel, Salvatore? Tien procent? Tien procent van twee ton is tweehonderd kilo. Da's een paar miljoen dollar aan contanten.'

'Eerst zien, dan geloven,' zei Desmet.

'Ik ken dat. Veel beloven en weinig geven...'

'...doet de zotten in vreugde leven.'

'Geld stinkt,' zei Tony Bambino.

'Stinken? Geld? Geen sprake van,' zei Dockx. 'Hoe meer je ervan hebt, hoe beter het ruikt.'

'Wat denk jij, Salvatore?' vroeg Deridder.

'Trek je bek open, Salvatore.'

'Om te praten, niet om te geeuwen.'

'Geeuw straks, in de cel.'

'Of morgen, in de Begijnenstraat.'

'Tijd genoeg om te geeuwen,' zei Tony Bambino. 'Een jaar of twintig, op zijn minst.'

'Maak je geen zorgen, Salvatore,' zei de commissaris, 'de tijden zijn veranderd. In België heb je tegenwoordig een eigen WC in iedere cel, kleuren-TV, een koelkastje en een comfortabel bed. Al het comfort van een driesterren-hotel. Avondeten: koffie of thee, wit of bruin brood naar keuze, twee plakjes jonge kaas, ham of gerookt vlees, een potje verse kaas, frisgewassen radijsjes en een stuk chocolade van Côte d'Or als nagerecht. Wat moet dat meer zijn?'

'Je krijgt de maximumstraf, tien jaar, kost en inwoning gratis,' zei Deridder.

'Twee keer per week douche en tien minuten telefoneren,' zei Dockx.

De Italiaan geeuwde met zijn handen voor zijn mond.

'Wie zijn mond verstopt, die liegt,' zei Tytgat.

De ondervragers werden moe.

Salvatore werd moe.

De commissaris werd moe. Hij wreef over zijn baard van drie dagen. Hij had honger en hoofdpijn en verlangde naar zijn bed. Zo'n potje verse kaas en frisgewassen radijsjes van het gevangenismenu en daarna een bad en een bed, hij zou er bij wijze van spreken zijn leven voor geven. De rest van de chocolade mochten ze houden, slecht voor zijn cholesterol.

Deridder trok een lade open.

Tony Bambino nam zijn dienstpistool uit zijn schouderholster en stak zijn wijsvinger door de trekkerbeugel en liet het wapen rondjes draaien om zijn vinger. Daarna liet hij het weer in zijn schouderholster glijden.

Dockx tikte verwoed op de computer. 'Bingo!' riep hij. 'Bingo bingo bingo! Gérard Salvatore Lazère. Geboren in Marseille, Franse vader, Italiaanse moeder. Zoals Yves Montand, de zanger, die is ook in Marseille geboren uit een Franse vader en een Italiaanse moeder. Of Lino Ventura, ik wil het kwijt zijn. Zijn vader is Fats-de-Gangster. Kocht en verkocht kalasjnikovs en granaten en verhandelde cocaïne en valse paspoorten. Moet ik er een tekening bij maken? Salvatore heeft een tweelingbroer, die ook niet vies is van vuile zaakjes. Op hun strafregister staan moord en tweemaal doodslag. De broers lijken op elkaar als twee druppels water. Zelfde boksersneus, zelfde bloemkooloren. Zelfde dun Italiaans gangstersnorretje. Waar is je snorretje, Salvatore? Voor zij leerden lopen, leerden zij liegen en bedriegen. De familie Lazère werd met het vliegtuig naar Brussel gevlogen en met een Mercedes aan de luchthaven afgehaald om hier inbraken te plegen.' Dockx zuchtte van voldoening. 'Gérard Salvatore Lazère had geen geluk. Zijn broer ook niet, trouwens. Zij zaten drievierde van hun leven achter tralies...'

'...niet te verwonderen dat hij een halfuurtje in een Porsche Turbo in de frisse lucht wilde rondrijden,' merkte Vindevogel op.

'In de gevangenis noemde iedereen hen... Tuborg en Stella! Wie ben jij, Salvatore? Tuborg? Of Stella? Wat drink je het liefst? In ieder geval hielden Tuborg en zijn broer ervan om grote sier te maken in de chique nachtclubs van Brussel. Tegen onze vriend Salvatore loopt op dit ogenblik in Bergen een gerechtelijk onderzoek op verdenking van witwassen en bendevorming, waarvoor hij achtentwintig dagen in voorarrest zat. Hij werd vrijgelaten, onder de strikte voorwaarde dat hij zich driemaal per week meldt bij de politie. Zijn reispas werd ingehouden.'

Ons broodje is gebakken, dacht de commissaris.

Had hij dat goed gelezen, in het verslag van Verswyvel?

In de uitgebrande bestelwagen slingerden lege blikjes Tuborg.

Zeker was hij niet. Hij was nergens zeker van. Hij keek op zijn horloge. Het werd avond. De commissaris keek naar buiten. Stuifsneeuw waaierde voor de ramen.

'Stella en Tuborg,' zei de commissaris. 'Interessant. Waar is Stella op dit ogenblik? Ik denk dat ik het weet.'

De ogen van de Italiaan schoten vonken.

Dockx lachte en drukte een toets in. Traag scrolde een gerechtelijk informatieblad over het scherm. 'Stella kreeg vijf jaar aan zijn been, voor gewapende overvallen op banken en postkantoren,' las hij. 'Specialiteit: verkoop van gestolen waardepapieren. Kwam exact zes maanden geleden vrij en verkaste naar de hoerenbuurt in de rue Champion in Luik.'

'Zes maanden. Ideaal om een hold-up voor te bereiden,' zei Deridder.

'Waar zat Stella zijn straf uit...?'

'Begijnenstraat, Leuven-Centraal, Arlon, Mechelen.'

'...en de blonde neger... Trente-Six?'

'Begijnenstraat, Leuven-Centraal, Arlon, Mechelen.'

'Wedden dat onze vriend Tuborg in dezelfde gevangenissen zat?'

Dockx tikte de naam van de Italiaan met alle bekende 'politionele' gegevens in de computer in. Een 'numerieke simulatie' heet zoiets in vaktermen.

'Begijnenstraat, Leuven-Centraal, Arlon, Mechelen. Bingo! Plus een extra-gevangenis of vier, vijf, te veel om op te noemen.'

'Wanneer werd Salvatore onder strikte voorwaarden vrijgelaten?' vroeg de commissaris. 'Hoe lang is dat geleden?'

'Óók zes maanden?' vroeg Tony Bambino.

'Minder,' zei Dockx en zocht de info op het scherm. 'Drie maanden.'

'Daarom ziet hij zo bleek,' lachte Vindevogel. 'Te weinig zon gezien, de laatste jaren.'

Was het per ongeluk? Of van de spanning? In ieder geval liet de Italiaan een scheet.

'Bah, stinkt!' zei Tony Bambino. Hij wuifde de scheet-jeslucht weg en bracht zijn neus zo dicht mogelijk bij die van de verdachte en keek hem staalhard in de ogen. 'Zetten zij hun mond open, dan is de beerput van hun adem niet te harden, en trekken zij hun kont open, dan komt er strontgas uit. Stinken doen zij altijd, die Italianen, is het niet vanonder, is het vanboven.' Hij knakte zijn vingers een na een en vlocht zijn handen in elkaar en kraakte alle vingers tegelijk.

De Italiaan kraakte niet.

De commissaris zuchtte. Hij liet zich in de houten draaistoel vallen en leunde achterover. Hij haalde diep adem. 'Omerta,' zei hij. 'De heilige zwijgplicht. Omerta is voor een Italiaan wat de catechismus is voor een katho-liek. Niemand verraden. Nooit een geheim verklappen, ook niet onder doodsbedreiging. Liever sterven dan praten. Capo's en consiglieri's trekken aan de touwtjes en aan het hoofd staat een *capo di tutti capi* die baas is boven andere bazen. Salvatore is klein grut, een van vele *soldati*, voetvolk met andere woorden. Hij praat niet en hij heeft gelijk want als hij praat, is hij dood.' Hij nam zijn Beretta uit zijn schouderholster, trok de lader eruit, telde de kogels, stak er twee kogels bij en klikte de lader in de handgreep. Met zijn linkerhand trok hij de slede naar achteren en liet ze razendsnel naar voren schieten. De eer-ste kogel zat in de kamer en het pistool was klaar om te vuren. De kolf voelde koel aan in de warmte van zijn hand. Hij liet het designpistooltje opnieuw in zijn hol-ster glijden.

'*Credo in me stesso, per sempre,*' antwoordde de Italiaan.

'W... W... Wat zegt hij?' vroeg Deridder. 'Hoe schrijf ik dat?'

'*Ik geloof in mijzelf, per sempre, voor altijd,*' zei Sofie Simoens.

Zij stond in de deuropening en wreef de kou uit haar handen. Geen handschoenen. Over haar schouders hing een roze bontmantel van geverfd konijn. Soft en sexy. Zij lachte. Het was waar, zij had kuiltjes in haar wangen als zij lachte. Over haar linkeroog droeg zij een zwart zeeroverslapje, zoals een piraat.

De Italiaan stak zijn bewondering niet onder stoelen of banken. Deridder gaf hem een klap in zijn gezicht en bond hem met twee paar handboeien vast aan de radiator in de gang.

De telefoon rinkelde.

Vindevogel drukte zijn Bastos uit en nam de hoorn op. Hij stopte het peukje achter zijn oor.

'Sandra aan de telefoon,' zei Vindevogel.

'Voor mij?' vroeg Deridder.

'Nee, voor... voor Sofie.'

'Voor m... m... mij?'

'Ja.'

'Sandra? Voor mij?'

'Ja.'

Sofie nam de hoorn aan. Zij trok een misnoegd mondje.

'Weet je wie ik ben?' riep Sandra in haar oor, zo luid, dat iedereen kon meeluisteren. Zij was helemaal over haar toeren. 'Ik... ben... Miss België! Begrijp je? De mooiste vrouw van het land! Ik... Miss België!'

'Sven is bezig,' zei Sofie zo kalm mogelijk.

'Sven interesseert mij niet,' riep Sandra. 'Jij interesseert mij, vuile hoer! Je hebt mijn vent van mij afgepakt!'

'Wat een taaltje,' zuchtte Sofie. 'Waar heb je dát geleerd, Sandra?'

'Van Sven-het-Heet-Stoomkonijn!' riep Sandra. 'Wie met de hond slaapt, krijgt zijn vlooien.'

Sofie Simoens legde de hoorn op het toestel.

Een wijf met kloten aan haar lijf, dacht Vindevogel.

Hij viel op vrouwen met lange benen en tieten van Lier tot ginder en een driebaansweg tussen hun billen, vooral als zij op de koop toe natuurlijk blond waren, geen blond uit een flesje Clairol of Garnier.

'Wil je met mij naar bed, Sofie?' smeekte hij.

'Een hete stier zoals jij?' fluisterde Sofie met een hese, erotische stem. 'Dat overleef ik nooit, schatje.'

Een echt koerspaard, dacht Vindevogel. Een koerspaard met een stem alsof haar kut in haar keel hangt.

'Je weet niet wat je mist,' zei hij. 'Weet je hoe groot ik geschapen ben?'

'Het spijt mij, Staf. Liever ne kleine plezante dan ne groten ambetante.'

'*Please*, poepescheetje,' smeekte Vindevogel en stak zijn twee handen naar haar uit.

'Blijf met je poten van mijn lijf!' gilde Sofie.

Een lul als een paard, da's geen zegen maar een vloek, dacht hij.

Het werd heel stil in het lokaal.

Het was bruisend koud. Koud en stil. Stilte kan moordend zijn. Ook voor mannen die zijn gehard door het leven. Mannen zonder tranen in de ogen. Echte speurders huilen niet. Iedere dag kijken zij de dood in de ogen. Zij hebben het afgeleerd om te huilen. Echte speurders denken en gedragen zich als een menselijke machine als zij van dienst zijn. Hard, gevoelloos. Sneeuw en ijs zaten vastgekoekt aan het trottoir. Zelfs de huizen hadden het koud. Sneeuw op de daken. Uit sommige schoorstenen walmde donkere rook. Een dienstauto stopte op de hoek van de Lange Beeldekensstraat en de Pothoekstraat, tegenover het huis waar vroeger de viswinkel van Rik

Coppens was. Er sprongen drie speurders uit. Zij sleurden een geblinddoekte verdachte uit de Opel Vectra. De verdachte liep op krokodillenschoenen met koperen knopen en gespen. Hoewel het een gebruikelijke procedure is om verdachten *niet* in de boeien te slaan, was hij aan handen en voeten geboeid met ketens en kettingen onder slot. Hij bewoog zich voorzichtig, stapvoets, om niet uit te glijden of te vallen. Zijn bloed zoemde. Hij rilde van de kou. Een geluk dat hij geblinddoekt was, dan kon niemand zich storen aan zijn dichtgemepte ogen en zijn platgeslagen bloemkooloren. Het was drie tegen één. Wiskundig gesproken waren de speurders in de meerderheid. Maar speurwerk is geen wiskunde. Vindevogel stak een brandende sigaret tussen de lippen van de Italiaan. Hij verkreukelde het pakje en wierp het in de goot. Zwijgend stonden zij een paar minuten te roken onder de boogvormige ingang van het Stuivenbergziekenhuis. Onbekenden hadden graffiti op de gevel gespoten. Op een bank voor het gebouw zat een pokdalige jongen in een jekker. Hij beet in een rode appel en een stuk van de schil zette zich vast tussen zijn voorste tanden. Hij probeerde de schil los te wrikken met een dubbelgevouwen stukje cellofaan van het lege pakje dat hij uit de goot had opgeraapt. Het cellofaan zette zich ook vast tussen zijn tanden. Bijna tien uur. Tony Bambino drukte op de bel. De poort zwaaide open en de speurders en hun verdachte gingen het oude ziekenhuis binnen. Zij lachten niet. Zij glimlachten niet. De uitdrukking op hun gezicht was hard, vermoeid en onpersoonlijk.

Kille, doodse gangen. Ziekenhuisgangen. Een sfeer van lange lege uren. In de wachtkamer was het aangenaam warm. De commissaris trok zijn mosterdkleurige regenjas uit. Hij droeg er een polo van Lacoste onder. Marie-

Thérèse had het krokodilletje eraf geknipt omdat het logo tegen zijn linkertepel schraapte. In de wasmachine en de droogtrommel was zijn zwarte polo verbleekt tot dof grijs. Hij hing zijn regenjas over zijn schouder. De speurders en hun verdachte passeerden een detectiepoort bij de ingang. De commissaris duwde de deur naar het gerechtelijk biotechlabo open en de zoete stank van de dood walmde in zijn gezicht.

'It's showtime, Salvatore,' zei Tony Bambino.

De dokter was mollig en blond, een jaar of vijfendertig. Een stoot om 'U' tegen te zeggen, dacht Vindevogel. Zij liep op witte gymschoenen.

High-tech, dat was hun eerste indruk. Alles high-tech. Het biotechnisch labo was ongelooflijk clean en helder en antiseptisch. Alle dokters en assistenten droegen speciale witte labo-jassen, die bescherming bieden tegen infecties. Een team van verpleegsters was druk in de weer met sporenonderzoek *post mortem*—na de dood—en probeerde aan de hand van tandonderzoek, bijzondere lichaamskenmerken en beschrijving van kleren en juwelen een 'profiel' van 'naamloze' en 'onbekende' lijken op te stellen. Een administratief bediende zette een volgnummer en datumstempels op de buik van ieder lijk. Later zou zij er de naam van het slachtoffer bij schrijven. Op lage witte tafels stonden plastic containers met kleurvloeistof, flesjes chloroform, erlenmeyers, collectebuisjes, een PCR-toestel, elektroden verbonden met een stroombron, waterbaden, mini-koelkastjes, stereomicroscopen, diepvriezers en microgolfovens om gel en geconcentreerde mengsels aan de kook te brengen. De lampen aan het plafond slingerden als Chinese lampions in de warme lucht die opsteeg uit verborgen ventilatoren. Een verpleegster legde een stuk van een tand onder een elektronenmicroscoop die in staat was opnamen te maken van het allerkleinste voorwerp, tot 1 micron of één miljoenste meter.

'Soms is DNA niet meer te reconstrueren,' doceerde de blonde, mollige dokter. 'Bijvoorbeeld op een totaal verrot lichaam dat vijftien jaar onder de grond zat. Dan maak je de meeste kans om bruikbaar DNA te vinden in een tandholte. Tanden zijn namelijk duurzame getuigen. Bloed blijft langer bewaard in een tandzenuw dan in de rest van een lichaam, wat belangrijk is voor DNA-stalen. Met behulp van een enzym kan het DNA in een proefbuis tot miljarden kopieën worden vermenigvuldigd en gefotografeerd. Alle opnamen zijn zwart-wit en de spannende kleuren worden achteraf met digitale beeldbewerking toegevoegd.'

De commissaris kende dat liedje, hij had het eerder gehoord.

De speurders knoopten zijn blinddoek los. De Italiaan knipperde met zijn ogen. Over een tafel op een voet van glanzend chroom hing een wit laken. De wetsdokter trok het laken weg. Er lag een verkoold lichaam onder. Het was kromgetrokken en zwartgeblakerd en leek op een reusachtige konijnenkeutel. Twee teelballen hingen aan lange buisjes onder een verschrompelde penis. De huid was hard en zwart, alsof ze uit ruw asfalt was gegoten.

'Het lijk dat je hier ziet, commissaris, komt van het lijkenhuis op Schoonselhof. Het werd gevonden naast de uitgebrande bestelwagen in de dreef op Linkeroever,' zei de dokter. 'Het lijkt alsof het lichaam is dichtgeschroeid en ondoordringbaar is, maar vanbinnen is het week en zit het vol slijm. Je kan de buikholte van een brandslachtoffer vergelijken met de inhoud van een pot Luikse siroop. Ik zet mijn scalpel erin en de siroop spuit eruit.'

Zoiets hadden de speurders nooit eerder gehoord.

'Lopende siroop, lekker,' zei Tony Bambino. 'In de grote bazaars in Arabië worden menselijke resten gemarineerd in honing als een zoete lekkernij verkocht.'

Vindevogel smakte met zijn lippen.

De Italiaan slaakte een kreet, zonder geluid, en balde zijn vuisten.

'Vraag me niet wie het slachtoffer is, commissaris. Dat weet ik niet en wij zullen het waarschijnlijk nooit weten. Eén ding staat als een paal boven water: hij was dood vóór de bestelwagen in brand werd gestoken en ontplofte. Een 9mm door het hart—bij zijn eerste autopsie stootte de wetsdokter op de onbeschadigde kogel—en minstens twee kogels in zijn kop.'

'Heeft het slachtoffer bloemkooloren?'

De dokter begreep het en keek naar de oren van de Italiaan.

'Onmogelijk te zeggen, commissaris.'

'Omdat zijn oren weggebrand zijn? Door de hitte?'

'Ja.'

'Had hij een boksersneus?'

Zij keek naar de gebroken neus van de Italiaan.

'Het spijt me. Onmogelijk te zeggen, commissaris.'

'Omdat zijn neus eraf is gebrand?'

Zij knikte.

'Ik kan mij vergissen, dokter, maar ik denk dat ik het merk van uw siroop ken,' zei de commissaris. 'De smaak is een andere zaak, appelen of peren, maar van het merk ben ik zo goed als zeker. Als het slachtoffer een gezonde broer heeft, kan onderzoek van hun DNA dan uitsluitsel geven over verwantschap?'

De dokter zuchtte. 'Blijf bij de les, commissaris, ik ga heel moeilijke woorden gebruiken,' zei ze. 'Het DNA van een mens, dat zijn de Legoblokjes waarmee het huis van zijn lichaam is opgebouwd. DNA-moleculen vormen de basis van erfelijkheid. Alle erfelijke informatie ligt erin vast en mensen verschillen van elkaar doordat hun Legoblokjes van elkaar verschillen. In werkelijkheid zijn het natuurlijk geen Legoblokjes maar lange "draden" in de cellen, die wij "chromosomen" noemen. In één menselijke cel zit een DNA-keten die twee meter lang is. Ieder mens heeft *twee* soorten Legoblokjes: *genomisch* of kern-DNA en *mitochondriaal* DNA maar geen twee mensen op aarde hebben *hetzelfde* DNA. Familieleden aan *moederskant* hebben gemeenschappelijke mitochondriale Legoblokjes en daar beginnen de problemen. Stel dat wij een aantal botten en beenderen krijgen, of hoofdharen zonder wortel. Daar zit weinig tot géén kern-DNA in en dat kan dus enkel mitochondriaal worden onderzocht. Gevolg: als het slachtoffer en zijn broer een gemeenschappelijke vader hebben, zal onderzoek van hun Legoblokjes een *negatief* resultaat geven terwijl een *positieve* identificatie de enig juiste zou zijn. Begrijp je, commissaris? DNA is niet alleenzaligmakend.'

Eerlijk gezegd, de commissaris begreep er niets van.

Ik ben Einstein niet, dacht hij en knipperde met de ogen.

'Tweelingen hebben wél dezelfde Legoblokjes, nietwaar dokter?'

'Klopt. Bij identieke tweelingen zijn de Legoblokjes honderd procent identiek. Alle blokjes hebben dezelfde kleur. Bij "gewone" tweelingen en andere familieleden, zoals vader, moeder, broer of zus, hebben de helft van de blokjes dezelfde kleur. In een sluitende test moeten dertien chromosomen identiek zijn. Vergelijk het met dertien Legoblokjes op een paar honderd miljoen die dezelfde kleur hebben en in elkaar moeten passen. Altijd prijs, of toch in 99,999 procent van de gevallen, en altijd prijs is altijd gewonnen. Twee mismatchen op dertien en verwantschap is uitgesloten.'

'Ik begrijp het niet,' zuchtte Tony Bambino.

De commissaris haalde opgelucht adem.

Ik ben niet alleen, dacht hij.

De dokter was verrast door de verbaasde gezichten van de speurders. Zij toonde hen een DNA-kern die was uitgeprint op een A4'tje. De commissaris had zoiets nooit eerder gezien. De ketting was samengesteld uit langere en kortere vlekken en structuren en was zo'n tien centimeter lang. Zoals de kleurvelden op Mikado-staafjes, dacht hij, maar zonder staafjes en zonder de kleuren.

'De bovenste ketting—wij noemen dat een "ladderpatroon"—zijn de Legoblokjes van een slachtoffer van verkrachting,' zei de dokter. 'Verkrachting en wurging. Het ladderpatroon daaronder is het DNA-spoor dat ik uit het sperma van de verkrachter heb gehaald. Wij hebben drie verdachten: een buurman, de plaatselijke garagehouder en de verloofde van het slachtoffer. Verdachte 1, Verdachte 2 en Verdachte 3. Ra ra, wie is de dader? Verdachte 1, 2 of 3? Jullie zijn toch beroepsspeurders?'

'Ja.'

'Speur dan, heren.'

'Interessant raadsel,' zei Vindevogel.

'Ik heb het begrepen, dokter,' zei de commissaris. 'Doe mij een plezier en neem een DNA-staal van ónze verdachte hier en vergelijk het met de pot siroop in de buik van die konijnenkeutel op uw tafel.'

De dokter lachte en zei: 'Voor een succesvolle analyse heb ik zelfs geen volle pot nodig. Slechts 0,5 ng of vijf tienmiljardsten van één gram DNA volstaat. Weet je wat dat is, commissaris, 0,5 nanogram? Dat is peanuts.'

De Italiaan stemde toe en zij nam het DNA-staal. Er kwam geen bloed aan te pas. Met een steriel wattenstaafje wreef de dokter enkele seconden in het speeksel onder de tong van de Italiaan en tegen de binnenzijde van zijn wang en stopte het wattenstaafje in een Eppendorf-centrifugeerbuisje van plastic dat zij luchtdicht afsloot.

Tony Bambino beet op zijn vingernagels. Spanning in zijn ogen.

'Wat gebeurt er met het wattenstaafje, dokter?'

'Ik stuur het in een verzegelde container naar het Institut de Pathologie et de Génétique bij Charleroi dat het DNA van criminelen onderzoekt.'

'Wanneer krijg ik het resultaat van de analyse?'

'Na één à twee werkdagen, commissaris.'

'Dat noem ik expres-service.'

De dokter zaagde een stukje uit het dijbeen van het verkoolde lijk, om er een DNA-profiel van op te stellen.

—en op dat ogenblik kraakte de Italiaan.

'Ik beken,' snikte Salvatore mat. '*Questo è il cadavere di mio fratello*. Mijn broer en ik, wij pasten perfect bij elkaar, als Siamese tweelingen. Maar hij was koppig. Hij hield zich niet aan de regels van het spel en Bruxman schoot hem dood.' Tranen stroomden over zijn wangen.

Dit is het lijk van mijn broer. Eindelijk, dacht de commissaris.

Hij keek naar de punten van zijn schoenen en slaakte een zucht van opluchting.

'We hebben hem bij zijn pierewietje!' juichte Vindevogel.

Met een klein sleuteltje maakte Tony Bambino de dubbele LIPS-handboeien om de enkels van de Italiaan los. Zij reden met hem door de stille stad naar de Begijnenstraat. Geen mens op straat. In de dienstwagen werd geen woord gesproken. Bij aankomst in de gevangenis kreeg hij een blauw hemd en een blauwe broek, drie paar sokken, ondergoed, een paarse winteranorak, gevangenisschoenen, een zak suikerklontjes (vijftien stuks) en drie rollen schijtpapier.

Vindevogel was de eerste die de stilte verbrak. 'Weten jullie wie de verkrachter was?' vroeg hij. '1 of 2? De buurman of de garagehouder? Of 3? De verloofde van het meisje?'

'Ogen open,' zei Tony Bambino.

'Je bent toch speurder?' vroeg de commissaris.

'Euh...ja.'

'Speur dan!'

'Sorry, ik... ik... ik heb mijn leesbril niet op,' zei Vindevogel.

Dichter bij de oplossing? Vergeet het. De commissaris bracht zijn derde nacht door in het gerechtshof. Het was donker in zijn verhoorkamer. Alleen de leeslamp wierp een prettig licht over zijn papieren. Boven op de stapel lag een perscommuniqué waarin de aanhouding van twee verdachten werd bevestigd. Hij zocht een deken tussen de rommel in zijn archiefkast en zakte onderuit op zijn harde stoel. Hij sloeg de deken om zijn lichaam. Eindelijk warm. Hij geeuwde. Krabde in zijn haar en peuterde in zijn neus. De kaaswinkel in de Anselmostraat had zijn deuren gesloten, voor altijd. In de Paleisstraat lag een huizenblok plat en de Churchill Pub was een restaurant geworden. Middernacht voorbij. De wind blies grote, wattige sneeuwvlokken tegen het raam. Heel zacht klonk *Les Feuilles Mortes* van Yves Montand in een piano-versie van Erroll Garner uit een woning aan de overkant van de straat. Wonderlijk mooie jazz. De commissaris sloot zijn ogen. Alles werd wazig. Hij droomde weg, met één hand onder zijn kin.

...Tuborg...

...de Italiaan is Tuborg...

...en de konijnenkeutel is... is zijn tweelingbroer...

...Stella en Tuborg...

Laurel en Hardy... de Dikke en de Dunne... Gaston en Leo... Bolletje en Bonenstaak... Hij dacht aan gekleurde Legoblokjes en klikte zijn personages als speelgoed ineen. Op een lijk dat was aangespoeld uit de Schelde had hij een grondplan gevonden van de driehoek rond de Nationale Bank met alle straatnamen in het Frans. *Chaussée de Malines,* Mechelsesteenweg. *Place Léopold,* Leopoldplaats. *Rue Bourla,* Bourlastraat. *Avenue des Arts,* Frankrijklei... en in de linker bovenhoek... de commissaris zag het zó voor zich... in potlood **CHOCO** en daaronder **TUBORG. STELLA. LÖWENSTEIN. DOLLAR. TIA MARIA. JOHN WAYNE** in vette drukletters.

...Wie is Choco?

...een neger... met blond krulhaar...

...een neger met een Choco-smoel...

...Choco is... is... Choco is Trente-Six!

...Stella... twee 9mm kogels in zijn kop...

...Dollar... vermoord...

...John Wayne... doodgeschoten...

...Tuborg in gevaar...

...Choco en Tuborg...
...in gevaar... in de gevangenis...
De Legoblokjes klikten ineen.
Choco! Tuborg! Zij zijn in gevaar! dacht de commissaris.
Hij viel in slaap. Sneeuwvlokken wervelden langs het
raam. Zuivere, maagdelijke sneeuw. Nachtsneeuw. Langzaam ontwaakte de stad. Rinkelende telefoons en stemmen op de gang. Een WC die wordt doorgetrokken. Het
gerechtshof kwam tot leven. De commissaris schrok wakker. Hij was zo moe, dat hij zijn ogen niet kon openen.
Stijfte. Stijfte in zijn rug. Stijfte in zijn hals. Stijfte en pijn,
alsof tussen zijn schouderbladen een dolk stak. Hij had
een vieze smaak in zijn mond. Zijn ogen waren bloeddoorlopen en hij proefde zijn eigen adem. Een smaak van
lood en koper. Hij kon zijn stoppels ruiken. Hij sloeg
de deken van zich af. Een stekende pijn in zijn rechterteelbal. Uit de transistor in de gang klonk het nerveuze
tingeltangelmelodietje dat de dagelijkse miserie van het
ochtendnieuws op de radio aankondigde.

De lichtjes van de Schelde weerkaatsten met een gele
schijn in het woelig rimpelende water. Het was bar koud.
Moeilijk startende auto's. Trams en treinen denderend
over rails en kreunend in de bochten. Uit de haven klonk
het eentonige *honk-honk* van stadssleepboten. Witte stoom
walmde uit de kerncentrale van Doel en de fakkels van de
petrochemie vlamden in de mistige hemel. Achter een
breed, panoramisch raam op de vijfentwintigste verdieping van het hoogste flatgebouw op Linkeroever sche-
merde een troosteloze nachtlamp. Het raam stond wijd
open.
'Gij zijt zot, gij,' hoorde Bruxman zichzelf zeggen.
Met zijn accent van twintig jaar geleden.

Twintig jaar achter tralies.

Hij vouwde zijn krant tot sierlijke vliegers met een spitse snuit, zoals de Concorde, met brede, afhangende vleugels als een reiger of een roofvogel. Hij verscheurde het artikel over de aanhouding van twee 'verdachten' tot een dubbele zwaluwstaart en stak de staart tussen de vleugels. Naakt. Bruxman was naakt. Hij lachte. Dood doder doodst, dacht hij. Bloot bloter blootst. Hij ging voor het raam staan en mikte de papieren vogels door het open raam. Zij zweefden naar alle kanten, in de wijde witte hemel gedragen op de wind, en duikelden tussen hemel en aarde. Minuten later landden enkele vliegers in glijvlucht op het woelige water van de Schelde, hobbelend als watervliegtuigjes. Hij was zo opgewonden, dat hij er een erectie van kreeg. Sommige vliegers kregen geen vlucht in hun staart en dwarrelden als dode vogeltjes naar beneden. Wat kon het hem schelen? Niets kon hem iets schelen. Bende klootzakken, dacht hij. De deur naar de keuken was uit haar hengsels gelicht en vervangen door een gordijn van kralen in alle kleuren van de regenboog. In de keuken hing wasgoed te drogen. Hij dronk een glas water en trok een wollen muts over zijn hoofd. Daarna kleedde hij zich aan. De doos met tien dumdumkogels stopte hij in de linkerzak van zijn oude legerjas. Hij aaide de loop van zijn Remington, alsof hij er verliefd op was. Twee kogels volstaan, dacht hij en hij haakte de loop van kevlar van het grendelgeweer. Zijn vingers glinsterden van de olie. Hij stopte de loop van het geweer in de mouw van zijn jas. De korte pistoolkolf en het telescopische vizier borg hij gewoon in een rugzakje over zijn schouder. Bruxman nam de lift naar beneden. Hij chronometreerde het dalen. 3 minuten 3 seconden 27 honderdsten. Het was een trage lift. Hij keek op zijn horloge. Ik ben als Clint Eastwood, dacht hij, ik word beter met de jaren.

De wind ging liggen. Het was opgehouden met sneeuwen. Het zou een mooie, zonnige winterdag worden. Droge sneeuw kraakte onder zijn dikke rubberzolen. Over het wandelpad langs de Zeescouts en de openluchttentoonstelling van ankers liep hij naar de voetgangerstunnel. Golfjes kletsten tegen de besneeuwde oever. Een sleepboot dieselde stroomopwaarts en trok een v-vormig spoor achter zich aan. Alles wit. Alles ondergesneeuwd. Tijd zat, dacht Bruxman. Zijn adem pluimde uit zijn mond. Hij was niet gehaast. In de tunnel was het minder koud. HET IS VERBODEN TE ROKEN, TE ROEPEN, TE ZINGEN OF RUMOER TE MAKEN. OVERTREDINGEN WORDEN DOOR DE POLITIE BESTRAFT. Hij klokte zijn tijd. 11 minuten 17 seconden 3 honderdsten in wandeltempo. De roltrap aan het eind van de voetgangerstunnel was geblokkeerd. Hij nam de enorme lift naar de begane grond. Kloosterstraat, de rijkswachtkazerne van Sint-Andries, Nationalestraat. De sneeuw was er nat, ijzig en vuil. Als kind dacht Bruxman dat huizen en bomen tot in de hemel groeiden. Pas veel later begreep hij dat lage huizen worden afgebroken en vervangen door hoogbouw. Alles veranderde. Alles werd anders. Alles behalve de hemel, die was in zeker honderd jaar niet veranderd. Stille straten. Langs de achterkant van de gevangenis stapte hij naar het Provinciaal Instituut voor Hygiëne in de Kronenburgstraat. Naast een rij gele en groene vuilniscontainers op wieltjes hing een bord met de waarschuwing DEZE GEBOUWEN WORDEN 24 UUR OP 24 ELEKTRONISCH BEWAAKT. Een kok met een witte muts rookte een sigaret. Bruxman keek omhoog. Beton. Glas en beton.

Alles rustig in de gevangenis, alles normaal. De cellen zaten propvol. Koerden, Turken, Tsjetsjenen, Mongolen,

Albanezen, Oostblokkers, Getuigen van Jehova—niet verwonderlijk, met honderd eenenzeventig nationaliteiten in één stad—Marokkanen en een handvol Belgen om de hoop te vergroten. Er kon niemand bij. Drie douches voor honderd gevangenen. Sommige gedetineerden wasten zich nooit. In de cellen in de oude vleugel stond een ordinaire schijtemmer van plastic in plaats van een toiletpot. Eén keer per dag leeggieten en uitschuren met ongebluste kalk. Het gevangenismagazijn kampte met een schrijnend tekort aan anti-schurftmatrassen, dekens, ondergoed, tandenborstels en schoenen. Cipiers in grijze werkkledij maakten lusteloos hun uren vol. Gevangenen uithalen voor verhoor en 'klaarzetten' voor de raadkamer. Luisteren naar problemen. De dokter roepen. Enfin, dat was de theorie. In de praktijk kluste iedere cipier na zijn uren een beetje bij. Eigenlijk was *cipier* een bijberoep. Zij rammelden met sleutelbossen en sloten de gedetineerden als kakkerlakken in overbevolkte stinkende cellen op.

Sergei hurkte over de toiletpot. 'Weet je wat prettig is?' riep hij in het Russisch. 'Zitten en schijten!' Zijn vingernagels waren tot op het bot afgekloven. Hij stak een sigaret op en blies zuchtend de rook naar het plafond.

Een halfrond venster stond op een kier, hoog in de muur, met gaas en tralies, zoals een telraam. Overal in de gevangenis werden grendels weggeslagen. Overal werd gevloekt. Overal knarsten sleutels in het slot. In alle nieuwe cellen werden WC's doorgetrokken.

Een Italiaan, een Rus—Sergei—en een Marokkaan zaten met drie in één cel van acht vierkante meter. De muren hingen vol snot en sperma. De geur van stront en zweet hing in de cel. Een warme, zoete, prikkelende en muffe geur.

De Italiaan lag op zijn brits, met al zijn kleren aan. In plaats van zijn modieuze krokodillenschoenen droeg hij afgetrapte gevangenismocassins zonder veters. Aan de muren van de cel hingen foto's en posters van filmsterren en zangeresjes en de affiche van een film over het beleg van Stalingrad.

Die middag stonden aardappelen met Vlaams stoofvlees op het menu.

'Behalve voor de makakken. Wij krijgen worstjes van lamsvlees,' lachte de Marokkaan.

Lamsvlees? Stierenkloten, dacht Sergei.

Gehakt van gemalen beenderen, dacht Tuborg, zonder zout.

'Buiten eet ik lamsvlees in het kelderrestaurant van Gregor Kartaï, die tsardas speelt op zijn viool,' zei Sergei. De kleurentelevisie stond aan, op het gevangenisprogramma. (Toestel: tweehonderd frank huur per maand, distributie inbegrepen.) *Anaconda*. Een film met Jennifer Lopez. Sergei veegde zijn gat af en trok zijn broek op. 'Als ik de hele nacht word gekontneukt, kan ik de volgende dag mijn stront niet ophouden,' zei hij in het Russisch. Een geluk dat niemand hem begreep. Hij wreef een klets water onder zijn oksels en smeerde zeep in zijn kruis.

Onwaarschijnlijk, zulke mooie ogen had Jennifer Lopez!

'Mijn vrouw is gesluierd. In de zomer draagt zij een zonnebril,' zei de Marokkaan. Om de zoveel zinnen gebruikte hij een Arabische uitdrukking. 'Zij drinkt nooit koffie, kijkt nooit naar een andere man en weigert iemand de hand de schudden, zelfs een vrouw, want zij is vies van levend vlees. Haar ontbijt bestaat uit brood, komkommer, olijfolie en muntthee. In haar vrije tijd leest zij de koran.'

'Je liegt,' zei Sergei.

'Hoe weet je dat?'

'Ik zie het aan je ogen.'

De Marokkaan begon hard te lachen. '*Hey papariba, maskes van de Priba...*' zong hij. Liegen gaf hem een kick, het was zijn tweede natuur. Onder de revers van zijn jas verborg hij een botermes. Hij had er twee scherpe kanten en een punt aan geslepen, op de betonvloer.

Tuborg vulde een bestelbon in, voor de kantine.

Twee pakjes Belga, een peperkoek en een tros druiven.

'Poolse wijven zijn de max, voor een Rus,' zei Sergei. Hij gooide tien klontjes suiker in zijn soep en slurpte van de kan. 'Neuken dat zij kunnen, ongelooflijk. Zo'n Pools wijf, dat schokt en blijft schokken.'

De Marokkaan loerde door het luikje. 'Shit! Pisss! Fuck!' riep hij naar een cipier. In de gang stonden twee bewakingscamera's. Hij kroop op de bovenste brits en sneed met zijn botermes door het gaas. Sergei stak een reep Côte d'Or in zijn mond. Melkchocolade, met hazelnoten. Zijn haar zat in de war. Hij stak zijn arm vooruit, zoals de Führer, en staarde naar de dode soldaten op de poster van het beleg van Stalingrad.

'Hitler is een rockstar,' zei Tuborg.

'Stalin en de Führer zijn in mijn land even bekend als McDonald's en Coca-Cola Light,' antwoordde Sergei.

'Bestaat er zoiets als Hitler Light?'

'Hitler Light heet in dit land gewoon Dewinter,' antwoordde de Marokkaan.

'EERSTE OPROEP. KLAARMAKEN VOOR DE WANDELING!' riep een anonieme stem door de intercom. Een cipier ontgrendelde de celdeur en de drie gedetineerden sprongen tegelijk van hun brits.

De commissaris schudde de slaap uit zijn ogen. Het leek alsof er dons in zijn hoofd zat. Uit zijn oude schoolboekentas onder zijn bureau nam hij zijn thermosfles en schudde ermee. Leeg. Hij keek op zijn horloge. Knipte de leeslamp uit en vouwde de deken op. Voor de eerste keer in zijn leven had de commissaris zich verslapen. Onmiddellijk aan het werk, dacht hij, geen tijd verliezen, en ineens, in een flits, herinnerde hij zich flarden van zijn droom... *Tuborg... zijn tweelingbroer... Stella... twee kogels in zijn kop... Dollar... vermoord... John Wayne... afgeknald... Choco...* De commissaris schudde zijn hoofd. Hij wist het niet meer. Hij was verward. Hij kon niet denken. Ik heb koffie nodig, dacht hij. Zwart, zonder melk, zonder suiker. Koffie hield hem scherp. Hij wreef in zijn ogen en keek door het raam. Schimmen in de verse sneeuw.

De Begijnenstraat—gebouwd in 1855—is een van de oudste gevangenissen ter wereld. Het is een arresthuis, met andere woorden een doorgangsgevangenis voor 'tijdelijke' klanten, en barst van de vreemdelingen. Nochtans zitten tussen de vier betonnen muren ook zotten, karaktergestoorden, psychopaten, geesteszieken en mentaal gehandicapten die een misdrijf hebben gepleegd en niet verantwoordelijk zijn voor hun daden. In de psychiatrische annex worden zij 'verzorgd' en medisch behandeld door een college van gerechtspsychiaters en twee 'verplegers' voor zeshonderd gevangenen. Zij genieten 'privileges' of voorrechten, in de eerste plaats een streng celregime van eenzame opsluiting. Alles is er vuil. Zij hebben hun naam op de muren geschreven naast stronttekeningen van kutten en penissen. De 'verplegers' hebben geen medisch diploma. Het zijn gewone cipiers, in een witte kiel.

'Ik heb een dokter nodig,' jammerde Choco.

'Eerst een rapportbriefje invullen,' zei de cipier.

Om tien uur arriveerde de gerechtspsychiater voor een gesprek van tien minuten. Onder vier ogen.

'Ik vertel jou iets, en jij vertelt mij iets,' zei Dr. Fradler opgewekt.

Na het onderhoud schetste de psychiater geen sympathiek beeld van zijn patiënt. *Antwoordt nooit rechtstreeks op vragen. Verliest zich in details die niet ter zake doen. Vindt van zichzelf dat hij beter is dan alle anderen. Liegt, toont wisselende emoties en heeft geen schuldgevoel.* In zijn psychiatrisch verslag schreef Dr. Fradler dat Trente-Six leed aan 'een karakterneurose' en zich gedroeg als 'een catatone schizofreen': hij reageerde op niets en sprak tegen niemand. Hij zat op een stoel in het midden van zijn cel en staarde wezenloos voor zich uit. Volgens de gerechtspsychiater was de onmiddellijke oorzaak een lichte hersenbeschadiging bij de geboorte. In het dierenrijk komen ook hersenbeschadigingen voor, dacht Dr. Fradler, maar van een manisch-depressieve tijger of een schizofrene leeuw had hij nooit gehoord, laat staan van vossen of wolven die seriemoordenaars of kinderverkrachters worden.

'Teken een wolkenkrabber,' vroeg de gerechtspsychiater.

Choco tekende een rechtopstaande penis, in volle erectie.

'Zijn dit wolken?' vroeg Dr. Fradler.

'Nee. Dat is mijn sperma,' zei Choco.

Hij werkte mee aan de Rorschach-test, met inktvlekken, waarmee geleerden in witte stofjassen een vaag begrip als 'woede' proberen te meten. De gerechtspsychiater vroeg of Choco vormen en voorwerpen herkende in twee identieke inktvlekken. De meeste mensen zien er een boom in, een bloem, of een vlinder. Choco zag geen boom of bloem en zeker geen vlinder. De vlekken maakten hem nerveus en wekten zijn woede op.

'Ik zie... ik zie... twee mensen die ruzie maken...' stamelde hij, '...zij vechten... overal rode vlekken... bloed... ik zie bloed... ik knijp hun strot dicht... met twee handen...nu schiet ik... overal bloed... bloed... ik wil niet... ik wil niet... en toch schiet ik hen dood!'

Hij werd aan een leugendetector gelegd.

De eerste polygrafen zagen eruit als echte martelwerktuigen en leken op een elektrische stoel. Tegenwoordig wordt daar gewoon een laptop voor gebruikt, die met een bloeddrukmeter aan de arm van de verdachte wordt gekoppeld en stemmingsveranderingen tijdens een ondervraging meet. Een leugenspecialist uit Quebec in Canada was speciaal ingehuurd en overgevlogen om de bijbehorende grafieken en tests met de polygraaf toe te lichten.

Choco zweette, zijn hart klopte sneller en de machine sloeg tilt.

Met andere woorden, hij loog.

—en dat allemaal in tien minuten.

'Cher ami, uw alibi pakt niet op papier,' zei de leugenspecialist.

'LAATSTE OPROEP. KLAARMAKEN VOOR DE WANDELING!' herhaalde de anonieme stem door de intercom.

De cipier trok de metalen celdeur open. Choco sprong lachend overeind—leven en laten leven, dacht hij—en begaf zich van de psychiatrische annex naar de wandelkoer. Hij had ze allemaal dik bij hun pietje, de dokters en gerechtspsychiaters, de psychologen, de leugenspecialisten, zelfs de cipiers in hun witte jassen had hij vierkant bij hun kloten.

In een flits kwam alles terug, het hele verhaal van zijn on-
rustige droom die geen droom was maar een waarschuwing, en in zijn hoofd tuimelden de wildste gedachten
over elkaar heen. *Het is... het uur van... van de wandeling!* De
commissaris greep zijn telefoon. Met bevende vingers
toetste hij het nummer in van de gevangenis. Hij wachtte. Geen verbinding. Probeerde het opnieuw. Geen antwoord. Hij keek nerveus op zijn horloge en rukte de deur
naar de gang open. Ratelende schrijfmachines en rinkelende telefoons en een zeurende transistor. Op haar
knieën boende Flora de oude parketvloer. Zij had knie-
lappen aangebonden. De telefoonwacht draaide oude processen-verbaal door de papierversnipperaar. Hij zette de
volumeknop van de transistor een kwartslag hoger en
bladerde door de sportbladzijden van zijn krant.

'Bel de Begijnenstraat!'

'Welke dienst, commissaris?'

'Het eiland.'

'Het eiland in de gevangenis?'

'Ja. In de Begijnenstraat. Nu, onmiddellijk.'

De telefoonwacht vouwde zijn krant dicht en stofte
zijn handen af.

'Zal ik koffie brengen, commissaris?' vroeg Flora.

'Ik had een nare droom, Flora.'

'Wat heb je gedroomd?'

'Mijn handen zaten onder het bloed. Tot aan m'n ellebogen.'

'Dat was geen droom, commissaris, dat was een nachtmerrie.'

Bus 25 van De Lijn slingerde door de bocht. Op de stoep
zaten studenten. Meisjes slenterden door de straat.
Bruxman stapte het gebouw binnen. Typisch jaren zestig,

sober en functioneel. Lelijk, eigenlijk. Het Provinciaal Instituut voor Hygiëne analyseert vervuilde grondstalen en doet aan bodemonderzoek van grondwater. Niemand in de hal. Enkele altijdgroene planten. INLICHTINGEN links, HIER AANMELDEN. Rechts het kantoor van de conciërge. Hij ging door de hal naar de liften aan het eind van de gang. Twee liften naast elkaar. De liftdeuren waren beveiligd met fotocellen en bewegingssensoren. Geruisloos gleden de dubbele deuren open en Bruxman stapte zonder omzien in de liftkooi en drukte op de knop naar de hoogste verdieping. In de rechterbovenhoek hing een bewakingscamera. Hij plakte de camera af met zwarte tape. Zonder haperen, zonder schokken gleed de lift naar boven. Het had weinig zin om de snelheid te chronometreren. Naast de noodtelefoon kleefde een papiertje met de tekst **6de tot en met 13de verdieping zijn niet toegankelijk,** in slordig geschreven letters. Op de dertiende verdieping gleden de dubbele deuren automatisch open. Bruxman stapte in een kleine hal met één donkere, bruinhouten deur en één enkel vierkant raam. In de verte slingerde de Schelde zich door het landschap en glinsterde het Galgenweel en nog verder lag het Land van Waas onder de sneeuw. De deur zat op slot. HIER BELLEN, stond naast een eenvoudig toegangscontrolesysteem. Hij belde en wachtte. Niets. Hij drukte opnieuw op de bel, twee keer kort na elkaar. Niemand thuis. 13/ADMINISTRATIE-LABO-ARCHIEF in plakletters op de deur. Een draaiknop in plaats van een deurklink. Hij wrikte aan de knop en zette zijn knie tegen de deur en het slot sprong open. Geen alarminstallatie. Een lange, brede gang, over de hele lengte van het gebouw, met grote, hoge ramen. Hij trok de deur achter zich dicht en het controlesysteem klikte in het slot. Naast de toegangsdeur lag de keuken. Op het koffiezetapparaat flikkerde een rood lampje. Stemmen achter gesloten deuren. Lachende mensen. Tien uur, dacht Bruxman. Koffiepauze. Ergens rinkelden telefoons. Niemand antwoordde. Hij liep naar de brandtrap. Alle deuren stonden wijd open. Aan weerszijden van de gang lag een clean, helder laboratorium met pruttelende en dampende erlenmeyers en glazen kolven met vloeistoffen in verschillende kleuren. Weer een deur. WC stond erop, in het midden, in dezelfde plakletters, met een pijl naar links, HEREN, en een pijl naar rechts, DAMES. De N van HEREN was losgekomen en met kauwgom weer vastge-plakt. Hij glipte naar binnen, haakte de grendel op de deur en zette onmiddellijk het WC-raam open. Koude lucht stroomde in het kamertje. Van waar hij stond, met twee voeten op de toiletpot, keek hij uit over de smalle straten van de oude stad. Er zijn zo van die dagen, dat de schoonheid van de stad je de adem afsnijdt. Dit was zo'n dag. Sneeuw op de daken. Een ideaal sluipschuttersnest. Bruxman lachte al zijn tanden bloot en de koude winter-zon weerkaatste in de gouden vullingen. 10 uur en 12 minuten op de klok van de kathedraal. Op de torenspits wapperden drie vlaggen: een Vlaamse leeuw, een Belgische driekleur en de blauwe vlag van Europa. Rechts van de kathedraal zat de Boerentoren gedeeltelijk verscholen achter de grauwe politietoren van de Oudaan. Hij schud-de de loop van de Remington uit zijn mouw. Haakte de loop in de pistoolkolf. Laadde het wapen. Vijf patronen in de houder. Vijf in reserve. Hij was er gerust op, het kon niet mislukken. Waarom zich zorgen maken? Een Remington is een militair geweer. Het heeft dezelfde vuurkracht als een M16 van de Amerikaanse mariniers en is dodelijk nauwkeurig op afstanden tot tweehonderd meter. Bruxman klikte de telelens op het wapen. De hemel was helder en koud en van het stralendste blauw. Hij kneep zijn ogen tot een smalle spleet. Windsnelheid: te verwaarlozen. Zichtbaarheid: uitstekend. Hij kon helemaal tot in Holland zien. Hij trok een blikje cola open, dronk het rustig leeg en zette het geweer aan zijn schouder, in staande houding, zoals een pistoolschutter. Verliefd streelde zijn vinger de ultra-snelle trekker. Hij kneep zijn linkeroog dicht. Wat zijn rechteroog door het telescoopvizier zag, deed hem denken aan een spannend computerspel.

Sommige gevangenissen liggen op een écht eiland, zoals het beruchte Alcatraz in de baai van San Francisco, dat bekendstaat als 'The Rock'. Al Capone bracht er als gevangene nummer AZ-85 de beste jaren van zijn leven door. Het controlecentrum van de gevangenis in de Begijnenstraat wordt ook 'het eiland' genoemd, zowel door mensen van het vak als door de gedetineerden zelf. In andere gevangenissen, zoals in Leuven-Centraal en Turnhout, wordt het controlecentrum 'de bunker' genoemd. Vanuit 'het eiland' of 'de bunker' worden alle gangen en cellen en zelfs de binnenplaats en de omliggende straten via detectiesluizen, röntgenapparaten, bewegende camera's en een batterij van controlepanelen in het oog gehouden.
'Geen antwoord, commissaris. Alle lijnen bezet.'
De telefoonwacht legde de telefoon neer en sloeg zijn krant open.
'Blijf proberen.'
'Wat zeg ik als ik het controlecentrum aan de lijn krijg?'
'Dat zij Choco en Tuborg in hun cel opsluiten.'
'Wie, commissaris? Wie zeg je? Choco en...?'
'Ja... Nee, ik bedoel... Trente-Six en Salvatore Lazère. Zij mogen niet naar de wandeling. Onder geen enkele voor-

waarde.' De commissaris was bloednerveus. Hij keek voortdurend op zijn horloge en trommelde met tien vingers tegelijk op de glazen kooi. Stront aan de knikker, dacht hij. Stront aan de knikker. 'Godverdomme man, haast je. Zij zijn in levensgevaar!'

'Wie, commissaris?'

'Choco en Tuborg.'

Is de commissaris op zijn hoofd gevallen? vroeg de telefoonwacht zich af.

Op zijn hoofd gevallen en blijven botsen?

10 uur 15. Op 'het eiland' drukte een cipier op een rode toets en de metalen poort naar de wandelkoer gleed open. Metaal op metaal, heel langzaam. Krassend, zoals in alle gevangenissen overal ter wereld. De poort was in rode menie geschilderd. Gevangenen stormden naar buiten, opgewekt en blij als schoolkinderen, zowel 'geesteszieken' als 'normale' gedetineerden en illegale vreemdelingen die wachtten op uitwijzing. Zij speelden basketbal en gooiden zich op de grond in de ochtendzon, languit tegen een muur. De poort gleed dicht. De wandelkoer was sneeuwvrij gemaakt en lag bezaaid met zilverpapiertjes van gevangenen die 's nachts heroïne spuiten en coke snuiven.

'Ik ben kalm als een Belg,' zei Sergei.

'Hoe bedoel je?'

'Kalm als een Belg is een Oost-Europese uitdrukking.'

'O ja?'

'Ja.'

'Het is koud. Alles bevriest vannacht,' zei een junkie.

'Min zes graden.'

'Heb jij het koud?'

'Nee.'

'Waarom niet?'

'Ik heb Eskimobloed,' zei een straatdealer.

'Waar woon je?'

'In de Duivelsdriehoek, aan de dokken.'

Sergei gaf een demonstratie van handigheid. Hij rolde zijn eigen sigaretten, met één hand, en stopte ze achter zijn twee oren, zónder handen. Mannen met een donker uiterlijk praatten over koetjes en kalfjes, in code-taal, terwijl zij telefoonkaarten, postzegels en sigaretten verhandelden voor hasj, heroïne en andere drugs. Zij waren niet zenuwachtig. Niemand was zenuwachtig. Op hun blauwe uniformbroek droegen al de gevangenen een opzichtige paarse bodywarmer, gewatteerd en doorstikt, en een paarse anorak met in het wit de letters S.I.E.P. op de rug, wat Straf Inrichting Établissement Pénitentiaire betekent.

'Gisteren viel er een dode, in het C-blok.'

'Keel doorgesneden,' zei Mustafa.

'Zijn tong eruit getrokken.'

'Langs zijn mond?'

'Nee, langs zijn keel.'

'Maffia,' zei Wacko Jacko.

'Zonder twijfel,' zei Klein Duimpje.

'De kloot had iemand verlinkt.'

'Wie geen wraak neemt...' zei Sergei.

'...is een lafaard,' zei Mustafa.

'...en wordt zelf het volgende slachtoffer.'

'Negen keren op tien.'

'Ben jij nieuw, hier?' vroeg de junk.

'Ja.'

'Hoe heet je?'

'Stan.'

'Stan?'

'Ja, Stan. Zoals Stan Laurel.'

'Stan Laurel? Ken ik niet.'
'Stan Ockers?'
'Ken ik niet.'
'Stan Getz?'
'Ken ik niet.'
'Stan Smith?'
'Wie is Stan Smith?'
'Een tennisspeler.'
'Die Stan, liegen dat hij kan!' lachte Wacko Jacko.
Sergei kraakte een suikerklontje tussen zijn tanden.
'Negers. Zwartjes. Een witte neger!' zei de junkie.
Verderop gorgelden Marokkaanse drugsdealers in het Arabisch onder elkaar.

Tijdens de wandeling vond celcontrole plaats. Cipiers maakten van de afwezigheid van de gedetineerden gebruik om de cellen letterlijk ondersteboven te keren en uit te kleden.

Bruxman tuurde de omgeving af en spande zijn buikspieren. Hij wachtte. In de gevangenis zitten geen eerlijke mensen, dacht hij. Niemand is onschuldig. Ik kan het weten. Zelfs wie niets heeft gedaan, heeft boter op zijn hoofd. Zijn blik gleed van de Rochuspoort langs de kloostertuin van de Zusters Kapucinessen over de s-vormige omheiningsmuur van de kleine E-vleugel naar de oude vleugel. Hij glimlachte. In de tuin tussen de notenbomen stond een beeld van Christus. Roestige tranen liepen over Zijn wangen. Hij stelde zijn vizier scherp op de sokkel van Christus, tot hij perfect de gebeeldhouwde letters H. HART VAN JEZUS ONS TOEKOME UW RIJK kon lezen. Katholieke letters. *Come on, baby*, dacht Bruxman, *come on*. Ons moeke heeft viskes gebakken. Tuborg zat op de grond in de zon, met zijn rug tegen de muur, en rookte een sigaret. Choco mankte door de grote poort naar de wandelplaats. Hij droeg een schoen met een plateauzool omdat zijn linkerbeen van bij de geboorte drie centimeter korter was dan zijn rechterbeen. Zelfs tijdens de wandeling hadden de cipiers hem geboeid met een dubbel stel standaard LIPS-handboeien. Om zijn linkerhand zat een wit verband. Hij droeg een witte kiel in plaats van een paarse bodywarmer en keek verdwaasd om zich heen. Zoveel vrienden! Bijna iedereen kende hij van vroeger, uit andere gevangenissen. Daar is hij, de blonde neger met zijn zwarte smoel, dacht Bruxman. Choco draaide zijn hoofd in het rond. Hij keek omhoog naar de spiegels en de bewakingscamera's. Alsof zijn kop ervoor was gemaakt, pasten zijn twee oren precies tussen de kruisdraden van het telescoopvizier. De ochtendzon flikkerde in de lens en Choco knipperde met de ogen. Shit, dacht hij, godverdommese shit. Dat was het laatste wat in zijn hoofd opkwam want Bruxman haalde de trekker over en volgde het traject van de kogel over een afstand van tachtig meter, en precies 7 milliseconden nadat hij de trekker had overgehaald rolde een geweldige knal tussen de gevels en de huizen, BÓÓÓÓMMM! en 0,2 milliseconden nadat de kogel de loop had verlaten craqueleerde de schedel van Choco als een eierschaal en spatten snot en hersenen en bloed met de mooie, dieprode kleur van motorolie tegen het basketbord.

Duiven schrokken op.

De gevangenissirene begon oorverdovend te loeien.

Angstig fladderende vleugels.

Het ging allemaal bliksemsnel.

'Mensensmokkel is lonender dan drugs,' zei de Rus.

'Als je gepakt wordt...' zei Wacko Jacko.

'...is de straf minder zwaar.'

'Onder de toonbank...' zei Mustafa.

'…in Turkse fruitwinkels…'
'…wordt heroïne verkocht,' zei de junkie.
Zo snel, dat niemand reageerde.

WIE IS ER BANG

VAN DE GROTE BOZE WOLF

DE GROTE BOZE WOLF

WIE IS ER BANG VAN DE GROTE BOZE WOLF?

Een patroonhuls kletterde op de naakte wc-vloer. De terugslag na het schot was zo hevig, dat Bruxman bijna zijn evenwicht verloor. Hij herlaadde zijn geweer en klemde de kolf in de holte van zijn schouder. Hij focuste op Tuborg, die als een bange wezel op handen en voeten naar zijn veiligheid kroop en toen zijn hoofd precies paste tussen de vier gegraveerde kruisdraden in de telelens, luttele 2,3 seconden na het eerste schot, haalde Bruxman opnieuw de trekker over. De kogel miste zijn doel, op een haar na, en explodeerde met een gat zo groot als een vuist in de muur van rode baksteen. Ik wist het, dacht Bruxman, ik wíst dat het zou gebeuren. No problem, baby. No problem at all. Er is geen veiligheid op een gevangenis-koer. Tuborg kan geen kant uit. Moeke heeft viskes ge-bakken. Derde kogel. Kogels met een groot kaliber zijn zwaarder en langzamer dan kogels met een klein kaliber. Hij herlaadde en zette de Remington aan zijn schouder en mikte op het rechteroog, uitademen, adem inhouden, tot drie tellen, en 6,5 seconden na het eerste schot blies het derde schot het hoofd van de Italiaan aan flarden en ruk-te brokstukken uit zijn schedel en doorboorde zijn luchtpijp en kwam er langs zijn hals tussen zijn schou-ders weer uit.

Wie wind zaait, zal storm oogsten.

Dat is het voordeel van dumdumkogels, dacht Bruxman.

Als zij een gat slaan, dan slaan zij een écht gat.

'Oh nee! Oh nee!' riepen de cipiers.

Iedereen liep in paniek door elkaar. Blanken en negers. Marokkanen en Chinezen. Zelfs een Arabier met een hoofddoek. Veel drukte om niets. Alles in het leven komt hierop neer, dat die gasten te veel snot in hun neus hebben en de ene mens slimmer is dan de andere, dacht Bruxman en herlaadde zijn geweer. Alarmsirenes ratelden met een hels lawaai. Twee kogels *to go*. Nog één schot, één extraatje. Uitademen, adem inhouden, tot drie tellen. Tuborg en Choco lagen op de gevangeniskoer, met gespreide armen en benen. Het laatste leven vloeide uit hun lichaam en hun bloed mengde zich met de rode menie van de gevangenispoorten en de paarse bodywarmers van Wacko Jacko en Klein Duimpje en Stan Laurel en Stan Ockers en de tennisspeler en de junkie en de straatdealer hoewel bloed en paars twee kleuren zijn die absoluut niet bij elkaar passen. Het telescoopvizier gleed over de s-vormige gevangenismuur en over de kale notenbomen naar de verwilderde kloostertuin en met één welgemikt schot BóóóóMMM! knalde Bruxman de zandstenen kop van Christus aan gruizelementen.

Klets-klats. Koperhulzen kletteren op de WC-vloer.

Amen en uit. Opdracht volbracht.

10 uur 21 op de klok van de kathedraal.

KNOP INDRUKKEN, stond naast de deur.

LOSLATEN. DEUR OPENEN. De koffie is klaar, dacht Bruxman.

Kalmpjes wandelde hij weg.

De commissaris beet op zijn onderlip. Zijn handen zweetten en lieten vochtige afdrukken achter op de glazen kooi. Er kleefde een sticker op, met de tekst INTER-POLICE & SÉCURITÉ INTER-POLITIE & VEILIGHEID. Om

10 uur 23 kreeg de telefoonwacht de gevangenis aan de lijn. Hij schakelde zijn centrale op 'meeluisteren' en werd doorverbonden met 'het eiland'. Verwarde stemmen. Roepen, tieren. Het doffe *bonk bonk bonk* van metaal op metaal. Was het de noodklok van de kathedraal op de achtergrond die bimbambeierde dat het een lieve lust was? Het jankende huilen van verschillende gevangenissirenes—Jíííííí-íííííí-íííííí—allemaal door elkaar, en daaroverheen de tweetonige sirene van de BMW's van de mobiele brigade. *wow-wow-wow-wow-wow*. Kruis erover, Sam, dacht de commissaris. Met hangende schouders slofte hij naar de toiletten aan het eind van de gang. Hij draaide de kraan open en splashte koud water in zijn gezicht en zijn hals. Hij trok zijn ogen wijd open en keek in de spiegel. Zie mij hier staan, dacht hij. Precies Fernandel.

'Hallo? Hallo?' riep de gevangenis.

De telefoonwacht schakelde zijn centrale uit.

Stilte.

Het leven ging zijn gewone gang. In het Schipperskwartier en de 'verboden' prostitutiezone rond het Atheneum werden tippelende hoertjes opgepakt. Op het Falconplein viel de politie onverwacht binnen in een aantal wisselkantoren en in Russische hifi-winkels waar namaakgoederen werden verkocht aan toeristen uit heel België en vooral uit Limburg. Rolluiken naar beneden, deuren dicht, afgelopen met die handel. Zelfs de diamantbuurt was niet langer een jodenwijk. Het stikte er van Georgiërs en Australiërs en Libanezen en Indiërs en de rest van de stad ging dezelfde weg op. In plaats van te tippelen in de buurt rond het Atheneum en in het Schipperskwartier belegden slimme straathoertjes een rendez-vous met hun klanten in nachtwinkels in de Carnotstraat en aan de

Grote Markt, met als extraatje een gratis condoom bij iedere doos cornflakes.

In het gerechtshof liep Flora achter haar poetskarretje. Vindevogel keek op zijn horloge. 'Is er koffie?' riep hij. 'Straks, schatje,' riep Flora.

'Sgatje, krab eens aan mijn gatje!'

Zij droeg slaapkamerslippers zonder pomponnetje, met een lage hak die koket op de vloertegels ketste. Adèle langlaufte met emmers bleekwater door de gang. Rosa waste de muren met een vochtige doek. Hoewel zij ieder dieet op de kalender had uitgeprobeerd—eerst het dieet van Dr. Atkins: vettig eten tot de vettigheid uit haar neus kwam—bleef de naald op honderd dertig kilogram staan. Aan montignaccen had zij een broertje dood. Zij hield nu iedere ochtend een ketostick in haar urine om haar Kritisch Koolhydraten Niveau te meten. De werksters droegen alledrie een stofjas van groen nylon. Adèle verdween in het berghok naast de lift. Even bleef het stil, dan spoot leidingwater uit de kraan.

In de gang dampte bleekwatergeur uit de tegels.

Het ministerie had een nieuwe werkster in dienst genomen. Zij heette Karima en droeg een donkerblauwe katoenen stofjas en een gele hoofddoek die zij met een elegante zwaai over haar hoofd en rond haar hals drapeerde. Tussen vier wanden van glas prutste de telefoonwacht aan zijn transistorradio. De naald schokte van Radio Antigoon en Radio Centraal via Studio Brussel naar Radio Seefhoek op 104 MHz. Pure junk afgewisseld met Golden-Hits en de beste songs aller tijden.

I AM A QUEEN FOR TONIGHT
[QUEEN FOR TONIGHT]
BUT WILL I HAVE A KI-INGGG TOMORROW
[TOMORROW]

Pas vijftien jaar. Toch zong Helen Shapiro met een diepe mannenstem.

'Komt uit een film,' zei de telefoonwacht. 'Iets Engels.'

'Ja,' zei Karima, heel stil.

Een beroepsmaagd met erotische ogen en een moslimkutje, dacht hij. Neuken haar vriendjes haar langs achteren, zoals de geiten? Waarom zouden Marokkanen anders geitenneukers worden genoemd? Misschien langs voren én langs achteren, dacht hij. *Geitenneukers* zijn voor niets verlegen en Marokkanen ook niet.

'Waar heb je je hoofddoek gekocht, Karima?' vroeg hij.

'In de Offerandestraat.' Heel stil, bijna gefluisterd.

Hij keek haar van opzij aan.

'In mijn tijd waren er op de Groenplaats drie grootwarenhuizen,' antwoordde de telefoonwacht. 'De Grand Bazar du Bon Marché, die nu een hotel is, de Sarma naast het hoofdpostkantoor en Vaxelaire-Claes op de andere hoek van de Nationalestraat. Nu is daar een parking, geloof ik. Dan waren er nog de Nopri en Maison Tietz op de Meir dat L'Innovation werd en daarna den Inno. Ze verkochten daar *alles*, zelfs boeken, maar zo'n mooie hoofddoek als die van jou heb ik er nooit gezien.'

Bijna zo mooi als de heteluchtballonnen van Pamela Anderson, dacht hij en bladerde in een oud nummer van *De Lach* dat vol seksmoppen stond. Flauwe moppen, brave moppen, moppen met een baard. Een privédetective met een licentie van het ministerie van Binnenlandse Zaken stapte uit de bezoekerslift en vroeg een onderhoud met 'iemand' van de moordbrigade. Hij had geen afspraak. Kom volgende week terug, zei de telefoonwacht.

Begeleid door twee rijkswachters in uniform huppelde de Algérien van iedere week—met parelwitte tanden op witte Adidas—als een Afrikaanse prins door de gang, met handboeien om zijn prinselijke polsen.

'*Salut, grand chef, comment ça va?*' lachte de Algérien.

Desmet stapte uit de DIENSTLIFT met een bundel processen-verbaal onder de arm. Hij botste tegen een rijkswachter in uniform en liet zijn papieren op de grond vallen. Zij keken elkaar in de ogen, met een blik vol haat, en zonder er verder bij na te denken balde Desmet zijn vuist en gaf de rijkswachter een koek op zijn bakkes. De rijkswachter werd lijkbleek. Zijn ogen draaiden tilt en zijn neus stond scheef. Hij wankelde twee passen achteruit, dan viel hij plat achterover op zijn rug. Een dunne straal donker bloed vloeide uit zijn linkerneusgat.

'Een koud mes op zijn voorhoofd stopt het bloeden,' riep Rosa.

De telefoonwacht zette zijn transistor een kwartslag luider en het Modern Jazz Quartet golfde door de gang.

'Eindelijk,' zei Desmet, hijgend als een paard. 'Hier wacht ik al dertig jaar op.'

'Waarom, Djim?' vroeg Flora lief.

Desmet zuchtte zoals hij nooit eerder had gezucht. 'Gendarm-van-mijn-kloten,' zei hij. 'Weet je hoe hij heet? Florent. Is dat een naam voor een rijkswachter? Florent? Ik kan het weten want Florent is mijn neef. Zie hem daar liggen, in zijn mooi uniform. Ik moet acht, negen jaar zijn geweest. Florent was er twaalf, dertien. Ik droeg alle dagen een korte broek en Florent ook, dat was normaal in die tijd. Wij woonden in de Braeckeleerstraat, op het Zuid, en iedere woensdagmiddag kwam Florent bij ons thuis stripverhalen lezen, op mijn slaapkamertje op zolder. Na een halfuurtje knoopte hij zijn broek open en legde zijn penis tussen de pagina's van *Piet Fluwijn en Bolleke* of *Kuifje in Afrika* en ik, stomme kloot, ik moest zijn eikel in mijn mond nemen en eraan tutteren en zabberen tot Florent een kwakje snot in het oog van Piet Fluwijn schoot. Als ik eraan denk, proef ik nog altijd de vieze kokosnootsmaak van zijn lolly in mijn mond en iedere keer wanneer ik klaarkom, moet ik aan Piet Fluwijn en Bolleke denken.'

Florent wreef bloed van zijn neus, met de rug van zijn hand.

'*Merci Jésus merci!*' jubelde de Algérien uit Afrika.

'Ik ben nerveus,' zei Adèle. 'Ik heb migraine.'

'Slik een Valium of twee,' zei Rosa.

'Valium maakt je suf en stoned,' zei Desmet.

'Neem dan Temesta.'

'Beter suf en stoned dan zotgedraaid.'

Volgens een acupuncturist was haar lever oververhit.

Een oververhitte lever, stel je voor.

'Je vergat je teennagels te lakken, Flora,' zei Desmet lachend.

'Nee hoor!' kirde zij en wiggelde haar tenen onder zijn neus.

'Wanneer mag ik je teennagels eens lakken?'

'Lakken of likken?'

'Allebei!'

'Vuile snoeper!'

'Flora! Waar blijft mijn koffie!' riep Vindevogel.

'Met een koekje?'

'Een koekje uit je broekje!'

De commissaris werkte hangende zaken af. Routineklussen. Méér zorgen aan zijn hoofd dan goed is voor een normaal mens. Hij had bijkomende onderzoeksdaden aangevraagd. Gesprekken afluisteren, bijvoorbeeld, wat een 'verboden' onderzoeksmethode is, hoewel gesprekken op band opnemen in feite 'in beslag nemen' is. De politie neemt de woorden in beslag die twee mensen tegen elkaar zeggen. Er waren serieuze veranderingen op til, en dat stoorde de commissaris. Hij hield niet van verandering. Het stond al langer vast dat de gerechtelijke politie uit het gerechtshof zou verhuizen. Eerst naar een tijdelijk onderkomen op de Mechelsesteenweg, in een appartementenblok naast de kerk, vervolgens naar een nieuwe high-tech building op een steenworp van het Stedelijk Slachthuis. De diensten van het technisch labo verhuisden vóór het eind van het jaar naar een gebouw van de belastingen aan de Collegelaan. Waar zijn al die veranderingen goed voor? vroeg hij zich af. In het gerechtshof zaten alle diensten— gerechtelijke politie, lab, parket, magistratuur en griffie—onder één dak. Kon het eenvoudiger? Als de politiekers hun zin krijgen, worden wij allemaal *inspecteurs* in plaats van agenten en speurders. Wat is er in godsnaam verkeerd aan een woord als *agent* dat al tweehonderd jaar bestaat? Terwijl het woord *inspecteur* mij doet denken aan een ontvanger van belastingen, dacht de commissaris. Hij wreef over zijn stoppelbaard en staarde naar het grondplan van de Nationale Bank dat hij op de kopieermachine had uitvergroot. CHOCO, in potlood. Daaronder TUBORG STELLA LÖWENSTEIN DOLLAR TIA MARIA JOHN WAYNE in vette drukletters. Hij tapte met tien vingers tegelijk op het grondplan en ineens, in een fractie van een seconde, pasten de laatste stukken van de puzzel in elkaar.

De commissaris stond op van zijn harde stoel.

Hij rekte zich uit en wandelde met zijn boekentas in de hand naar het lokaal van de speurders. Hij had donkere wallen onder zijn ogen. Hij liet zich als een slaapwandelaar in de houten draaistoel zakken, met zijn ellebogen op de leuningen en zijn hoofd in zijn handen.

Van de ene stoel naar de andere.

DOLLAR was Ignace Dollar, de meestervervalser, een crack op geldgebied. Negen jaar Leuven-Centraal. Drukte valse dollars in de gevangenis terwijl de cipiers er met hun neus bovenop stonden. Dood. Aangespoeld op de plage van Sint-Anneke, met een priem door zijn hersens.

JOHN WAYNE heette eigenlijk John Wijns, met zijn echte naam. Beroepsmoordenaar. Enkele maanden Begijnenstraat. Drie jaar Lantin. Doornik. Arlon. Werkte zes jaar als papiersnijder in de gevangenis van Leuven-Centraal. Dood. Afgemaakt met eenentwintig kogels uit twee wapens en gedumpt in de Schelde.

CHOCO had een strafblad van hier tot Nieuw-Mexico. Een zwarte neger—eigenlijk een halfbloed—met geblondeerd krulhaar. Bomexpert, volgens zijn gevangenisfiche. Jeugdinstellingen, Merksplas, Leuven-Centraal, de Nieuwe Wandeling, het prison d'Arlon en de gevangenis van Mechelen. Laatste officieel verblijf vóór zijn aanhouding: het Vakantiesalon van Brugge. Dood. Op de wandelkoer van de Begijnenstraat afgemaakt met één welgemikt schot.

TUBORG was Salvatore Lazère. Geboren in Marseilles. Misdaadfamilie met banden met de maffia. Gebroken neus, bloemkooloren. Bracht drievierde van zijn leven door in de gevangenis. Verzot op hete wijven en snelle wagens. Dood. Eén dumdumkogel door het hoofd op de wandelkoer van de Begijnenstraat.

STELLA volgde zijn broer van de ene gevangenis naar de andere. Moord en tweemaal doodslag. Zelfde gebroken neus, zelfde bloemkooloren, zelfde gangstersnorretje als zijn broer. Dood. Twee kogels door het hoofd en één kogel in het hart. Opgebrand als een pot Luikse siroop.

Volgende hoofdstuk, dacht de commissaris. Volgende vraag.

Hij trok een dikke streep onder vijf van de zeven namen op het grondplan.

Als Choco geen merk is van smeerpasta... en Tuborg en Stella zijn geen blikjes bier maar bijnamen of schuilnamen... van gangstersmoelen... dan is Löwenstein negen kansen op tien geen merk van Duits bier maar óók een bijnaam of een *schuilnaam*... van wie?... wie is **LÖWEN-STEIN**?... net zoals Tia Maria geen likeurtje is maar... een mens van vlees en bloed... Wie is **TIA MARIA**?

'Bedoel je dat... dat Löwenstein en Tia Maria... *namen* zijn?' vroeg Dockx. '*Schuilnamen van levende mensen?*'

'Waarschijnlijk. Als ze nog leven. Alles is mogelijk.'

'Zoals El Viz,' zei Deridder.

'El Viz? Wie is El Viz?'

'Elvis Presley. Zo noemen zijn fans hem in Mexico.'

'El Viz?'

'Ja. In Israël heet hij zelfs Elvis Schmelvis.'

'Naar het schijnt is er ook een Calypso Elvis,' zei Vindevogel.

'...en Elvis de Pelvis.'

'Plus een Chinese Elvis die bij McDonald's in Hawaï werkt.'

'Elvis kon machtig zingen,' zei de commissaris, 'ik ben een grote fan. Maar slim was hij niet. Naar het schijnt had hij een IQ van 70. Dat is het geestelijk niveau van een kind van acht, negen jaar.'

'Vorig jaar was ik met vakantie in Bad Neuheim,' zei Vindevogel. 'Elvis bracht er zijn militaire dienst door.'

'Ik lag in Soest,' zei de commissaris.

'Elvis had een zwarte gordel, in karate. Zoals ik in judo,' zei Dockx. Hij schudde met zijn heupen en wreef met twee handen langs zijn slapen. Zijn haar viel uit. Nog een jaar of twee, drie en ik heb geen pijl meer op mijn hoofd, dacht hij.

Sofie Simoens schreed kaarsrecht als een mannequin door het lokaal met twee zware boeken op haar hoofd, een Wetboek van Strafrecht uit 1900-en-zoveel en de verzamelde toneelstukken van Shakespeare. Zij zag er verdomd sexy uit, in jeans en cowboylaarsjes, met haar blonde haar en dat zwarte lapje voor haar oog. Soms legde zij tijdens een verhoor de toneelstukken onder haar strakke kontje zodat zij groter leek dan zij in werkelijk was omdat zij tien centimeter hoger zat.

'Waarom doe je dat, Sofie?'

'Goed voor de buikspieren.'

'Wie is Shakespeare?' vroeg Deridder.

'Ik kan ook met mijn oren flapperen,' zei Sofie, 'zoals de koeien in de wei.'

'Da's niet moeilijk,' zei Vindevogel. 'Ik flapper zelfs met mijn staart.'

Trek eens aan *mijn* oren, Sofie, dacht hij, dan flapper ik met mijn staart.

Flora bracht koffie en koekjes.

De commissaris voelde zich ongemakkelijk in zijn vel. Ik kan moeilijk met Shakespeare op mijn hoofd door het gerechtshof lopen, dacht hij en met de scherpe punt van een schaar stak hij twee nieuwe gaten in zijn broekriem. Hij trok een telefoonboek naar zich toe en maakte zijn wijsvinger nat. Driftig sloeg hij de witte pagina's om. Mensen zijn onvoorzichtig, dacht hij. Zij laten zonder nadenken hun persoonlijke gegevens in een telefoonboek zetten. Naam, voornaam, adres. Waarom eigenlijk? De meeste mensen krijgen alleen telefoon van familie en vrienden die geen telefoonboek nodig hebben om het nummer op te zoeken. Een naam en adres in een telefoonboek, dat is vragen om problemen.

'Sta jij in het telefoonboek, Flora?' vroeg de commissaris.

'Ik? Nee.'

'Waarom niet?' vroeg Vindevogel.

'Ik heb geen vaste telefoon.'

Eerst zocht de commissaris onder de L van Löwenstein.

LOW

LOWAGIE

LOWE

LOWEN

...

LOWET

Geen Löwenstein.

Verdomd, vloekte hij. Dood spoor?

'Er staat wat er staat,' zei Dockx.

Tia Maria kwam niet als familienaam in het telefoonboek voor.

'Tia Maria is een soort... een soort likeur... iets Jamaicaans of zo,' zei Vindevogel.

'Smaakt naar koffiebonen,' zei Desmet.

'Tia Maria heeft niks met drank te maken. Het is
gewoon een bijnaam,' zei de commissaris. 'Mijn kop eraf
als 't niet waar is.'

'...of een schuilnaam.'

'Een schuilnaam, een bijnaam, wat is het verschil?'

'In ieder geval een valse naam.'

'Zoals Tuborg,' zei Dockx.

'...en Choco.'

'...of Stella.'

'Ieder bendelid z'n eigen valse naam. Tuborg. Choco.
Stella. Dollar. John Wayne.'

'Een valse naam, een schuilnaam, een bijnaam of—een
merknaam?' vroeg Deridder.

'Goed idee. Laat horen, Sven.'

'Wat weten we? Dollar was meestervervalser van *dollar-*

biljetten,' zei Deridder. 'De geldexpert van de bende. Het technisch labo vond lege blikjes met de vingerafdrukken van Tuborg en Stella in de uitgebrande bestelwagen. Tuborg dronk *Tuborg* uit blik. Stella was verlekkerd op *Stella* uit blik.'

Met een grote zakdoek poetste Vindevogel zijn brillenglazen. 'Kennen jullie de mop van de drie bierbrouwers in het stationsbuffet?' vroeg hij.

Tien uur in de ochtend. De grote bazen van Heineken, Stella en Duvel lopen elkaar per toeval in het Centraal Station tegen het lijf. Met zijn drieën gaan zij een pint drinken, in de wachtkamer onder de grote klok.

—Drie Stella's! roept de patron van Stella.

Zij drinken hun glas leeg.

—Drie Heineken! roept de patron van Heineken.

Opnieuw drinken zij hun glas leeg. Nu is het de beurt aan de grote baas van Duvel.

—Drie Heineken! roept hij.

De grote baas van Stella en Heineken kijken elkaar verwonderd aan.

—Wat doe je nu? zeggen zij. Je bent de grote baas van Duvel en bestelt Heineken. Dat kán toch niet!

De grote baas van Duvel kijkt omhoog naar de grote klok.

—Natuurlijk wel. 't Is te vroeg om bier te drinken..., zegt hij.

De speurders kregen de slappe lach.

'Volgens mij is Tia Maria gewoon een merknaam om een *persoon* of misschien om een *plaats* aan te duiden,' zei Deridder.

'Prima idee,' zei de commissaris. 'Bank vooruit.'

Deridder zette de Compaq aan en liet de computer warmlopen en klikte op Internet Explorer en toen na tien seconden de startpagina van Google op het scherm verscheen, tikte hij "Löwenstein" in de vraagbalk en had de keuze uit twaalfhonderd info-pagina's.

De commissaris knikte goedkeurend.

'Löwenstein is een kleine stad in Duitsland,' zei Deridder. 'Er bestaat ook een maffia-advocaat in San Francisco die Löwenstein heet en Dr. Paul Löwenstein is de naam van een befaamd plastisch chirurg in de United States van Amerika.' Hij zuchtte. 'Eens kijken wat we nog hebben. Richard Löwenstein. Regisseur van films over poep en porno...'

'...nooit van gehoord,' zei Tony Bambino.

'Van poep? Of van porno?' vroeg Sofie Simoens.

'Van allebei!' zei Vindevogel en zij schaterden het uit.

Deridder googlede verder. 'Tiens, dat wist ik niet... in 1920 was een Belgische financier genaamd Alfred Löwenstein uit Brussel de rijkste mens op aarde... en wat we hier hebben! WEIN *aus* Löwenstein. *Witte* wijn. Riesling, traminer, muskaat.'

'We zitten op het goede spoor,' zei Desmet. 'Geld, smeerchoco, bier, likcur en wijn!'

'Definitief. Löwenstein is een merk,' zei Vindevogel.

'Maar van wat?' vroeg de commissaris.

Stilte.

Sofie Simoens bladerde in de *Flair* die zij voor de derde keer las. 'Weten jullie hoe groot de nieren zijn van een baby die aan wiegendood is gestorven?' vroeg zij. 'Zó groot. Zij wegen amper één gram.' Zij hield duim en wijsvinger een kleine centimeter uit elkaar.

Grote mond, klein hartje, dacht Vindevogel.

Maar wat hebben wiegendood en de niertjes van een baby te maken met de bende van Bruxman?

'Zitten wij op het goede spoor, chef?' vroeg Deridder.

'Nee, Sven, wij zitten op het *verkeerde* spoor,' zei de commissaris. Hij schroefde de dop van zijn thermosfles. 'We moeten anders leren denken. Pas op, de computer kan ons helpen, maar hij kan het menselijk vernuft niet vervangen. We moeten leren om *analytisch* en *kritisch* te denken. Bijzaken onderscheiden van hoofdzaken. Logisch te werk gaan, volgens een strakke methode. Niets als vanzelfsprekend aannemen. Informatie verzamelen over achtergronden en oorzaken en vooral: oplossingen bedenken.' Hij schonk koffie—zwart, zonder melk, zonder suiker—in de dop en terwijl hij dronk, met kleine gulzige slokjes, slikte hij zijn dagelijkse pilletje tegen hoge cholesterol.

Deridder parkeerde een blikje Nestea tussen zijn voeten. Zijn ogen waren branderig. Ogenstress, dacht hij. Ik staar te veel naar het computerscherm. Hij beet in een broodje kip-curry van Panos om de hoek en kauwde traag en bedachtzaam als iemand die zijn calorieën telt.

Belgische meisjes schalde door de gang. Een kraker uit de héél oude doos, van Marcel Thielemans en de Ramblers. Radio Nostalgie op 105.4 FM. De telefoonwacht draaide de volumeknop van de transistor op full speed en knipoogde naar de heteluchtballonnen van Pamela Anderson.

Analytisch en kritisch denken, daar had hij nooit van gehoord.

Sneeuw gleed van het dak van het gerechtshof.

Er werd op de deur geklopt.

'BINNEN!' riep Sofie Simoens.

Zonder op antwoord te wachten, duwde Dr. Fradler de deur open en betrad met grote passen het lokaal. Hij zag rood van opwinding en klemde geleerde boeken onder zijn arm.

'Trente-Six is dood, dokter,' zei de commissaris mat.

'Dood?'

'Geëxecuteerd.'

'Waar? In de gevangenis?'

'Afgeslacht als een varken, tijdens de wandeling.'

'Clean en professioneel,' zei Deridder.

'Mijn God!'

'God? Staat die man in het Guinness Book of Records, dokter?' vroeg Dockx.

De gerechtspsychiater slikte. Zijn adamsappel schoot op en neer in zijn keel. Met zijn witte handschoenen, om de psoriasis aan zijn handen te verbergen, wreef hij door zijn volle witte baard. De ziekte was er de oorzaak van dat zijn huid als sinaasappelschillen van zijn vingers krulde. Zijn stem was doorrookt en brommerig. Het leek alsof hij met een liniaal een zijscheiding in zijn haar had getrokken.

'Enfin, opgeruimd staat netjes,' zei de commissaris en hij maakte een wegwerpgebaar.

'Met die kerel was toch niets aan te vangen,' zei Dr. Fradler. 'Iemand met een anale persoonlijkheid. Een moederskindje. Emotieloos. Gierig. Als je zoveel mensen doodt, dan ben je een man zonder gevoelens. Een koele psychopaat. Er is niks aan verloren.'

'Toch wel, dokter,' zei de commissaris. 'Wij verliezen onze belangrijkste getuige.'

'Twéé getuigen,' zei Dockx.

'De perfecte moorden,' zei Deridder.

'Nee, Sven, perfecte moorden bestaan niet,' antwoordde de commissaris. 'Iedere moordenaar maakt ten minste één fout. De perfecte hold-up bestaat evenmin. Wedden dat Bruxman een fout heeft gemaakt? Fouten maken deel uit van het leven.'

'Ik heb een hekel aan psychologen, dokter,' zei Dockx.

'Ja?'

'Weet je waarom?'

'Ik luister.'

'Jullie analyseren tot er niets overblijft om te analyseren.'

'Speurders doen net hetzelfde. Ik ontwar knopen in het hoofd van mensen. Speurders gaan ook tot op het bot. Alleen spreken zij niet van *analyseren* maar van *speuren*, maar wat is een moordonderzoek anders dan een grondige *analyse* van feiten en drijfveren?'

'Ik kan niet volgen, dokter,' zei Dockx.

'Je maakt het te moeilijk,' zei Deridder.

'Wij zijn niet slim genoeg,' zei Vindevogel.

'Dr. Fradler heeft gelijk,' zei de commissaris. 'Analytisch denken, kritisch denken, daar ligt onze toekomst.'

'Ik las in de *Flair* dat hersenen van misdadigers en seriemoordenaars worden diepgevroren, om ze door een team van psychiaters in een kliniek in Engeland te laten onderzoeken op afwijkingen in de hersenstructuur,' zei Sofie Simoens. 'Is dat waar, dokter?'

'Klopt,' zei de gerechtspsycholoog. Hij stak een dikke sigaar op. 'De structuur van onze hersenen bepaalt hoe we denken en reageren op de buitenwereld. Problemen met de schildklier zouden de oorzaak zijn van gewelddadig gedrag. Op een dag zal de wetenschap het gen isoleren dat van een mens een monster maakt.'

'*Gen?* In Vlaanderen Vlaams, dokter. Het Legoblokje, bedoel je?'

'Ja. Als het misdadig Legoblokje bij iemand anders wordt ingeplant, kunnen wij zelfs van een brave huisvader als Tytgat een monster maken.'

'Een verschrikkelijke gedachte,' zei Sofie Simoens.

'Twee palletten cashgeld,' zuchtte de commissaris moedeloos. 'Twee keer twee kubieke meter. Waar verstop je zoiets, dokter?'

'Thuis, in de badkamer?'

'Geen sprake van. Vergeet het.'

'In de garage?'

'Je hebt er een apart magazijn voor nodig,' zei Sofie Simoens.

'Dat brengt mij op een idee,' zei de commissaris. 'Ik denk aan die versterkte forten overal in 't land, met hun uitkijktorens. Shurgard Self-Storage. Opslagruimte op maat.'

Sofie Simoens kuchte. Zij wuifde de prikkelende walmen van de sigaar uit haar ene goede oog. 'Volgens mij moet de gerechtelijke politie de verdwijning van Maria Verelst onder de loep nemen,' zei ze en prutste aan haar ooglapje. 'Waarom laten wij zo'n taak over aan de Cel Verdwijningen? Dat begrijp ik niet.'

'Beslissing van de onderzoeksrechter. Je bent goed bezig, Sofie, maar geef mij één grondige reden om haar te interviewen,' zei de commissaris.

'Maria Verelst werd door een onbekende in het Centraal Station achtergelaten—meer dood dan levend— precies op het ogenblik dat Choco zijn duivels ontbond en twintig mensen doodvlamde op de Suikerrui terwijl op dat-zelfde moment twee mannen van Belgacom de Nationale Bank leegroofden. Dat kan toch geen toeval zijn?'

'Dan moeten we alle andere vreemde voorvallen op oudejaarsavond óók onderzoeken,' zei Tony Bambino.

'Zoals?' vroeg Dockx.

'De massavergiftiging in het luchthavenrestaurant. Met T61, stel je voor, een product dat gebruikt wordt om zieke struisvogels te vernietigen. We kunnen om te beginnen de chef-kok, de hulpkok en de plombeurs in de keuken van het restaurant aan de tand voelen. Plus de drie geitenneukers die op de Turnhoutsebaan met een Colt Python een gat in de lucht schoten...'

'...en naast het biljart een dik pak Marokkaanse kakstront scheten,' lachte Vindevogel.

Dr. Fradler schudde het hoofd. 'Kennen jullie echt geen andere woorden?' vroeg hij.

'Draai of keer het hoe je wilt, dokter, er zullen altijd geiten zijn en zolang er geiten zijn, zal er geneukt worden,' zei Tony Bambino.

'...en wordt er stront gescheten,' zei Vindevogel.

'Wat zijn plombeurs?' vroeg Deridder.

'Mag ik iets vragen, dokter?'

'Natuurlijk, commissaris.'

'Iets persoonlijks?'

'Vraag alles behalve geld.'

'Beroepshalve onderzoekt een gerechtspsychiater honderden misdadigers. Moordenaars, verkrachters, stalkers, kinderneukers. Je kijkt in hun hoofd zoals alleen een psycholoog en een psychiater dat kan. Is er één element waar je een vinger op kan leggen en waarvan je zegt, híér zit de oorzaak van hun misdadig gedrag?'

Dr. Fradler zuchtte. Hij zoog aan zijn sigaar. 'Ja,' zei hij, 'helaas. Iedere jongen die op de wereld komt met een grote penis en teelballetjes die altijd jeuken, is gedoemd om vroeg of laat in de gevangenis te belanden. Begrijp je wat ik bedoel, commissaris? Seks is de oorzaak van alle kwaad. Seks en testosteron. De meeste moordenaars zitten in de knoop met hun seksleven. Het is geen toeval dat alle misdadigers zwaar oversekst zijn. Zij gedragen zich pas als "normale" mensen nadat ik hen Depo-Provera heb toegediend, dat wordt gebruikt bij de behandeling van vaginale bloedingen. Bij oversekste mannen remt het medicijn de sex-drive af.'

Tony Bambino heeft gelijk, dacht Sofie.

Neuken en geneukt worden, daar draait alles om in het leven.

'Vrouwen zijn een andere zaak,' zei de gerechtspsychiater. 'Vrouwen moorden omdat zij een probleem hebben met hun moeder. Een dochter raakt nooit van haar moeder los, alsof de gynaecoloog vergat de navelstreng door te knippen bij de geboorte.'

'Geldt dat ook voor een man?' vroeg de commissaris.

'Een man heeft twéé problemen. Zijn moeder én zijn vrouw.'

'Weet je wat ik vreemd vind, chef?' zei Deridder. 'Tegenover de Nationale Bank zit onze Staatsveiligheid, in een statig herenhuis met een blauwe deur en blauwe balkonnetjes. Frankrijklei 113. Als je daar op de bel duwt, gaat in Brussel het alarm af. Waarom sloeg hun alarmsysteem niet in de knoop, na de ontploffing van de verdeler? Zaten zij ook zonder telefoon? Wij hebben er het raden naar en de Staatsveiligheid doet alsof haar neus bloedt. Hebben die mannen iets te verbergen?'

'Het was oudejaarsavond, Sven, en je weet, als de wijn is in de man, dan is de wijsheid in de kan.'

'Laat die piste varen, vriend,' zei de gerechtspsycholoog streng en tegelijk vaderlijk. 'De Staatsveiligheid is een politieke krabbenmand. Voor je 't weet zit je in Brussel bij de roze balletten en de CCC en de Bende van Nijvel en rijkeluiskinderen zoals Patrick Haemers en de Zwarte Baron die het recht in eigen hand nemen.'

Wat nu? dacht de commissaris.

Hoe moet het nu verder?

Hij wist het niet.

Wachten op de volgende dode?

Zes uur. Eerst zwegen de telefoons. Daarna de schrijfmachines. Geen stemmen op de gang. Geen voetstappen meer. De commissaris trok een telefoon naar zich toe.

'Ik kom, poesje,' zei hij. 'Eerst scheren. Binnen een uurtje ben ik thuis.'

Scheren? dacht Marie-Thérèse.
Waarom scheren?

De commissaris kocht twee tuiltjes gele wintertulpen in de fruithangar bij de Turk op het Zuid. Daarna reed hij naar het Centraal Station. Hij parkeerde de dienstwagen van de gerechtelijke politie in de Appelmansstraat en wandelde langs Chocolaterie Del Rey naar een klassieke kapperszaak met drie marmeren wastafels in de Vestingstraat. Een ouderwets interieur met veel donker eikenhout. Tegen een van de muren stond een kast met vakjes, waarin vroeger het scheermes, de eigen scheerkwast en de geparfumeerde zeep van vaste klanten werden opgeborgen. Er hingen naamplaatjes op, COHEN, DAVIDS, DE VRIES, KOHN, SALOMON, VAN CAMPEN, maar de vakjes waren leeg. Op een marmeren plaat lagen oude tondeuses met grijs haar tussen de tanden in de scharen. Haar uit de jaren twintig, dacht de commissaris. Hij was de enige klant en ging in de middenste van drie stoelen zitten. Zij leken op martelwerktuigen, zoals bij de tandarts. Het rode plastic kraakte onder zijn gewicht. Tussen twee stoelen hing een leren riem, die de kapper gebruikte om zijn scheermes te wetten of scherp te slijpen.

'Knippen?'

'Nee, scheren.'

De kapper zuchtte. 'Wassen, knippen en föhnen doe ik veel te weinig,' zei hij. 'Al mijn klanten zijn zo oud, dat zij geen haar meer hebben.' Hij wees met zijn scheermes naar de naamplaatjes onder de lege vakjes. 'Allemaal oude bekenden. Zij bleven komen, tot zij doodvielen.'

De commissaris legde de robotfoto van Bruxman naast de wastafel. De kapper sloeg gloeiendhete doeken rond zijn hoofd. In een traditionele kom klopte hij scheerzeep tot die schuimde als slagroom.

'Ik had eens een klant,' zei de kapper, 'een Duitser. Hij klaagde dat zijn wangen nooit écht glad waren na een scheerbeurt. Ik stak een klein houten balletje in zijn mond, zodat hij zijn wangen kon opspannen. Als ik het balletje inslik, wat dan? vroeg de Duitser. Geen probleem, antwoordde ik. Gewoon uitschijten en morgen terugbrengen. Iederéén doet het.' Hij liet een bulderende lach horen en borstelde de wangen van de commissaris met een kwast van stijf varkenshaar.

'Herken je Bruxman?'

'Hoe scherper het mes, hoe beter de scheerbeurt,' zei de kapper. Hij schraapte een uitvouwbaar scheermes over de stoppels van de commissaris. 'Bruxman kwam drie keer per week. Hij droeg klassieke schoenen die nooit in de mode waren, maar ook nooit uit de mode.'

'Om te knippen of om te scheren?'

De kapper lachte. 'Enkel scheren,' zei hij. 'Knippen hoefde niet want hij had een pruik van vals haar op zijn hoofd. Zijn snor was trouwens ook nep. Eerlijk gezegd, het verwondert me dat hij de Nationale Bank zou hebben leeggeroofd. Zo'n vriendelijke man. Ik dacht dat hij een toneelspeler was of een zanger bij de Vlaamse Opera hier om de hoek.' Zijn woorden waren amper koud of hij zette zich in postuur voor de spiegel en haalde diep adem en begon uit volle borst een aria te zingen.

Fíííííí-Figaro-Figaro-Figaro-ohhh–óóóhhh.

De bruiloft van Figaro, van Mozart.

Zeven uur. Toen de commissaris thuiskwam, stond het bloed in zijn schoenen, maar dat wist hij op dat ogenblik zelf niet. Donker. Kil in huis. Hij gespte zijn holster los en legde de mooie Beretta op de glazen salontafel, trok de overgordijnen dicht en stak de haard aan. Marie-Thérèse was naar de cursus van de Weight Watchers. Op de schoorsteenmantel stond een oude muziekdoos. De commissaris sleutelde eraan en legde zijn oor te luisteren tegen de doos en de klanken zogen hem naar een andere wereld. Op de koelkast kleefden twee gele Post It-briefjes. *Vanavond verrassingssoep!* stond op het ene briefje en op het andere *Kusje, poesje* in het handschrift van Marie-Thérèse, met een vette streep eronder. Op de keukenkast lag de uitslag van zijn doktersonderzoek naast een knipsel uit een televisieweekblad. Suiker: goed, nieren: goed, lever: redelijk, cholesterol: 206, prostaat: goed. Een Duitse zender zond een film uit waarin Antwerpen een hoofdrol speelde, *Tim Frazier jagt den geheimnisvollen Mr. x,* een film van een Oostenrijker uit het midden van de jaren zestig, met de fraaiste beelden die ooit van de stad waren geschoten. De vlammen knetterden in de haard. Het werd lekker warm in huis en de vermoeidheid viel van zijn schouders. De commissaris danste op kousenvoeten naar zijn grammofoon, die een exacte kopie was van een originele His Master's Voice, met een koperen luidspreker. Hij trok witte katoenen handschoenen aan en haalde zijn oude vinylplaten uit de hoezen. Stan Getz en de Swedish All Stars. From Acker Bilk With Love. Rita Reys & Pim Jacobs. lp's die hij voor een appel en een ei in tweedehandswinkels en op de Vogelmarkt had gekocht. Hij keek verliefd naar de hoesfoto van Rita Reys. Lijkt als twee druppels op koningin Beatrix toen zij prinses was, dacht hij. Een echt Hollands maatje, Hollandser kan niet. Please Release Me van Elvis Presley, een collector's item. De commissaris blies het stof van de plaat. Voorzichtig legde hij het vinyl op de draaischijf, die met rood fluweel was overtrokken. Hij wierp zich languit in de gele sofa van Ikea.

OH PLEASE RELEASE ME LET ME GÓÓÓÓ

FOR I—DON'T LOVE YOU—ANYMÓÓÓRE
De commissaris glimlachte.
El Viz, dacht hij.
Er zat ruis op de plaat, maar dat stoorde hem niet.
RELEASE ME—AND LET ME LOVE—AGAIN
Hij viel in een diepe slaap, met zijn mond wijd open.
Enkele minuten later kwam Marie-Thérèse thuis. Zij
legde een vers houtblok in de haard en liep op haar tenen
naar de grammofoon en zette het geluid zachter. In stilte
dekte zij de tafel. Zij nam de verrassingssoep uit de koelkast en zette de pot op een kookplaat. Eigenlijk was het
gewoon een heerlijk zelfgemaakt vissoepje, met vier soorten vis in grote moten en Zeeuwse mosselen in de schelp.
Zij serveerde er geen toast of croutons bij maar Frans
stokbrood, krokant uit de oven.
De commissaris schrok wakker en wreef de slaap uit
zijn ogen.
Waar ben ik? dacht hij.
Dan rook hij de pittige geur van de vissoep en liep hij
op zijn sokken naar de keuken. In het felle licht van de
buislampen slaakte Marie-Thérèse een kreet van ontzetting en sloeg haar handen voor haar mond. 'Sam, wat is er
gebeurd?' riep zij. 'Je zit onder het bloed!'
De commissaris keek in de spiegel.
De kapper had hem gesneden, bij het scheren, op wel
tien plaatsen.
'Dat was geen scheerbeurt, poesje, dat was een marte-
ling,' lachte hij.
Onder de kraan spoelde hij het bloed van zijn wangen.
'Kom, we gaan aan tafel.'
Zij aten in stilte. Na de vissoep en een Liebfraumilchje
of twee was er een tweede verrassing. Zwartepruimen-
taart van bakker Melis in de Hoogstraat. Marie-Thérèse

smakte met haar lippen. Zulke lippen, dacht de commissaris. Waar heb ik dat aan verdiend? Volle lippen, ronde lippen, rode lippen. Hij zuchtte van genot. Heel lang geleden, toen de dieren konden spreken, werd hij verliefd op de mooiste vrouw van heel de wereld. Zij had los haar en liep op blote voeten en iedere keer als hij haar zag, op het filmdoek in Ciné Monty, leek het alsof zij pas uit bed kwam. Zij was trots en hoogmoedig en pronkte met een grote zuigzoen in haar hals alsof het een vijftienkaraats diamant was. Haar naam bestond uit twee letters. BB. Ik zou alles hebben gegeven voor één zoen van Brigitte Bardot, dacht hij. Nu nog, eigenlijk. Zou dat oud zot zijn? Arme sukkel, dacht de commissaris. Kort daarop werd hij halsoverkop verliefd op alle filmsterren waarvan de voornaam en de achternaam met dezelfde letter begon— Anouk Aimée, Claudia Cardinale, Diana Dors, Doris Day, Greta Garbo, Marilyn Monroe, Melina Mercouri, Michèle Morgan, Pascale Petit, Simone Signoret—en toen hij min of meer tot de jaren van verstand was gekomen, viel hij als een blok voor Anita Ekberg in La Dolce Vita en kwam Marie-Thérèse in zijn leven.

'Ben je moe, Sam?'

'Het zijn gruwelijke dagen, voor iedereen.'

'Behalve voor Bruxman,' zei Marie-Thérèse.

'Dat begrijp ik niet, poesje.'

'Met al zijn gestolen geld? Hij is zo rijk als de zee diep is.'

'Geld maakt niet gelukkig,' antwoordde de commissaris.

Hij legde een nieuwe plaat op. Zigeunerjazz van Django Reinhardt. Wiegend met zijn schouders danste hij op zijn kousen door de living. Twee stappen achteruit, drie vooruit, hup hup met de beentjes, drie stappen vooruit, twee achteruit. Iedere vrije avond herhaalde zich hetzelfde ritueel. Hij dronk twee glazen wijn, luisterde naar dezelfde muziek en keek als een verliefde schooljongen naar dezelfde boeken. Hij hield het meest van boeken met bloed en een lijk op het omslag, waarschijnlijk omdat hij ook in zijn beroepsleven iedere dag oog in oog stond met de dood. De commissaris nam *La pipe de Maigret* en *Les mémoires de Maigret* uit het rek en bladerde erin en zijn oog viel op een zin die opdook in ieder avontuur van Maigret. *Le commissaire mène l'instruction.* De commissaris leidt het onderzoek. Antwerpen is de Lichtstad niet en de Schelde kan driemaal in de Seine, dacht hij, en toch is politiewerk overal in heel de wereld hetzelfde en gaan achter ieder raadsel—zowel in Antwerpen als in Parijs—*mensen* schuil met hun geheimen en hun angsten, hun passie en hun drift, en met hun verborgen wensen.

'Weet jij waarom Parijs de Lichtstad wordt genoemd, poesje?'

'Nee?'

'Het was de eerste stad in Europa met elektrische straatverlichting.'

Ik mag mijn film niet missen, dacht hij.

'Hoe laat is het?'

'Negen uur. Bijna.'

Naast de beduimelde pocketjes lag een ruw en vormeloos stuk cement of beton, een scherf van de Muur van Berlijn, aan één kant beschilderd in wilde kleuren. De commissaris wreef erover, met één vinger. Hij liep naar de grammofoon en keerde de hoezen om. House of Jazz, van Lionel Hampton. Een witte demo-plaat. Heel lang geleden, op een warme zomeravond op 't Consciencepleintje, trommelde de vibrafonist met zijn dikke lippen als een duivel-uit-een-doosje op zijn metalen latten. Het publiek werd uitzinnig van vreugde, zelfs de duiven op het plein zwegen en luisterden mee. In zijn roes smeet Lionel Hampton zijn trommelstokjes op de grond. Zij wipten een halve meter omhoog en hij ving ze behendig op, met twee handen, en speelde gewoon voort, alsof er niets was gebeurd.

'Wat eten we morgen, poesje?'

'Zullen we naar 't Kiekenkot gaan? Een half kippetje aan 't spit met champignons en frietjes.'

'Goed idee.'

'Voor een half kippetje aan 't spit zou ik mijn leven geven.'

'Liever een halve kip dan een halve kilo kaviaar?'

'Ge moogt gerust zijn!'

Zij lachten allebei.

'Tijd voor een bad, poesje?'

'Zalig!'

Terwijl het bad volliep, ging Marie-Thérèse met Pritt en papierschaar aan de keukentafel zitten. Zij knipte alle artikelen uit van alle zaken die de commissaris had opgelost sedert hij aan het hoofd van de moordbrigade stond. Ieder artikel kleefde zij in een speciaal plakboek. Op die manier voelde zij zich betrokken bij zijn werk. In het archief van een krant had zij de meeste foto's en artikelen gekopieerd uit zijn beginjaren als 'gewoon' speurder, vóór zij elkaar elf jaar geleden op de Stadswaag voor het eerst in de ogen keken.

Heet water splashte in het bad.

De commissaris was in de *mood* voor softe jazz uit de jaren vijftig en zestig en na Lionel Hampton sneed de trage, bezwerende trompet van Chet Baker door de living. Een klassieker, vijf sterren. Hij kreeg er tranen van in de ogen.

Met grote happen knipte Marie-Thérèse de artikelen over de schietpartij op de Suikerrui en de hold-up op de Nationale Bank uit de krant en kleefde de robotfoto van Bruxman en een kleurenfoto van de uitgebrande bestelwagen—een Mercedes, volgens het onderschrift, in werkelijkheid was het natuurlijk een Citroën, een kind kon dat zien—in haar plakboek.

'Is het waar, Sam, dat de mensen op straat een verdachte beter aan de hand van een getekende robotfoto herkennen dan aan de hand van een échte foto?' vroeg zij.

'Dat wordt gezegd.'

Hij kneep in haar linkerborst, die éénderde voller was dan haar rechterborst—niemand *merkte* het, maar de commissaris *voelde* het—en keek over haar schouder mee. Tegelijk hield hij de wandklok in het oog. Na zijn bad begon de film. Hij bladerde in een plakboek met artikelen en foto's van vijftien, twintig jaar geleden. In die tijd waren alle krantenfoto's in zwart-wit en werden titels in hoofdletters geschreven. AFSPRAAK MET DE DOOD. WURGER VAN LINKEROEVER SLAAT WEER TOE. DE ZAAK VAN DE VERDWENEN KINDEREN. Het verbaasde hem hoe vaak hij mee op de foto stond. Groen achter mijn oren, dacht hij, een snotneus, en zo jong en slank. In plaats van ponden te verliezen waren er in de loop der jaren kilo's bij gekomen.

'Maar... dat is Bruxman!' riep de commissaris ineens.

'De robotfoto? Natuurlijk is dat Bruxman,' zei Marie-Thérèse.

'Nee... nee...hier!' stamelde de commissaris.

Het album lag open op drie heel oude foto's van een reconstructie. Zwart-wit, uiteraard. Een bos in de herfst. Een bos, of een park? In het bos stond een auto die was uitgebrand met een vlammenwerper. Vijfentwintig kogelgaten in het dak en twaalf kogelgaten in de achterruit. Een wonder dat die niet aan stukken was gesprongen. Geen vingerafdrukken en niet verzekerd. Naast de auto— een vluchtwagen, waarschijnlijk—was een kordon afgezet met plastic lint. POLITIE POLICE POLITIE stond op het lint. In het midden van het kordon, op het vochtige gras, lagen twee lichamen onder witte lakens. Bloed sijpelde door de lakens. Op de tweede foto zochten speurders het bos af. Hun ogen waren onherkenbaar gemaakt, met zwarte rechthoekige balken. Zij droegen hoge politiepetten. De derde foto was een foto van de commissaris op de rug gezien. Hij duwde een verdachte die één hand op zijn hoofd hield in een auto van de politie. De verdachte had kort, gemillimeterd haar. Hij droeg een donkere regenjas. Zijn polsen zaten in handboeien. Op het ogenblik dat de fotograaf op de sluiter drukte, keek de verdachte met een arrogante blik in de lens. Hij lachte. Hij lachte. De linkerkant van zijn regenjas zag zwart van het bloed.

'Welnee, Sam,' zei Marie-Thérèse.

'Ik... ik... ben er zeker van.'

'Die man heeft kort haar. Donker haar. Hij heeft zelfs geen snor.'

'Die ogen... die blik...' zei de commissaris. 'Alles klopt... een granieten kop... een man met een verleden... die moet leven met iets... iets wat hij liever zou vergeten.' Hij kreeg het verschrikkelijk warm. Zijn vingers tintelden. 'Uit welk jaar dateren de foto's?'

'Foto's van twintig jaar geleden,' zei Marie-Thérèse. 'Op de kop af twintig jaar.'

Alles kwam terug. Alles ineens.

Je hebt me, commissaris.'

'Eigen schuld.'

'Ja. Eigen schuld, dikke bult.'

'Ik herinner me zelfs zijn naam... zijn naam... Bruno... zoiets... Bruno Baxter... Zou Baxter... "x" zijn...?... alias Bruxman?... Baxter... Ja... nu weet ik het weer... hij was een expert in vuurwapens en... een scherpschutter. Hij bediende zich van schuilnamen... Yves Toilet... Meneer

Gewoontjes... Dat was geen mens, dat was een beest.' Het kwam er allemaal ineens uit. 'Iemand vroeg om de helft van de stad te vergiftigen... en hij vergiftigde de helft van de stad. Iemand vroeg om zeventien mensen dood te schieten... en hij schoot zeventien mensen dood. Zijn favoriete onderwerp was moord... en toch... toch vond ik hem sympathiek... wat bewijst dat er sympathieke moordenaars bestaan. Baxter zat heel zijn volwassen leven in de gevangenis... in Leuven-Centraal en... verdomd als 't niet waar is... Choco zat daar ook... en Dollar... John Wayne... en Stella... en Tuborg... ze zaten er allemaal!'

'Wat nu?'

'Geen idee, commissaris.'

'Dat wordt brommen.'

'Hoe lang?'

'Twintig, dertig jaar. Met een beetje geluk.'

'Het werd de doodstraf,' zei de commissaris.

'De doodstraf is afgeschaft, poesje.'

De commissaris zuchtte. 'Doodstraf werd automatisch omgezet in levenslange dwangarbeid,' zei hij. 'Dat betekent officieel twintig tot vijfentwintig jaar.'

'De foto's zijn exact twintig jaar oud, Sam. Zou het kunnen dat... dat hij vandaag vrij is?'

'Eén zaak heb ik altijd geweten, poesje.... als Bruxman... Baxter... als hij vrijkomt, dan... dan slaan zijn stoppen door... en wreekt hij zich.'

'Op wie?'

'Op iedereen. Op de maatschappij. Op mij.'

'Hij lijkt zo jong...'

'Even oud als ik. Of ouder.'

Zij deed haar best, Marie-Thérèse, en toch kon zij er niets van begrijpen.

'Baxter is kortgeknipt en gladgeschoren, Sam, en Bruxman... met z'n lange haar... z'n snor...?'

'Gezichtsbedrog. Nep en fake, poesje, allemaal nep en fake. Vals haar van een zanger bij de Vlaamse Opera. Ik kan het weten, zijn Figaro heeft het mij zelf gezegd.'

De commissaris weekte de foto's uit het album. Hij gespte zijn holster om. Schoot in zijn schoenen en trok zijn mosterdkleurige regenjas aan. De naald sprong van de vinylplaat en Chet Baker draaide stilzwijgend in het rond. Zo*efff, zoefff, zoefff* deed de draaischijf.

'Ga je weg, Sam? Op dit uur?'

'Uitstel is afstel.'

'...neem eerst een bad,... en de film?'

'Het bad kan wachten en aan mijn eigen *geheimnisvolle* Mr. x heb ik mijn handen vol.'

Uit de Schelde werd een lijk opgevist. Dat was het eerste wat de commissaris vernam toen hij in het donker aankwam in het gerechtshof. Het lijk was in stukken gehakt. Armen en benen zaten verstopt in een olievat. De zeevaartpolitie bracht het hele zootje aan land en de lichaamsdelen werden ter bewaring in een lijkenzak met ijs gelegd. Het was uiteraard een 'verdacht overlijden' en speurders werden als 'waarnemer' ter plaatse gestuurd. Aangekleed of naakt of doodgeschoten of neergestoken of gewurgd of levend verbrand, een lijk blijft een lijk, en een lijk betekent in de eerste plaats papierwerk en slapeloze nachten voor de speurders van de moordbrigade. *Onbekend mannenlijk. Niet geïdentificeerd. Slachtoffer kreeg meerdere slagen op rug en borstkas. Ongeveer 55 jaar oud, meet 1,72 meter voor een gewicht van 70 kilogram. Scherp, benig gelaat. Snor, halflang donkerbruin tot grijs haar.* Snor? Halflang donkerbruin tot grijs haar? Ongeveer 55 jaar oud. Scherp, benig gelaat? Bruxman, dacht het parket. Kan alleen Bruxman zijn. Het parket stuurde een perscommuniqué rond. *Was gekleed in* blauw T-shirt, blauwe slip, jogging en sokken van het merk Nike. Gebruikte mogelijks de naam BRUXMAN. *Iedereen die inlichtingen heeft om het lijk te identificeren, wordt verzocht dringend contact op te nemen met de politie ten gerechtshove of met een politiepost in uw buurt.* Resultaat: niks, nul komma nul, nougatbollen.

'Zwemmen' heet dat, in de taal van de politie. Het was niet de eerste en zou niet de laatste keer zijn dat speurders 'zwommen' en met lege handen achterbleven.

'Zelfmoord?' vroeg Deridder.

'In België gebeuren zeven zelfmoorden per dag,' zei Dockx.

'Zelfmoord in een olievat? Met stokslagen op zijn rug? Uitgesloten.'

'Trouwens, zelfmoord zonder afscheidsbrief is zoals een zak frieten zonder mayonaise,' zei de commissaris.

'Misschien heeft hij zichzelf afgeslacht,' lachte Desmet.

Vindevogel stak een peuk aan. Zijn half opgerookte Bastos hing in de hoek van zijn mond. 'Misdaad is entertainment,' zei hij. 'Hoe meer moorden, hoe contenter de mensen zijn. Zij lezen dat graag, en de kranten staan er vol van.'

Twintig jaar. De commissaris keek op zijn horloge. Bijna middernacht. Het is onwaarschijnlijk hoeveel mensen sterven of simpelweg van de aardbodem verdwijnen in twintig jaar, dacht hij. Sommige mensen hebben iets te verbergen. Zij veranderen hun naam en verhuizen naar de andere kant van de wereld. Anderen eindigen in ziekenhuizen of psychiatrische instellingen en bejaardentehuizen. Voor enkelen is de gevangenis het eindstation van hun leven. Eén op duizend mensen haalt het bejaardentehuis of de gevangenis niet. Hij pleegt zelfmoord of wordt vermoord. De commissaris zuchtte. Hij draaide het nummer van het technisch labo.

'Wie heb ik aan de telefoon?'

'Ik,' zei Dielis.

'Waar is Verswyvel?'

'Ik zou het niet weten, commissaris.'

'Wie onderzocht de verdeeldoos van Belgacom op vingerafdrukken?' vroeg hij.

'Welke verdeeldoos?'

'De "boîte" in de kelder van de Nationale Bank.'

'Wij samen. Verswyvel en ik.'

'Waar blijft je verslag? Ik wacht erop.'

'We zijn er niet mee klaar.'

'Hoe bedoel je—niet klaar?'

'Nee. We zijn niet klaar.'

'De hold-up vond drie nachten geleden plaats,' zei de commissaris. 'Drie nachten, dat is tweeënzeventig uur. In die tweeënzeventig uur heb ik mijn bed niet gezien. Ik heb geen oog dichtgedaan en *jullie* zijn niet klaar? Heb ik dat goed gehoord of ben ik doof aan één kant?'

Aan twee kanten, dacht Dielis.

'De schietpartij was er te veel aan,' zei hij.

'Schietpartij? Welke schietpartij? In de gevangenis?'

'Op de Suikerrui.'

'Wat heeft de Suikerrui te maken...'

'Alles.'

'...met vingerafdrukken in de Nationale Bank?'

'Alles.'

'Dat begrijp ik niet, Dielis. Twee dingen tegelijk, is dat te moeilijk?'

Hij vloekte en smeet de hoorn op het toestel.

Waarschijnlijk zijn zij daar te stom voor, dacht hij.

'Kruip achter de computer, Sven.'

'In orde, chef. Wat zoek ik?'

'De vingerafdrukken van een zekere... Baxter... Bruno Baxter... alias Yves Toilet... of Meneer Gewoontjes... alias...

Bruxman. Soms gaf hij zich uit voor een Amerikaan, toen hij jonger was. Hij noemde zich James Dean. Of Marlon Brando. Hij was een meester in vermommingen en valse namen.'

'Yves Toilet. Da's een goeie,' lachte Deridder.

Zijn speurders staarden de commissaris met open mond aan.

'Baxter? Baxter is Bruxman? Hoe heb jij... chef...?'

'Beter laat dan nooit,' glimlachte de commissaris. 'Om eerlijk te zijn, ik heb Bruxman niet gevonden.'

'Wie dan wel, chef?'

'Mijn poesje,' zei de commissaris met een stralende glimlach.

'Poesje? Welk poesje?'

'Marie-Thérèse.'

Alle monden vielen wijd open.

'Baxter. Yves Toilet. Meneer Gewoontjes. James Dean. Marlon Brando. Zoek de namen in het Rijksregister en het digitaal archief van de Algemene Nationale Gegevensbank,' zei de commissaris. Hij deelde snel-snel-snel bevelen uit. 'Vindevogel neemt contact op met de Dienst Slachtofferhulp. Deridder vraagt het gerechtelijk dossier op van Baxter... Bruno Baxter... en Sofie herleest het dossier van Bruxman en legt het naast het dossier van Baxter. Twintig jaar geleden... exact twintig jaar... op de kop af... ik hoop dat zijn stem op band werd opgenomen. Bezorg mij in dat geval een cassette met een stemproef. Volgens mij zijn Baxter en Bruxman één en dezelfde persoon. Hoe was zijn m.o.—zijn modus operandi—twintig jaar geleden? Op welke manier werkte Baxter? Ik herinner mij vaag dat hij met een auto reed waarvoor nooit een nummerplaat was aangevraagd. Hij stal nummerplaten van andere auto's en hing ze op zijn eigen wagen. De nummerplaten op de uitgebrande Citroën Jumper van Bruxman zijn óók gestolen nummerplaten. Bijt jullie vast in de dossiers, jongens. Pluis alle verbanden uit. Vergelijk het profiel van Baxter en Bruxman met het profiel van andere bekende misdadigers. Praat met de Dienst SIDIS die dossiers samenvoegt van misdadigers die gebruik-maakten van een valse of verkeerde identiteit. Moeilijk is dat niet, want SIDIS heeft een helpdesk in de Begijnenstraat. Als Bruxman in werkelijkheid Baxter is... en Baxter is op vrije voeten... dan moet hij zich juridisch laten begeleiden...'

'...minstens zes maanden tot een jaar na zijn vrijlating,' zei Dockx.

'...en wordt hij verondersteld het gerecht te informeren over al zijn verplaatsingen,' zei Desmet.

'Neem contact op met de Dienst Genade in het Justitie-huis, Djim. Zoek uit wie de "voogd" is die hem sedert zijn vrijlating coacht. Heeft Baxter... Bruxman... werk gevon-den? Waar? Sedert wanneer? Ga onmiddellijk met die mensen praten. Bij welke justitie-assistent gaat Bruxman... Baxter... op controle? Hoe sterk was zijn reclasseringsdos-sier? Trek aan de bel bij de Commissie voor Voorwaarde-lijke Invrijheidstelling. Als Bruno Baxter in werkelijkheid de gezochte Bruxman is—en daar twijfel ik steeds minder aan—dan is hij een gevaar voor de samenleving. Waarom is zo'n man in godsnaam vrijgelaten? Vraag iedereen de pieren uit de neus. De onderste steen zal boven komen.'

Desmet keek op zijn Swatch en zuchtte. 'Op dit uur, chef?'

'Op dit uur.'

'Kan het wachten tot morgen?'

'Nee.'

'Ze zijn zot geworden, bij Justitie. Let op mijn woorden, straks laten zij zelfs Horion vrij,' zuchtte Vindevogel. 'Die man tikt als een tijdbom. BÁFFF maal 5 binnen een week, net zoals bij de Wurger van Linkeroever. De doden vallen als vliegen. Dankuwel, meneer de minister.'

'Wat doe ik, chef?' vroeg Tony Bambino.

'Neem contact op met de aalmoezenier van Leuven-Centraal.'

'Het wordt ons gemakkelijk gemaakt. De aalmoezenier van Leuven-Centraal houdt drie ochtenden per week spreekuur in de Begijnenstraat,' zei Dockx.

'De aalmoezenier, chef?' vroeg Vindevogel.

'Als één mens Baxter... Bruxman door en door kent, dan is het de aalmoezenier van Leuven-Centraal,' zei de commissaris. 'Een aalmoezenier is belast met de zielenzorg van de gevangenen. Zelfs een cipier met drie sterren mag volgens de wet geen voet in een cel zetten. Hij komt niet verder dan de deuropening. De aalmoezenier trekt zich daar allemaal niks van aan. In de gevangenis gaat en staat hij waar hij wil. Er zijn zes vleugels in Leuven-Centraal. In vijf daarvan heerst een opendeursysteem. Met andere woorden, de celdeuren blijven open, de hele dag. Binnen hun vleugel lopen langgestraften vrij rond. De aalmoezenier draait mee rondjes op de wandeling en speelt zelfs biljart met de gevangenen in de ontspanningszaal.'

'In Leuven-Centraal trekken de zwaarste jongens naar het schijnt iedere middag met zijn vieren een kaartje,' zei Sofie Simoens. 'Hartenjagen en liegen.'

'Over wie heb je het, Sofie?'

'Over Horion. Over de Wurger van Linkeroever. Zij kaarten terwijl Stafke Van Eycken alias de Vampier van Muizen de gang dweilt en familiemoordenaar Michel W. een potje thee zet.'

'Horion: zes slachtoffers, de Wurger van Linkeroever: drie slachtoffers, de Vampier van Muizen: drie en Michel

W.: vier slachtoffers. Dat zijn zestien moorden aan één tafel,' zei Desmet.

Hij heeft gelijk, dacht Vindevogel, maar zijn rekening klopt niet.

De Vampier van Muizen is overgeplaatst naar Turnhout.

Publieke vijand nummer één Horion geniet van zijn straf in het vakantiesalon van Brugge.

'Freddy Horion ontsnapte uit Leuven-Centraal door een gat van dertig bij veertig centimeter te maken in de muur van zijn cel,' zei Dockx. 'Hij wist perfect hoe hij dat moest doen. Enkele weken vóór zijn ontsnapping werd in de ontspanningszaal een bekende film vertoond waarin Clint Eastwood ontsnapt uit de zwaarbeveiligde gevangenis van Alcatraz door... een gat van dertig bij veertig centimeter te graven in de muur van zijn cel.'

'Och,' zei Desmet, 'enkele jaren geleden is een gedetineerde tot vier keer toe ontsnapt met een klassieke truc. Met een vijl zaagde hij de tralies van zijn cel door.'

'Een gevangene die *echt* wil ontsnappen vindt altijd een opening,' zei de commissaris. 'In iedere gevangenis zitten evenveel gaten als in Zwitserse emmenthal en ik kan het weten, want gaten maken in kaas, dat was mijn eerste betaalde job.'

'Weet je waar de Wurger van Linkeroever als kind woonde, chef?' vroeg Sofie Simoens.

'Nee?'

'In de Begijnenstraat, vlak tegenover de gevangenis.'

'Moet er nog zand zijn?' lachte Dockx.

'Ik bracht vorige week een bezoek aan Antwerpen Miniatuurstad in Hangar 15 op de Cockerillkaai,' zei Desmet. 'Madurodam aan de Schelde. Ik voelde mij net een Hollandse toerist. Alle bekende gebouwen in de stad zijn in triplex nagebouwd op schaal 1/87ste—het Steen, het Vleeshuis, de kathedraal natuurlijk, de Boerentoren, alleen de gevangenis ontbreekt. Mag niet van de politie. Uit veiligheidsoverwegingen worden de technische details niet vrijgegeven om een natuurgetrouwe maquette te bouwen.'

De telefoon rinkelde.

Verswyvel, van het technisch labo.

De commissaris keek op zijn horloge.

'Sorry, ik was even weg. Grote boodschap,' zei Verswyvel.

'Dat overkomt iedereen.'

'Bel je voor het resultaat van de vingerafdrukken?'

'Ja,' zei de commissaris kortaf.

'Vals alarm, zeker wat betreft de "boîte" in de Nationale Bank,' antwoordde Verswyvel. 'Geen enkel verdacht, bruikbaar vingerspoor. In mijn politiecomputer zitten nochtans 4,8 miljoen vingerafdrukken van 480.000 misdadigers. Tel daar internationale vingerafdrukken bij in de computers van Europol en Interpol. Bruxman droeg geen handschoenen, volgens de verklaring van de bankier en de butler van de Nationale Bank. Hij prutste met zijn blote vingers aan de "boîte" en toch geen vingerafdrukken. Is dat niet vreemd, commissaris? In de bestelwagen heb ik evenmin bruikbare vingerafdrukken gevonden. Wél een DNA-spoor. De bom waarmee de bankrovers de verdeler van Belgacom hebben opgeblazen, da's een ander paar mouwen. Je weet hoe zo'n bom werkt, commissaris? Op een bepaald uur loopt een reiswekkertje af en de trilling geeft een signaal aan het ontstekingsmechanisme van de bom. Een "professionele" bom is voorzien van een *tweede* tijdmechanisme, een soort veiligheid die ervoor zorgt dat de bom niet per toeval explodeert. Dat was hier niet het geval. De bom waarmee de telefooncentrale werd lamgelegd, is prutswerk uit *Jongens & Wetenschap*. Een klein brandblusapparaat, een handvol kunstmest, een vingerhoedje semtex uit Tsjechië, een paar elektriciteitsdraadjes verstevigd met isolatietape en BOEMMM! Beroepsterroristen knutselen niet met kunstmest, commissaris, zij gebruiken Goma-2 uit de mineraalmijnen van Asturië dat een "week" dynamiet is, omdat het gewoon op een pot confituur lijkt.'

Eergisteren Luikse siroop, vandaag een pot confituur.

Wat zal het morgen zijn? vroeg de commissaris zich af.

'Bedankt, Verswyvel,' zei hij.

'Een ogenblikje, commissaris, dat is niet alles. Maria Verelst, in het Centraal Station. Weet je nog? Zij droeg drie gordels van kneedbaar semtex. Een levende bom, als je 't mij vraagt. Welnu, de springstof rond haar lichaam is afkomstig van hetzelfde pakket als het vingerhoedje semtex waarmee de Nationale Bank werd lamgelegd. Dezelfde bende, met andere woorden. Maria Verelst was geen toeval. Zij was een afleidingsmanoeuvre, om de aandacht van de politie weg te trekken van de Nationale Bank.'

De commissaris legde de hoorn neer. 'Wie ondervraagt Maria Verelst?' vroeg hij en tuitte zijn lippen. Sofie heeft gelijk, dacht hij. De hold-up op de Nationale Bank en het bloedbad op de Suikerrui en de ontvoering van Maria Verelst en al die andere walgelijke dingen op oudejaarsavond komen uit het zieke brein van één en dezelfde kloot-van-mijn-kloten.

'Je gaat je vingers verbranden, chef,' zei Tony Bambino.

'Vanaf nu is het alles of niks,' antwoordde de commissaris. 'Buigen of barsten.'

'Laat Maria Verelst bij haar positieven komen,' zei Sofie Simoens.

'Geen sprake van. Zij had semtex rond haar enkels!'

'Niet rond haar enkels, chef, rond haar billen.'

'Enkels, billen. Wat is het verschil?'

'Het verschil? Als je Nicole Kidman tussen haar enkels neukt in plaats van tussen haar billen zal je rap het verschil merken.'

'Bij Nicole Kidman, daar kan ik in komen. Maar bij Jennifer Lopez?' vroeg Desmet.

De commissaris voelde zich een oldtimer.

Geef mij maar Brigitte Bardot, dacht hij. Of Anita Ekberg.

'Relax, 't is maar seks,' zei Dockx.

'In welk ziekenhuis ligt Maria Verelst?' vroeg Sofie Simoens.

'Zij zit in een afkickcentrum,' zei Vindevogel.

'Waar?'

'In de Ketsstraat.'

'Iets voor jou, Sofie?' vroeg de commissaris.

'In orde, chef.'

'Neem een fles goedkope brol mee,' zei Dockx. 'Twee glazen en zij danst een Franse cancan op één been.'

'Château Migraine,' zei Tony Bambino.

'Van den Aldi...'

'... of van de nachtwinkel.'

Dat wordt andere troelala, dacht Sofie Simoens. Zij zuchtte, fatsoeneerde het piratenlapje voor haar oog en haalde diep adem. Zij droeg een wit mannenhemd, met de drie bovenste knoopjes los en de mouwen éénkwart opgerold. Haar borsten priemden een halve meter vooruit.

Vindevogel keek in haar hemd, zo diep mogelijk, en floot op zijn vingers.

Wat 'n wijf! dacht hij.

Da's tenminste echte paardenbiefstuk!

'Bruxman rammelt met onze kloten,' zuchtte Tony Bambino.

'Niet met die van mij,' zei Sofie met een uitgestreken gezicht en iedereen schoot in een bulderende lach.

Er werd op de deur geklopt.

De commissaris keek op zijn horloge. Eindelijk, dacht hij.

'KOM ERIN!'

'Sorry commissaris,' zei de tekenaar van de technisch-wetenschappelijke identificatiedienst van de rijkswacht. 'Ten eerste lag ik in bed, ten tweede kom ik helemaal uit Limburg en ten derde was de E313 wéér dichtgesneeuwd.'

'Je tekende enkele dagen geleden een mooi portret,' zei de commissaris. Hij wees naar de robotfoto van Bruxman, die uitvergroot aan de muur hing, naast de scheurkalender tussen de posters van Kamagurka en Dr. Alfred Vogel. 'Doe mij een plezier. Herteken dezelfde man. Dezelfde ogen, dezelfde mond, dezelfde neus, hetzelfde gezicht maar zonder de snor, zonder de paardenstaart, en zonder de veiligheidshelm. Lukt dat, denk je?'

'Geen probleem, commissaris,' zei de tekenaar. 'In de zaak van de vuilniszakkenmoordenaar van Bergen heb ik een hoofd getekend uitsluitend voortgaand op bebloede en afgehakte lichaamsdelen. Aan de hand van mijn robotfoto werd het slachtoffer herkend door een familielid.'

De commissaris klapte in de handen. 'Komaan mannen, wij zetten onze tanden erin. Als echte pitbulls. Kort op de bal spelen. Alle neuzen in dezelfde richting. Trappen en gas geven en als iemand fuck zegt, dan fuck je tien keer harder terug!'

'Weet je wat ik denk?' zei Tony Bambino.

'Dat je honger hebt?'

'Klopt. Tijd voor een BigMac,' zei Vindevogel.

'...en een grote portie frieten,' zei Deridder.

'Met ketchup en mayonaise.'

Dockx keek op zijn horloge.

'Is McDonald's open, op dit uur?' vroeg Vindevogel.

Misschien is het waar wat de mensen zeggen, dat de nacht raad brengt. Vier tipgevers hadden Bruxman mét snor en paardenstaart gezien in de GB aan de Groenplaats. Volgens een andere tipgever deed hij zijn inkopen in den Aldi. Of in de Lidl, dat wilde hij kwijt zijn. Klokslag negen uur liep een telefoontje binnen van een verzekeringsmaatschappij in het Hansahuis op de Suikerrui. Tijdens de jaarlijkse wintersluiting had een inbreker zich toegang verschaft tot de kantoren van het bedrijf op de derde verdieping. Hij forceerde de toegangsdeur en had veiligheidscamera's afgeplakt met velcro-strips. Door het kantoor liep een spoor van bloed.

'Niets aanraken, ik kom,' zei de commissaris.

De gevel van het beroemde Hansahuis, op de hoek van de Suikerrui en de Ernest van Dijckkaai, tegenover het Steenplein, was opgesierd met levensgrote bronsbeelden met wulpse vormen en fraaie borsten. Beelden van Jef Lambeaux. Winterzon stroomde in het kantoor. De verzekeringsagent zette een raam open. Over de Schelde hing een grijze wolk. Ze leek op een aangespoelde walvis. Hij stapte over de balustrade naar het midden van de loggia, een soort sierbalkon tussen twee ronde pilaren.

'Kom,' zei de verzekeringsagent. 'Volg mij.'

De loggia was drie meter lang en een meter breed. Links lagen de kathedraal, de Boerentoren en de politietoren van de Oudaan. Een driehoekig bord hing op de gevel van een gesloten brasserie. TE KOOP. Daarover één woord— VERKOCHT—op een rode sticker. Uit de frituur op het Steenplein walmde een misselijkmakende geur van smeltend frituurvet. Vuistgrote kogelgaten in de gevels aan de overkant van de straat.

Walgend wendde de commissaris het hoofd af.

De hemel zit vol onschuldige mensen, dacht hij.

Welke taal zouden zij spreken, in de hemel? Engels? Frans? Chinees? Esperanto? Of gewoon Vlaams? Zitten alle Engelsen en Fransen en Chinezen in hun eigen Engelse en Franse en Chinese hemel en hebben de Vlamingen hun eigen stukje Vlaamse hemel met hun eigen Vlaamse rijstpap met gouden lepeltjes?

In het midden van de loggia, in de sneeuw, lag een pumpgun van een type dat in Alaska wordt gebruikt voor de jacht op beren. Naast de pumpgun lag een Mannlicher-Carcano. Een oud Italiaans oorlogsgeweer. Lee Harvey Oswald kocht identiek hetzelfde wapen via een postorderbedrijf. Op een zonnige middag reed de ceremoniële auto van president Kennedy van de Verenigde Staten door Dallas, in Texas. De president zei tegen de First Lady, die naast hem zat: "Doe je zonnebril af, Jackie. Wuif naar de mensen." Het waren zijn laatste woorden. Oswald vlamde drie kogels door het hoofd van Kennedy. Zijn schedel brak in duizend stukken en hij viel opzij in de schoot van de First Lady. "Oh, mijn God," riep zij. "Iemand heeft de president doodgeschoten. Ik hou van je, John!" Haar witte handschoenen kleurden bloedrood. Dat was zoveel jaren geleden. De commissaris trok witte handschoenen van vinyl aan. Naast het oorlogsgeweer lagen lege hulzen en patronen. Hij raapte een kogelhuls op. Snuffelde eraan en trok een vies gezicht. Hij hield niet van buskruit op zijn nuchtere maag. Over het balkon hing een zwarte bivakmuts met ronde gaten op de plaats van de ogen. 22 november 1963. Wat deed ik toen Kennedy werd vermoord? vroeg hij zich af. Toeschouwers langs de kant van de weg juichten omdat de president rode confetti strooide naar het publiek.

Het was geen confetti.

Het was bloed.

Het waren zijn hersenen.

Het was zijn hoofd dat ontplofte.

'Herken je deze man?' vroeg de commissaris. Hij stak de nieuwe robotfoto onder de neus van de verzekeringsagent.

'Nee.'

Bruxman zonder snor, zonder paardenstaart en zonder veiligheidshelm. Bruxman als Bruno Baxter. Kort haar, gemillimeterd. Een granieten gezicht met moordenaarsogen en volle lippen en ingevallen wangen zonder pukkels.

De commissaris stopte een cassette in een bandopnemertje. $1 + 1 = 2$ en $2 + 2 = 4$, dacht hij. Helaas, hij wist het langer dan vandaag. Het klassieke speurwerk van de moordbrigade is geen algebra.

'Herken je de stem?'

'Nee.'

Sneeuw onder zijn schoenen. Het vroor dat het kraakte. Mensen gleden uit en probeerden zich overeind te houden aan vensterbanken en geparkeerde auto's. Naast een Italiaans restaurant met op de gevel LASAGNE*SPAGHETTI*RAVIOLI in groene en rode lichtgevende letters stond een wijkagent op de uitkijk. Hij frutselde aan het papiertje met de kop van een Arabier en stopte een koffiebonbon van Roodthooft in zijn mond. De commissaris keek naar de hemel. Hij zuchtte. Twaalf uur op de grote klok van de kathedraal. Zwarte vogels broederlijk naast elkaar op een elektriciteitsleiding. Uit een raam hingen lakens en een deken. De sneeuw was zacht en romig, smeuïg bijna, zoals een schuimkraag op een bolleke in de cafés op de Grote Markt.

Uit Frituur d'Anvers knalden de Pet Shop Boys.

Aan de overkant werd een raam opengezet.

Ave Maria uit de stereo, gezongen door Charles Aznavour.

De prikkelende geur van pizza golfde door de straat.

De commissaris keek op zijn horloge. Het leven herneemt zijn gewone gang, dacht hij. Wat er ook gebeurt, door de Schelde zal altijd water stromen. Slaapkamers worden verlucht, de mensen gaan aan tafel, zij eten en drinken en luisteren naar de radio. Of naar het nieuws op televisie. Vijf doden? Tien doden? Twintig doden? Straks is er koffie en taart en vanavond kijken wij naar *Familie* en de Champions League. Ik weet het, dacht hij, dat is het leven, dingen komen en gaan. Hij koesterde zijn melancholie en zijn *tristesse* zoals hij een goede vriendin koesterde, die hij niet wilde verliezen. Sam heeft last van winterweemoed, zei Marie-Thérèse. Hij luistert te veel naar Chet Baker en Miles Davis. De commissaris wist beter. Lucht en leegte, zegt de bijbel. Alles is lucht, alles is leegte. Het leven zal nooit veranderen. Hij keek opnieuw op zijn horloge. Drie minuten voorbij. Hij zuchtte. Een vrouw met krulspelden in het haar stond in de deuropening van een restaurant. Zij droeg een kamerjas en liep op geitenharen sokken die twee maten te groot waren en rond haar enkels slodderden. Zij beet op haar onderlip en keerde zich om. De deur viel in het slot. PRINS & DINGEMANSE MOSSELEN stond op de gevel van het restaurant, met daarboven een lichtreclame voor Safir.

Da's goe bier, dacht de commissaris.

Lamot, daar gaat ge van kapot.

De Grote Markt was afgezet met barricades. Wie erdoor wilde en niet in uniform was of geen badge kon tonen, werd grondig gescreend. Arbeiders ontmantelden de schaatspiste. De reuzenkerstboom werd op een platte wagen geladen en afgevoerd naar de stortplaats van Hooge Maay. Onder het standbeeld van Brabo stonden Iveco's en gepantserde Vario's naast ambulancewagens met een lichtbak met flitsers en blauwe zwaailampen. Scherpschutters van de politie klauterden over de daken van de patriciërshuizen. Het beeld van de buideldrager van Meunier aan de zij-ingang van het stadhuis was bespat met bloed. ARBEID VRIJHEID stond op de sokkel. Iemand had er een ruiker op gelegd. Gekleurde bloemen. Anjers en witte lelies en gele tulpen. Na wat in deze stad is gebeurd, zou hier beter een beeld van Pluto staan, dacht de commissaris. Pluto—de God van de Dood. God van de Dood en de Onderwereld. Ik begrijp de wereld niet meer, dacht hij. Hij had er genoeg van en hij had genoeg gezien. Hij zuchtte.

Volgende halte.

Op de Groenplaats werd de kerstmarkt afgebroken. Het plein lag bezaaid met dennentakken en witte plastic bekertjes en rode strikken. De zure geur van glühwein verpestte de lucht. Houten chalets werden bijeengevouwen en op vrachtwagens geladen en valse sneeuw werd in dozen opgeborgen tot de volgende kerstmarkt. Wie durft te beweren dat de geschiedenis zich nooit herhaalt? De geschiedenis herhaalt zich altijd, zoals het nieuws op de VRT, dat 's nachts blijft doordraaien. Stadswerkmannen zetten hun ladder tegen verlichtingspalen en haalden de luidsprekers naar beneden. Zelfs Bing Crosby ging tot de volgende Kerstmis in een kartonnen doos. Langs de O.L.-Vrouw van Toevluchtkapel en de Wilde Zee stapte de commissaris naar de Nationale Bank. Hij zette er flink de pas in. Geen tijd te verliezen. Overal waren grondwerken aan de gang. Werkmannen van de stad haalden kerstlampjes uit de bomen. Waar was de muzikant die zigeunermelodietjes fiedelde op een oude viool? Hij was nergens te bespeuren. Onder de klok met de vergulde letters *Nationale Bank van België* meldde de commissaris zich bij de balie voor het publiek. Eenentwintig Japanse toeristen keken allemaal tegelijk op hun horloge.

De butler stond onbeweeglijk in de deuropening aan het eind van een brede gang, naast een bronsbeeld van een havenarbeider met een jutezak over zijn hoofd. Het beeld was een replica van de buideldrager van Meunier aan de zij-ingang van het stadhuis. De butler was zoals steeds gekleed in het zware, zwarte doodgraverskostuum dat zijn overgrootvader lang geleden, in 1912, ook had gedragen. Onder zijn zwarte uniform droeg hij een stijf wit hemd. Hij liep op zwarte schoenen, waarin heel de wereld zich kon spiegelen. Zijn haar, met een keurige scheiding in het midden, was opgeschoren aan de slapen. De commissaris ijsbeerde door de ridderzaal, over fraaie Perzische tapijten tussen oude donkere schilderijen, met zijn handen op zijn rug, zijn vingers in elkaar gestrengeld. Het deksel van de vleugelpiano was dichtgeklapt. Het was heel stil in dat gedeelte van het gebouw. Nergens rinkelden telefoons. De commissaris bleef stilstaan voor een hoog raam in geboend eikenhout.

Hij keek neer op de binnenplaats van de Nationale Bank. Driehoekig, met de aanblik van een lieflijk kasteelplein in rode baksteen, met nissen en portalen en gewelven, alsof het een sprookjeskasteel was uit Duizend-en-één-Nacht. Op een laadplatform aan het eind van een hellend vlak, zoals bij de spoorwegen, stonden twee vorkheftrucks van het merk Mitsubishi onder een luifel, naast een hoge stapel eenvoudige houten blokpalletten en 'europallets' van kunststof.

Eén kilo papiergeld in biljetten van duizend is één miljoen frank.

Eén 'europallet' met papiergeld weegt één ton of duizend kilo.

Eén ton of duizend kilo is tweeduizend miljoen frank per 'europallet'.

De commissaris floot tussen zijn tanden.

Een bank is gewoon handel in geld, dacht hij.

De houten poort zwaaide open. Een bruine geldtransportwagen van Brink's Ziegler reed stapvoets van de *eerste* binnenplaats naar een *tweede* binnenplaats die—zoals een doos in een doos—van de eerste was gescheiden door een muur van gevlochten staaldraad met hekken en tralies onder hoogspanning. ELECTRABEL HOOGSPANNING 6.600 VOLT DANGER DE MORT LEVENSGEVAAR stond in zwarte letters op een wit bord van keramiek dat was vastgemaakt aan de tralies. Zowel het hek als de tralies waren beveiligd met prikkeldraad onder hoogspanning.

Op de voorste binnenplaats lagen hemelsblauwe plastic zakken op een hoop in de sneeuw. Zij wiegden traag heen en weer in de wind, alsof zij waren opgevuld met lucht.

De bankier kwam uit zijn kantoor, met één hand in de zak van zijn jas, de duim naar buiten. 'Commissaris! Ik verwachtte u!' zei hij glimlachend en ging op de brede leuning van een elegante leren fauteuil zitten, onder de kristallen kroonluchter. Bruine blazer, liberaal blauw hemd, grijze flanellen broek, bruine schoenen. Zijn bankiersuniform, dacht de commissaris.

'Wat zit er in de blauwe plastic zakken?' vroeg hij.

'Versnipperde bankbiljetten,' zei de bankier.

'Vals geld, vuil geld, beschadigd en vies geld,' zei de butler.

'Naar rato van honderdduizend eenheden per uur schieten iedere dag in alle centrale banken over heel de wereld bankbiljetten door geldcontroleermachines,' zei de bankier. 'De machines scannen papiergeld op schoonheid, scheurtjes en echtheid. Overal behalve in Taiwan, Roemenië en Australië. In die landen worden de nieuwste bankbiljetten gemaakt van plastic dat zich niet laat versnipperen. Ecuador heeft lichtgevende biljetten.'

'Wat doet de bank met het versnipperde geld?'

'Meegeven met het groot vuil,' zei de bankier achteloos.

'Koffie, directeur?' vroeg de butler.

'Graag, Claude,' zei de bankier.

'Koffie, commissaris?'

'Nee, dank je.'

De butler verdween achter de coulissen.

'Een dikke week geleden zette ik voor het eerst in mijn leven een voet in dit gebouw,' zei de commissaris. Hij keerde zich om, naar de bankier. 'Wat heb ik hier eigenlijk te zoeken? vroeg ik mij af. Ik sta aan het hoofd van de *moord*brigade en hoewel de meeste mensen een moord zouden plegen voor geld, wees niets erop dat doden als vliegen zouden vallen bij een mogelijke overval op de Nationale Bank. Ik heb mij vergist, en geen klein beetje. We zitten aan 20 + 6 = 26 doden en de teller tikt rustig voort.'

'Bedoelt u dat... dat er nog doden zullen vallen?'

'Weest gerust, en geen klein beetje.'

'Hoe kunnen wij het moorden stoppen?'

'Simpel. Als wij deze man vinden, keren rust en vrede terug,' zei de commissaris en hij toonde de bankier de robotfoto van Bruxman zonder snor, met kort, gemillimeterd haar.

'Ken je deze man?'
'Nooit eerder gezien.'
'Zeker van?'
'Heel zeker.'
'Hoe zag de overvaller eruit?'
'Heel gewoon. Zij waren met twee.'
'Waren zij zenuwachtig?'
'In het geheel niet.'
'Gedroegen zij zich vreemd?'
'Niet in het minst.'
'Je had geen van beiden ooit eerder gezien?'
'Nee, nooit.'
'Zij deden niets dat vreemd leek?'
'Nee, niets.'

'Geen rare dingen?'

'Nee.'

'Niets dat wantrouwen kon wekken?'

'Nee.'

'Is de bank verzekerd tegen diefstal?'

'De bank maar niet *al* het geld in de bank. Tot drie miljard frank. Alles verzekeren, daar valt niet aan te beginnen. De premies liggen zó hoog. Eén miljoen dollar verzekeren—en één miljoen is een peulschil voor de bank—kost vijfduizend dollar aan premies per jaar. Onze beste verzekering zijn onze kluizen. Zij reageren op geluiden en trillingen en werden uitgerust met een vertragingsmechanisme. Vijftien minuten na het eerste signaal gaan de kluizen pas open.'

De commissaris trok een bedenkelijk gezicht. '...eerst liggen de miljoenen wél een uurtje op de binnenplaats te chambreren,' zei hij.

'Helaas.'

'Hoe werkt zo'n vertragingsmechanisme?'

'Eenvoudig.'

'Met een soort pincode?'

'Nee, commissaris, pincodes worden gestolen en misbruikt. Handtekeningen worden nagebootst. Vingerafdrukken zijn niet onfeilbaar. Het nieuwste snufje op het gebied van veiligheidssystemen heet iris-scan. De scan *leest* de streepjescode in het oog van de bewaker. Het lijkt een gadget uit *Star Wars* of een film van James Bond maar garandeert in feite het toppunt van veiligheid, want iedere oogbal is uniek. Een oog kan voorlopig niet worden nagemaakt.'

'Uw beveiligingscamera's zijn inmiddels hersteld?'

'Ja. Door *echte* mannen van Belgacom.'

'Hoe zag de tweede bankrover eruit?'

'Die heb ikzelf eigenlijk niet gezien.'

'Hoe komt dat?'

'Hij zat in de bestelwagen.'

'Er is je niets speciaals opgevallen?'

De bankier schudde het hoofd. 'Zij leken gewone werkmannen van Belgacom, in mijn ogen.'

De commissaris stopte de robotfoto in de zak van zijn regenjas.

'Gestolen geld is *aangebrand* geld,' zei de bankier.

'Hoef je mij niet te zeggen.'

'De wereld van de *haute finance* is een jungle, commissaris, en wie niet mééhuilt met de wolven in het bos, die is verloren,' zei de bankier.

'Hoe bedoel je?'

'Aangebrand geld passeert een aantal *sluizen* voordat het als "wit" geld in het betaalcircuit komt.'

'Klopt.'

'Hoe groter de hoeveelheid aangebrand geld die van bank en bedrijf verandert—met de hulp van boekhouders, wisselkantoren en corrupte bankiers die het gestolen geld van het ene naar het andere belastingparadijs verplaatsen—hoe moeilijker het is om te achterhalen van wie het geld is en waar het precies vandaan komt. Er wordt vastgoed mee gekocht. Het wordt weggesluisd naar privé-bankrekeningen in het buitenland. Of naar brievenbusfirma's in Zuid-Amerika.'

'Bedoel je dat wij alle boekhouders en effectenmakelaars en bankiers in de cel moeten stoppen?' vroeg de commissaris. 'Van het Oostblok tot Hongkong en Buenos Aires?'

De bankier haalde de schouders op.

'Realist blijven,' zei de commissaris. 'Verbeurdverklaring van geld in het buitenland is een ingewikkelde affaire.'

'Misschien roepen wij hulp in.'

'Hulp? Van wie?'

'Kroll Associates.'

'Kroll? Wat is Kroll?'

'Een Amerikaans detectivebureau, commissaris. De grootste privé-inlichtingendienst ter wereld, met drieduizend werknemers in zestig landen. Kroll Associates is actief in de Benelux en werkt voor ons moederhuis in Brussel.'

'Wat kan Kroll dat onze eigen Computer Crime Unit níét kan?'

'Kroll Associates heeft een reputatie in het opsporen van gestolen of vermist geld en geheime vermogens. Het heeft een tijd geduurd, maar zij vonden het verdwenen fortuin terug van Papa Doc, Ferdinand Marcos en wapenhandelaar Adnan Kashoggi. Op dit ogenblik zoekt de firma in opdracht van Poetin en de Russische regering naar verduisterd staatsgeld dat Russische apparatsjiks naar het Westen hebben versluisd.'

De commissaris zuchtte. 'We moeten het zo ver niet zoeken,' zei hij. 'Als een waardetransport met zware oorlogswapens wordt overvallen, en de criminelen kennen de veiligheidsprocedures die moeten worden gevolgd om de geldkoffers te openen, dan is er verraad in het spel— altijd—en werden de daders *getipt* door medewerkers van de transportfirma. Om in de Nationale Bank te komen, moeten óók een aantal handelingen in de juiste volgorde worden uitgevoerd. Hoe is het mogelijk dat de criminelen de veiligheidsprocedure kenden? Volgens mij zou de hold-up niet mogelijk zijn geweest zonder de hulp van een mannetje in de bank. Daar ben ik heilig van overtuigd en toch ben ik geen katholiek. Noem het *Fingerspitzengefühl*. De bankrovers hadden *twee* keer hulp nodig. Van een tipgever in de bank die precies wist wanneer en hoeveel vers geld op oudejaarsavond naar de kluizen zou worden gebracht en van iemand die na de hold-up het gestolen geld wit zou wassen. Voor die laatste klus was Ignace Dollar de aangewezen persoon—maar Ignace Dollar is dood. Blijft over: de man in de bank. Wie? Enig idee?'

'Van mijn mensen, bedoel je?'

'Ja.'

'Niemand, commissaris.'

'Niemand?'

'Nee.'

'Denk goed na.'

Stilte.

'Het blijft mensenwerk,' zuchtte de bankier.

'Hoe betrouwbaar is het personeel?'

Stilte.

'Wie niets heeft misdaan, hoeft niets te vrezen.'

De bankier schudde het hoofd. 'Nee, ik zie niemand.'

'Hoe kan je zo zeker zijn?'

'Voor mijn personeel steek ik mijn hand in het vuur,' zei de bankier op bitse toon.

Pas op, je kan je vingers verbranden, dacht de commissaris.

Flammazine op brandwonden wrijven.

Om de pijn te verzachten.

'Voor al uw mensen?'

'Ja.'

'Iedereen?'

'Ja.'

'Waarom?'

'Heel eenvoudig. Omdat niemand in dit gebouw een vrijgeleide heeft. Dat wil zeggen, niemand heeft een sleutel en loopt zomaar overal naar binnen en naar buiten.

Zelfs ik niet. Alle gangen zijn beveiligd. Wie van het ene kantoor naar een ander kantoor wil, passeert een groot aantal camera's, detectoren, alarmgevers en "sluizen" en wordt in het oog gehouden vanuit de regiekamer. Onze computers zijn voorgeprogrammeerd op honderd vierenzestig verschillende alarmsituaties. Zodra een alarm in werking treedt, rolt binnen dertig seconden een gedetailleerd tekstbericht over het computerscherm. Waar zich het alarm voordoet, wie de betrokkene is, welke situatie tot het alarm heeft geleid. De beelden worden digitaal opgeslagen, op harddiskrecorders. Pas drie dagen na de opname worden zij automatisch gewist. Honger of geen honger, zelfs het nederigste personeelslid dat tussen de middag voor een broodje naar de bedrijfskantine wil, wordt gescreend door onze veiligheidsdienst alsof het Al Capone in hoogsteigen persoon is.'

'Iedereen?'

'Ja, iedereen.'

'Uw butler ook?'

'Al onze mensen en *vooral* mijn butler. Hoewel dat voor niets nodig is. Ik ken zijn familie, commissaris. Braaf en door-en-door katholiek. *Impeccable.* Zijn broer is priester, als ik mij niet vergis.'

'Detectoren, alarmgevers, sluizen... voorgeprogrammeerde computers... tekstberichten... digitale beelden op harddiskrecorders... Natuurlijk waren de bankrovers hier perfect van op de hoogte,' zei de commissaris. Er klonk enige ironie in zijn stem. 'Eén bommetje van niemendal en de hele santenboetiek lag op z'n gat. Volgens u was de bank nochtans pico bello beveiligd.'

'Heb ik dat gezegd?'

'Ja.'

'Wanneer?'

'Tijdens onze eerste ontmoeting.'

'Ik heb me vergist.'

'Vergissen is menselijk.'

'Het zal mij geen tweede keer gebeuren.'

Eerst zien en dan geloven, dacht de commissaris.

'Spectaculair was de hold-up niet,' zei hij. 'Wel doeltreffend.'

'Wij beheren voor 475 miljard aan biljetten,' antwoordde de bankier. 'Als wij dat geld op zak zouden houden in plaats van het heen en weer te sjouwen door heel het land, zou het ons een interest van vijf procent opbrengen, die vakmensen geen "interest" noemen maar "seignorage", om een moeilijk woord te gebruiken. Is dat dan de oplossing?'

Misschien niet, dacht de commissaris.

Maar het geld zonder slag of stoot meegeven aan de eerste de beste luiwammes die zich uitgeeft voor een technieker van Belgacom is ook geen oplossing.

'Eén keer is de Noorse Centrale Bank overvallen,' zei de commissaris. 'In echte commandostijl. Om de klanten schrik aan te jagen, schoten de daders wild om zich heen. De straat was geblokkeerd met een brandende vrachtwagen. Eén agent kwam om het leven.'

'Centrale banken zijn een open huis,' zei de bankier. 'Wij zijn Fort Knox niet. Helaas.' Hij zuchtte. 'Alleen de Bank of England is een betonnen fort, vier muren zonder ramen en zonder deuren. Alles gebeurt ondergronds. Er komt niemand binnen en er kan niemand naar buiten.'

'Fort Knox? Wat is dat eigenlijk?' vroeg de commissaris.

'Een bunker in Amerika,' zei de bankier. 'In Louisville, Kentucky. Alle goudreserves liggen er opgeslagen, van heel de wereld. Negenduizend ton bakstenen van zuiver goud.'

De commissaris keerde zich bruusk om, alsof hij een einde wilde maken aan het gesprek. Hij keek opnieuw door het raam op de binnenplaats. Een geldkoerier met een Smith & Wesson aan zijn heup laadde geldcassettes van tienduizend biljetten en geldrolcontainers van tweehonderdduizend biljetten in de geldtransportwagen. Nieuwe, brandschone biljetten, bestemd voor de geldautomaten. Belgacom had ervoor gezorgd dat de beweegbare camera's—met zoom—weer optimaal werkten. De camera's werden bestuurd vanuit een centrale regiekamer in de kelder onder de bank en legden iedere beweging op video vast op traaglopende banden. Zestien camera's voor een tape. Op één enkele videoband stond één dag en één nacht aan geregistreerde informatie. Op enkele camera's kleefde een sticker met de waarschuwing '24/24 CCTV' in grote letters.

Geld, dacht de commissaris.

Alles in het leven draait om geld.

Wat had de butler gezegd?

Vals geld, vuil geld, beschadigd en *vies* geld.

De butler is braaf. *Impeccable.* Door-en-door katholiek.

Zijn broer is priester, als ik mij niet vergis.

Op de zijdeur van de geldtransportwagen was een witte langwerpige sticker aangebracht, vlak onder de firmanaam, met de tekst SYSTÈME DE NEUTRALISATION—ONTWAARDINGSSYSTEEM in zwarte letters. In het Frans, tot daar aan toe, dacht de commissaris, maar de eerste bankrover die begrijpt wat ONTWAARDINGSSYSTEEM betekent, moet volgens mij nog geboren worden. Ik ben geen Einstein, maar dat zijn bankrovers ook niet.

De bruinhouten poort zwaaide open.

Bandensporen in de harde sneeuw.

Ontsnappen uit de Nationale Bank is een koud kunstje, dacht de commissaris. Wie in de Wetstraat of de Koningsstraat in Brussel een overval pleegt, is goed gek. In Antwerpen kan dat gemakkelijk, zelfs op het spitsuur. Het wegennet rond de stad is bijzonder goed uitgerust, met de Ring en de Singel. Met een beetje geluk raakt een slimme bankrover in twee minuten via de leien het centrum uit en zit hij op de Ring naar Nederland.

'Is er hoop, commissaris?' vroeg de bankier.

'Hoop? Op wat?

'Dat de politie het gestolen geld terugvindt.'

'Hoop doet leven.'

Klokslag één uur meldden Tony Bambino en de commissaris zich in de Begijnenstraat. UITRIT MINISTERIE VAN JUSTITIE stond op de groene poort, en daarnaast *Verboden fietsen te plaatsen,* tweemaal herhaald. Voor de gevangenis stond een bestelwagentje van een slotenmaker, wat waarschijnlijk toeval was. De speurders werden naar een speciale kamer gebracht, een soort super-de-luxecel aan het eind van een lange cellengang, achter de bezoekkamer. Koud licht in de gang en de muffe geur van urine, door gedetineerden *eau de pipi* gedoopt. In de speciale cel hing een dichte rook van drie pakjes sigaretten per dag. Aan de wanden kleefden kleurenposters van de iguanodons van Bernissart en katholieke boodschappen en belegen spreuken van de Bond Zonder Naam. *Zeg iets goeds van me, voor ik dood ben. Verbeter de wereld, begin met jezelf. Weer of geen weer, altijd welkom.* Aan het hoge plafond hing een lint met de tekst *In Gods Huis* en een afbeelding van het Heilig Hart van Jezus. Een fluo-jasje aan een kapstok. De aalmoezenier was in het zwart gekleed. Zwart hemd, zwarte broek, zwarte sokken in zwarte sandalen. Hij zag de speurders komen en een koude rilling liep over zijn rug.

'Geloofd zijt Gij. Zeg wat jullie in gedachten hebben...' zei de aalmoezenier.

'...en we praten erover?' vroeg Tony Bambino.

'Misschien.'

'Je twijfelt?'

'Ik heb geen job zoals een andere,' zei de aalmoezenier. 'Iedere dag van de week zit ik in de stront. Van 's ochtends vroeg tot 's avonds laat loop ik verkrachters, moordenaars, kinderpakkers, oplichters, dieven, de maffia en af en toe een witteboordencrimineel tegen het lijf. Iedere gevangene die het niet meer ziet zitten, zelfs het grootste crapuul, komt bij mij terecht voor een goed gesprek. Ik sta open voor iedereen en heb geen favorieten. Niemand krijgt voorrang.'

'Ben je priester?' vroeg Vindevogel.

Omdat de aalmoezenier geen stijfwitte Romeinse boord droeg.

Alhoewel. Welke priester draagt tegenwoordig een Romeinse boord?

'Ik ben diaken.'

'Dat vraagt een verklaring. Ik ben een leek. Wat is het verschil tussen een priester en een diaken?'

'Een diaken is gehuwd. Ik heb kinderen. In het huis van de kerk vervul ik de taken van een priester maar ik aanhoor geen biecht en schenk geen vergeving in naam van God.'

'Kan je zwemmen?'

'Heu... ja. Een beetje toch. Waarom?'

'Iemand die iedere dag zijn rondjes zwemt...' zei de commissaris.

'...gaat af en toe kopje-onder...' zei Tony Bambino.

'...en krijgt een gulp water binnen.'

De aalmoezenier knikte. 'Waarschijnlijk,' zei hij.

'Iemand zoals jij die iedere dag tot aan zijn hals in de stront van anderen zit...' zei Tony Bambino.

'Zwijg. Ik wil het niet horen,' zei de aalmoezenier kortaf. 'Als het uitkomt dat ik met de flikken praat...'

'...gaat af en toe kopje-onder en krijgt een schep stront binnen.'

De commissaris legde de *eerste* robotfoto van Bruxman—met snor en lang grijzend haar in een paardenstaart—in het midden van de tafel.

'Ken je die man?' vroeg Tony Bambino.

De aalmoezenier gooide het over een andere boeg. 'Zie je mijn posters, Bimbano?'

'Niet Bimbano,' zei de speurder, 'Bambino.'

Bimbano, Bambino, als 't kind maar een naam heeft, dacht de aalmoezenier.

'Dinosaurussen,' zei hij. 'Iguanodons. Voorhistorische monsters. In de ogen van de mensen zijn kinderpakkers en moordenaars en serieverkrachters óók voorhistorische dieren uit de oertijd van de beschaving. Zij kennen geen regels of reglementen en passen niet in de wereld van de brave mensen. Daarom worden zij achter tralies gestopt, in een hok, zoals olifanten in de Zoo, en geven wij ze eten en drinken, opdat zij niet zouden sterven van honger en dorst. Hun verstand zetten zij op nul, want verstand hebben zij niet nodig in de gevangenis. Zij scheren zich niet, zij wassen zich niet, zij lezen niet, sommigen práten zelfs niet, zij kijken enkel tv, in hun stinkende gevangeniskleren. Maar zij blijven gevaarlijk, zelfs in hun cel. Voorhistorische dieren zijn altijd gevaarlijk.'

De commissaris bladerde door de vijf zware fotoalbums van de politie die hij van het gerechtshof had meegebracht. Op iedere pagina kleefden vier gevangenisfoto's van gangsters en misdadigers in vooraanzicht. In twee van de vijf albums zaten foto's van twintig jaar geleden. Bruxman als Bruno Baxter. Zonder snor, zonder lang grijzend haar. Zonder pruik en nep-snor uit de Vlaamse Opera, met andere woorden.

'Deze man, die ken je?'

'Ja... ja, natuurlijk, ja...da's den Bruno...zeker weten.'

De handen van de aalmoezenier beefden. Hij stak een sigaret op. Het was warm in het celkamertje. Warm en stoffig. Onder de tralies stond een antieke Mechelse buffetkast met houtsnijwerk dat niet paste bij het kale interieur. Naast een asbak lag een aangebroken pakje Belga en twee verse pakjes Gauloises en in de asbak lag een halve tros rijpe druiven uit de gevangeniskantine.

'Twintig doden op de Suikerrui,' zei Tony Bambino. 'Mannen, vrouwen, kinderen, zelfs twee paarden. Is dat niet godgeklaagd? Dollar is dood.' Hij wees op de foto van de valsemunter in het album van de politie. 'John Wayne is dood.' Wees op de foto van de scherpschutter. 'Choco is dood. Tuborg is dood. Stella is dood. Allemaal ex-klanten van Leuven-Centraal. Allemaal dood. De schatkist is twee palletten kwijt. Míjn geld en uw geld, want als eerlijke mensen betalen wij onze belasting. Twee ton cashgeld, zo'n tien miljard, volgens de eerste berekeningen. Eén man is hiervoor verantwoordelijk. Bruxman met een "x", Bruno Baxter—ook met een "x"—met zijn echte naam.'

'Baxter, Bruxman, Yves Toilet, Meneer Gewoontjes, Charlie Varrick, Jean Servais of hoe hij zich ook noemde...' zei de commissaris. '...James Dean, Marlon Brando. Die man is knettergek. Voor een pis en een kak trekt hij zijn revolver.'

De aalmoezenier zuchtte—zware buik vooruit—en sloeg zijn ogen neer.

Kak of geen kak, de pot op, dacht de commissaris.

'Pfff,' mompelde de aalmoezenier en hij trok zo hard aan zijn sigaret, dat die in één keer opbrandde. 'Soms was hij spraakzaam. Op andere momenten verviel hij in doodse stilte. Hij kon zijn gevoelens niet onder woorden brengen. Enkele maanden of een paar jaar in de gevangenis, daar heeft een echte misdadiger geen last van. Maar levenslang, of twintig jaar, en waarvoor? Voor een kleine moord. Vergeet niet dat vandaag in België celstraffen zwaarder zijn dan in 1867, toen ons strafwetboek werd opgesteld.'

Je raaskalt, je vertelt flauwekul, dacht Tony Bambino. Steek een andere cassette in je kop, dacht de commissaris.

'Klein bestaat niet,' antwoordde hij scherp. 'Een kleine moord is ook moord.'

De aalmoezenier haalde zijn schouders op.

'Hoe lang zat Bruxman in de Begijnenstraat?'

'Een klein jaar.'

'Kent alle hoeken en kanten?'

'Ja.'

'Ook de tijden van de wandeling?'

'Natuurlijk.'

'Kreeg hij vaak bezoek?'

'Bezoek? Wat bedoel je?'

'Mannen, vrouwen.'

'Soms.'

'In Leuven-Centraal?'

'Soms.'

'In de intieme kamer?' vroeg de commissaris.

'Het neukkot, zoals zij dat noemen? Weet ik niet.'

'Je lag er nooit tussen?'

'Nee.' De aalmoezenier zette drie likeurglaasjes op tafel. 'Seks verzacht de zeden,' zei hij. 'Seks en drank. Drink een glaasje mee, commissaris. Jij ook, Bimbano?'

'De naam is Bambino. Eerst een a en daarna een i. Tony Bambino.'

De aalmoezenier strooide een koffielepel suiker in de glazen en trok de buffetkast open. 'Gevangenen mogen geen alcohol drinken, zegt de wet, maar ach, een glaasje af en toe, dat doet toch niemand kwaad? Wie bij mij op visite komt, krijgt zijn aperitiefje, zelfs al heeft hij zijn hond en zijn kat en zijn hele familie uitgemoord.' Hij nam een halflege fles likeur uit de kast en schonk de drie glazen vol.

De commissaris kon zijn ogen niet geloven.

TIA MARIA. Acht letters.

Verdomd als 't niet waar is, dacht hij.

'*Likeur... een soort likeur... iets Jamaicaans of zo.*'

'*Smaakt naar koffiebonen.*'

'*Ik vermoed dat Tia Maria een bijnaam is...*'

'*...of een schuilnaam.*'

'*Ja. Een valse naam.*'

'*Zoals Tuborg.*'

'*...en Choco.*'

'*...en Stella.*'

'*Zij gebruiken allemaal valse namen.*'

'*Tuborg... omdat hij Tuborg drinkt... Stella... die Stella drinkt...*'

'Bedoel je dat... dat jullie aperitiefjes dronken in deze cel? Bruxman en... Choco... en... Tuborg... en jij?'

'Ik bedoel niets.'

De speurders tuitten hun lippen—

De diaken zat met zijn rug tegen de muur, zodat niemand hem van achteren kon aanvallen, en slurpte aan zijn glas. 'Godendrank. Weet je wat zo heerlijk is aan Tia Maria?'

—en keken de aalmoezenier stomverbaasd aan.

'De warme afdronk, die gloed...'

'Afdronk? Gloed? Dat is geen antwoord op onze vraag.'

'Nee... waarschijnlijk niet.'

'Antwoord dan. Op de vraag.'

'Ik kan niet.'

'Nee?'

'Ik wil niet, ik kan niet en ik mag niet.'

'Antwoord! Op! Onze! Vraag!'

'Het spijt me. Als aalmoezenier heb ik vrijplaats.'

'Vrijplaats? Wat is vrijplaats?'

'Noem het zwijgplicht.'

'Beroepsgeheim?'

'Ja. Een aalmoezenier hoeft aan niemand—in geen geval aan de directie van de gevangenis en zeker niet aan een onderzoeksrechter of zijn speurders van de gerechtelijke politie—te vertellen wat hij ziet en hoort tussen de vier muren van een cel.'

'Zoals een priester is gebonden aan het biechtgeheim?'

'Zoiets, ja.'

Tony Bimbano kreeg er zowaar koude voeten van.

Vrijplaats. Biechtgeheim, beroepsgeheim, zwijgplicht, mijn kloten, dacht hij en stopte twee druiven in zijn mond. De pitten spuwde hij dwars over de tafel op de vloer. Hij dronk het likeurtje in één teug leeg en werd helemaal warm vanbinnen. Ongevraagd schonk hij zich een tweede glas in en haakte de handboeien van zijn gordel.

'Heb je een broer?' vroeg de commissaris.

'Ja.'

'Wat doet hij... van beroep?'

'Butler.'

'Waar?'

De aalmoezenier sloeg de ogen neer. 'In... in... in de Nationale Bank.'

Hebbes, dacht Tony Bambino en hij klikte de handboeien om de polsen van de aalmoezenier.

'W... W... Wat doe je?' stamelde de diaken.

'Je bent één keer te veel kopje-onder gegaan, man,' zei de commissaris lachend. 'Natuurlijk kreeg je te veel stront binnen. Je verzuipt in de stront. In stront en likeurtjes.'

De diaken werd overgebracht naar het gerechtshof en opgesloten in een wachtcel in de kelder. Hij kreeg vier sneetjes droog wit brood—honderd vijftig gram, het wettelijke minimum, waarmee hij het voor de rest van de middag moest stellen—en vier plakjes salami. Nadat hij drie uur had gesudderd tussen vier muren van beton werd hij voor verhoor overgebracht naar de tweede verdieping. Zonder de achteloze opmerking van de bankier—braaf *katholiek*, had hij gezegd, de broer van de butler is *priester*, als ik mij niet vergis—zou de verdenking van de commissaris nooit *never jamais* op de aalmoezenier en de butler zijn gevallen, en zonder de likeurtjes uit zijn buffetkast zou de diaken zichzelf nooit aan de galg hebben gepraat.

'Leg het vuur aan zijn schenen,' zei de commissaris.

De speurders namen 'de juiste houding' aan, volgens het instructieboekje.

'Spelen wij pingpong met de verdachte?' vroeg Desmet.

'Blazen wij warm en koud?' wilde Vindevogel weten.

'Kletsen wij hem van de ene kant van de tafel naar de andere kant?'

'Of pakken wij hem in één keer bij zijn kloten?' vroeg Sofie Simoens.

Op een krakende Olivetti tikte Deridder de tekst van het verhoor uit, met alles erop en eraan, volgens de regels van de kunst. AFSCHRIFT stond op de eerste pagina, met daaronder PRO JUSTITIA, in onsympathieke zwarte letters,

en NAVOLGEND PROCES-VERBAAL en GERECHTELIJKE POLI-
TIE bij de Parketten ANTWERPEN *met de datum en een dossier-
nummer. Voorwerp: verhoor. Feit(en): medeplichtig aan:* DIEFSTAL.
MOORD. *Wij, officier van de gerechtelijke politie, hulpofficier van de
Procureur des Konings, horen ten burele de genaamde...* Deridder vulde naam en adres in.
Hij tikte zo heftig dat het werkblad ervan daverde.
*Hij verklaart in het Nederlands: U gaat mij horen over een zaak die
tegen mij aanhangig zou zijn...* Alles ging vlugger dan ver-
wacht. De speurders stonden in een halve cirkel rond 'de
stoel van de verdachte'—de hardste en ongemakkelijkste
stoel in het lokaal—en zwegen en keken de aalmoezenier
aan en lieten de stilte zo lang duren tot iedereen er onrus-
tig van werd. Het werd een slopende ondervraging die de
hele nacht duurde, vijftien volle uren, tot een stuk in
de ochtend, toen eindelijk zijn tong loskwam en hij door
de knieën ging, waarna de aalmoezenier volledige bekentenissen aflegde.

Hoerenchance, dacht de commissaris. Puur geluk.

Hoerenchance en geluk zitten soms in een klein hoek-
je.

De aalmoezenier bekende wat hij niet kon ontkennen.

Tien jaar geleden leerde hij in Leuven-Centraal de man
op de robotfoto kennen. Baxter woonde iedere zondag de
mis bij, in de kapel, en minstens één keer per week kwam
hij voor een praatje en een likeurtje naar de speciale cel.
Dollar, Choco, John Wayne, Tuborg en Stella woonden
ook de eredienst bij. *Ik kan u zeggen dat... ik ben bereid om de
waarheid te vertellen... uit eigen beweging...* Via zijn broer had de
aalmoezenier vernomen dat in de Nationale Bank iedere
avond grote hoeveelheden cashgeld aankwamen die gewoon op de binnenplaats bleven liggen, tot er voldoende
nachtpersoneel beschikbaar was om het geld met de

vorkheftruck naar de ondergrondse kluizen te brengen. Ja, hij had hierover met Baxter gepraat. *Gekeuveld*, eigenlijk. Meer niet. Nee, een deel van de buit had hij *niet* gekregen. *Ik heb alles gezegd wat ik weet. Hier eindigt mijn verklaring. Ik heb niets aan te merken op de manier waarop ik ben ondervraagd.*

De antwoorden kwamen vlot, zonder nadenken.

Hij spreekt de waarheid, dacht de commissaris.

De aalmoezenier zette zijn handtekening onder het laatste verhoorblad en viel op zijn knieën op de koude vloer en begon hardop te bidden, met een dreunende, zeurende stem, alsof hij de paus was in hoogsteigen persoon.

'*Dominus vobiscum,*' mompelde de commissaris.

'*Et cum spiritu tuo...*' zei Tony Bambino.

'*Amen,*' besloot de aalmoezenier.

Ik blijf een rode socialist—tot in de kist, dacht Vindevogel.

De commissaris trok met zijn dossier naar de onderzoeksrechter, die een aanhoudingsbevel ondertekende.

'Zet hem op secreet,' zei Veerle Vermeulen.

'Verdachte mag met niemand contact hebben, tenzij met zijn advocaat,' verduidelijkte haar griffier.

'Onze-Lieve-Heer is mijn advocaat,' antwoordde de aalmoezenier. Hij werd in een geblindeerde celwagen teruggebracht naar de Begijnenstraat.

'Ik haat advocaten,' zei Vindevogel.

'Ik ook,' zei Sofie Simoens.

'Poenscheppers,' zei Tony Bambino.

'Zin om iets te eten?'

'Een lekkere spaghetti...' zei Vindevogel.

'Er loopt een film van Woody Allen,' zei Sofie Simoens. 'Die wil ik zien. Ga je mee?'

'Natuurlijk. Waarom niet?'

Wie is Woody Allen? dacht Vindevogel. Twee politieauto's met blauwe en witte zwaailichten werden naar de Nationale Bank gestuurd en de butler werd gearresteerd en overgebracht naar het gerechtshof. Het parket gaf geen foto's vrij en de persmagistraat kondigde een informatiestop af.

'Goed gewerkt, commissaris,' zei de onderzoeksrechter.

Trut, dacht hij.

Twee vragen wachtten op een antwoord.

1.—Wie was Löwenstein?

2.—Waar zat Bruxman?

Een derde vraag hing in de lucht, maar werd nooit met zoveel woorden uitgesproken. *Waar zit het geld verstopt?* Alleen Bruxman wist het antwoord op die vraag. Twee palletten, twee ton Franse en Zwitserse francs, Deense en Noorse kronen, Engelse ponden, dollars, Duitse marken, Japanse yen, Belgische bankbiljetten van honderd, vijfhonderd, duizend, tweeduizend en tienduizend frank, in totaal tien miljard in contanten, da's verdomd geen kattenpis. Wie was Löwenstein? Waar zat Bruxman? De antwoorden lieten niet lang op zich wachten.

Alles was rustig, alles was stil, en met de rust en de stilte kwamen de ontzetting en het afgrijzen. Onder een spoorwegbrug aan de rand van de stad, naast de stille begraafplaats, stond een oude container op wielen. De container was omgebouwd tot woonwagen. Er stond een blauwe deux-chevaux van Citroën naast. Een wrak op vier wielen. Waar kwam die vandaan? De begraafplaats lag er verlaten bij. Verderop begon een stortplaats van zerken. Naast de container en de deux-chevaux, achter een muur van

autobanden, lag een verlaten loods met een dak van golfplaten. De ramen waren stuk. Vuil, smerig, met karkassen
van dode duiven op de grond. De wind rammelde met de
golfplaten en blies de verse sneeuw van het dak. In de
loods stonden zwarte lijkkoetsen uit vroeger tijden.
Echte museumstukken, met rode karrenwielen. Er hingen meterslange stofnetten aan. De dubbele houten
poort kraakte en zwiepte en uit de donkere nacht waaierde poedersneeuw naar binnen. Linda Löwenstein lag
ontkleed in een hoek, op een hoop rommel, haar voeten
bijeengebonden met een stuk springtouw. Zij rilde van
de kou. Zelfs naakt, onder een kale lamp van 25 watt, leek
zij op Catherine Deneuve. Sexy en sappig. Een thermo-
meter wees vier graden Celsius aan. Koud maar draaglijk,
in het zicht van de dood.

Zacht: 'Linda?'

Even zacht: 'Ja?'

'Ik heb een verrassing.'

'Voor mij?'

'Ja.'

'Een verrassing?'

'Ja.'

'Wat heb je?'

'Kaastaart.'

'*Kaastaart*?'

'Van Kleinblatt.'

'In de Provinciestraat?'

'Ja. *Joodse* kaastaart.'

Zij antwoordde niet.

'Je lust toch jodentaart, Linda?'

'Ik heb geen honger.'

'Eet iets, Linda,' zei Bruxman.

Geen antwoord.

'Ik ga je uitbenen.'

Geen antwoord.

'Slachten en uitbenen.'

Stilte.

'Geloof je me niet?'

Zij schudde haar hoofd.

'Ook goed.'

Vaal maanlicht aan de hemel.

'W...waarom wil je dat doen?'

'Mensen zwijgen, als zij dood zijn, Linda.'

'Ik hield van je, Brux.'

Alles is een kunst, dacht Bruxman.

Liefhebben ook, maar die kunst had hij nooit geleerd.

Ik? Verliefd? Nee. Of ja, toch.

Ik hield zielsveel van mijn moeder, dacht hij. Indien ik terug in haar baarmoeder kon kruipen, ik zou het onmiddellijk doen. Hij stak een Schimmelpenninck op. Mensen willen bloed zien? Zij zullen bloed krijgen. Zijn handen waren koud. Hij hield ze tegen de vlam van zijn aansteker en warmde zijn vingers. Hij wist waar hij mee bezig was. Hij deed geen domme dingen. Nooit. In vroeger tijden gebeurde het dat iemand niet *echt* dood maar schijndood was en levend werd begraven, zoals de filosoof die in het donker onder de grond zijn handen van zijn lichaam rukte. Toen vele jaren later zijn kist werd opgegraven, stelden de grafdelvers tot hun ontzetting vast dat hij zijn eigen vingers had opgevreten. Soms werden draden met belletjes vastgemaakt aan de tenen van de doden, zodat zij om hulp konden rinkelen als bleek dat zij niet *echt* dood maar *schijndood* waren. Om er zeker van te zijn dat een dode *écht* dood was, werd niespoeder in zijn neus gestrooid, of sap van uien en knoflook gemengd met zaagsel. Wie niet reageerde op knoflook of niespoeder kreeg een gloeiende pook in zijn kont. Als hij niet krijsend tegen het plafond sprong maar rustig op de witte steen bleef liggen, gaf de priester zijn zegen en werd de dode gekist en onder de grond gestopt. Bruxman maakte zich geen zorgen. *Zijn* doden waren *echt* dood. Vraag dat maar aan John Wayne en Choco en Tuborg. Of aan Stella. Hij had geen draden en belletjes en niespoeder of knoflook nodig.

'Baxter is dood,' zei hij.

Geen antwoord.

'James Dean is dood.'

Geen antwoord.

'Meneer Gewoontjes is dood.'

Geen antwoord.

'Yves Toilet is dood.'

Geen antwoord.

'Nu jij nog,' zei Bruxman.

Ik had je nodig, dacht hij.

Om mijn gat af te vegen.

Om mij te wassen.

Om aardappelen te schillen.

Om mij te helpen bij het eten.

Om mij af te rukken.

Twee, drie keer per week.

Het leven is mooi.

—maar de dood is mooier.

'Eet iets,' zei hij zacht en smeerde haar mond vol kaastaart.

Bruxman legde zijn sigaar op de onderste trede van een lijkkoets. Hij zweette, stak zijn schouders vooruit, zoals een aap, en veegde de druppels van zijn voorhoofd. Een gulzig lachje speelde om zijn mond. Hij droeg witte rubberlaarzen en een witte voorschoot van rubber, zoals beroepsslachters in het slachthuis. Hij greep Linda Löwenstein onder de oksels en haakte haar bijeengebonden voeten aan een ketting en legde haar over een krakende katrol die verzwaard was met soepblikken van Unox en trok haar omhoog tot haar hoofd en haar lange donkerblonde haar de grond niet meer raakten. Een siddering gleed door het lichaam van zijn vrouw. Zijn vriendin. Zijn muze. Zijn bondgenoot. Zij was achtendertig jaar en zou geen dag ouder worden en toch leek zij er achtenzestig. Haar ogen stonden wild en haar gelaat was van pijn vertrokken. Levend vers, dacht hij goedkeurend. Liefdevol gleed zijn duim over een joods slachtmes van hard staal, glad en scherp en zonder inkepingen. Hij wist wat hij moest doen, hij werd er niet opgewonden van, die tijd was voorbij. Toen hij twaalf jaar was, fokte hij konijnen, die hij wurgde met een strop van ijzerdraad. Hij hing de dode dieren ondersteboven in de schuur en stroopte het vel van hun lichaam. De vellen verkocht hij aan een opkoper.

'Adieu, Linda. Ik heb je niet meer nodig.'

'Je bent een slecht mens, Brux.'

'Vaarwel, Linda,' fluisterde hij.

'L...Laat me leven en... en... ik doe... ik doe wat je vraagt.'

Hij moest er hard om lachen. 'Zelfs als ik je niet laat leven, zal je alles doen wat ik vraag.'

Hij schrok. Hij schrok van de kilte van zijn eigen stem.

'Weet je wat "Linda" betekent in het Spaans?' vroeg hij en stak twee vingers in haar neusgaten en trok haar hoofd dichterbij en zoende haar lippen. 'Mooi. Linda betekent mooi.' Met de industriële nietmachine schoot hij een kartonnetje met een nummer in haar linkeroor, zoals slachters bij kalveren en koebeesten in het slachthuis. 6-6-6. Het getal van de duivel in drie cijfers. $6 + 6 + 6 = 18 - 5 = 13$.

Dertien is een ongeluksgetal. Linda kotste. Zij kreunde. Zij verloor het bewustzijn. Bruxman keurde zijn werk en duwde zo diep mogelijk een prop watten in haar vagina en haar aars en in één vloeiende beweging sneed hij haar keel door, van oor tot oor. Het was een zuivere, scherpe wonde. Donkerrood bloed spatte als ketchup in de binnenwaaierende sneeuw en spoot in een sierlijke boog op zijn witte schort en zijn rubberlaarzen, alsof de ketchup uit een tuinslang kwam. Hij trok zijn neusgaten open en dicht en voelde zijn sperma op zijn schoenen lekken. Vroeger was er hongersnood in de wereld, dacht Bruxman. Iemand stelde voor om pasgeboren kinderen aan te vetten en op te eten. Zijn recept voor een gezin van vier personen: één baby ter grootte van een speenvarkentje, in de ketel gekookt, licht gekruid, en opgediend met peper en zout. Dat waren andere tijden. Linda Löwenstein zwaaide stuiptrekkend heen en weer en tolde aan de ketting in het rond. Haar lichaam had de bleke glans van dood vlees. Schuim borrelde uit haar mond en de inhoud van haar maag kolkte uit haar doorgesneden slokdarm en spetterde in de bloedgoot. Schuim en bloed en kots en kwijl. De loods vulde zich met de warme weeë geur van mest en snot die uit haar lichaamsopeningen stroomde. Bruxman trok zijn neus op en neuriede *Wij-leven-in-een-terro-risten-staat* op de melodie van *Yellow Submarine* van The Beatles. Hij sneed het vel rond haar polsen en haar enkels los, zoals beroepsontbeners in het slachthuis de huid lossnijden rond de hoeven van runderen—vooronthuiding noemen zij dat, bijsnijden en losmaken met het oog op verwerking in de vellenmachine—en in één ruk stroopte hij haar zeemvel van haar lichaam en sneed haar buik open en haar warme dampende ingewanden tuimelden eruit, holderdebolder, alsof Linda Löwenstein geen mens

was van vlees en bloed maar een warm lillend konijn aan een strop van ijzerdraad.
Zoiets afschuwelijks—
—had niemand ooit eerder gezien.

Bruxman stak zijn armen vooruit en rolde haar dikke en daarna haar dunne darm van achteneenhalve meter lengte als breiwol rond zijn polsen. Op de begraafplaats zwegen de doden in alle talen. Proper werk, dacht Bruxman. 'Troost je, Linda,' zei hij. 'Even goeie vrienden. Voor alles is er een eerste keer.' Het lijk antwoordde niet. Hij urineerde in het lege karkas en drenkte zijn twee handen in het bloed. *Wat doet commissaris Sam indien hij thuiskomt en Marie-Thérèse zou daar zo liggen... afgeslacht?* schreef hij met zijn handen en zijn vingers op de muur, in gotische letters. Hij knipte de lamp uit en trok de poort achter zich dicht. PRIVÉ—VERBOODEN TOEGANG en daaronder NIET BETREEDEN—OP STRAF VAN BOETE stond op een bord dat met vier bouten in het houtwerk was geschroefd.
Overal bloed.
Een bad van bloed.
Bloed drupte van het scherp van de snee.
Bloed aan zijn handen. Bloed op zijn gelaat.
Bloed bloed bloed. Volgende slachtoffer.

Hij was er gerust op, niemand zou hem herkennen. Ik heb geen vaste uren en ben geen man van gewoonten, dacht *den geheimnisvollen* Mr. X en hij stapte van de tram op de lijnbus naar de luchthaven van Deurne. Om mij te pakken, zouden mijn vijanden bepaalde ontdekkingen moeten doen, en dat zie ik niet gebeuren. In de lege bus ging hij op de achterbank zitten. Hij had een pak bij zich, dat hij naast zich op de bank legde. Het leek op een kilo zelfrijzende bloem. Het was geen zelfrijzende bloem, het was cocaïne. Ik ben opgefokt, man, ik heb een handvol cocaïne nodig om mij plat te strijken, had de chef-kok van het luchthavenrestaurant gezegd. Bruxman dacht aan een laagvlakte vol dode beenderen, zoals beschreven in Ezechiël 37.1-14 *...verminkte mensen, uiteengeslagen, hier een schedel, daar een romp, een arm, een been, verdroogd en verbleekt door de hete woestijnwind...* en staarde door het donkere raam naar de vale nachthemel en de witte, eentonige straten die traag voorbijgleden. De bus reed langs het standbeeld van luchtvaartpionier Jan Olieslagers—sneeuw op zijn pet die sportief achterstevoren op zijn hoofd stond—en stopte aan de eindhalte. LUCHTHAVEN was in de gevel van een laag gebouw gebeiteld, en daaronder AIR VENTURE, in stenen letters die vóór de oorlog modern waren. Bruxman stopte het pak onder zijn jas. Genoeg cocaïne om al het luchthavenpersoneel in één keer plat te strijken, dacht hij en stapte van de lijnbus. Er stond een strakke wind. Het was opnieuw gaan sneeuwen, met grote natte vlokken, hoewel het minder koud was dan de vorige nachten.

In het politiebureau aan de Lange Nieuwstraat had niemand last van winterkou. De centrale verwarming draaide *vollen bak*, met bonkende oude radiatoren. De eenpersoonscellen—twee in totaal, plus een kleine cel met tralies van de vloer tot het plafond—bevonden zich onder de trap in de gang naar de keuken. De kleine cel was geen cel maar een kooi. Er zaten drie Marokkanen in, op een bank van houten latten, met hun rug tegen de muur. Volgens het proces-verbaal heetten zij Ibrahim, Mohammed en Mustafa. Zij droegen Fila-trainers en dure sportkleren van Kappa. Opzij van de slapen en achter in de hals had de kapper hun haar opgeschoren, tot boven op hun hoofd. De kale huid had de grijze kleur van lijkenvlees. Zij giechelden en zetten in kleurpotlood vier onhandige streepjes naast elkaar op de muur van de cel, IIII, en trokken er een schuine streep door, van onderen naar boven, zodat het resultaat er als volgt uit zag: ₥. Ibrahim schreef er Nog 832 dagen naast. Op de tafel in de politiekeuken lag hun buit in genummerde en afgesloten plastic zakjes: portefeuilles, portemonnees, horloges, Zippo's, kleingeld, drie mobiele telefoons, een Zwitsers mes en *un revolver Colt Python* in een bruine envelop genummerd 2541/01. Dat waren de feiten, uitsluitend de feiten.

'*Il n'y a pas de justice dans ce pays!*' riep Mustafa.

'*In Vloandere Vloms, manneke..!*' antwoordde een agentbrigadier.

'*...en oep 't Sint-Anneke mosselen,*' echode Alain. Zijn vingers waren gespalkt.

'*...en mé de rest hemme waai gin zoakes,*' zei Vic.

Mustafa stroopte zijn joggingbroek op zijn enkels en ging breed lachend met zijn voeten wijd uit elkaar op zijn hurken zitten. Hij hield zich met twee handen vast aan de tralies van de cel en kreunend van genot drukte hij een dampende Marokkaanse stront op de vloer.

Mohammed en Ibrahim schaterden van het lachen.

De officier-van-wacht trok zijn neus op. 'Bruine smeerlappen,' zei hij.

'Smeerlappen? Waarom?' vroeg Alain. 'Ieder gezond mens schijt toch één kilo stront per dag? Jij, ik, wij allemaal. Zelfs een gans schijt iedere dag achthonderd gram.'

Twee vrouwelijke agenten van het interventieteam brachten twee hoertjes binnen die zij hadden opgepakt. Waarom, dat mag God weten. Een blonde stoot op zilveren schoenen en een graatmager heroïnehoertje in een mini-rok. De blonde stoot droeg een zwarte broek en een wit hemd en had een fijn zwart snorretje onder haar neus getekend.

'Is zij een man of een vrouw?' vroeg Vic.

'Je mag eens raden.'

'Hitler, denk ik,' zei de officier-van-wacht.

'Waar hebben jullie haar opgepakt?' vroeg Alain.

'In de Zig-Zag. Ik had dorst en bestelde een plat waterke. Zij hing haar tepel in mijn glas.'

'De Zig-Zag? Nooit van gehoord.'

'Een uitzuipkot en een pottenkroeg.'

'Potten? Wat zijn potten?'

'Lesbische troelala's, schat,' zei de blonde stoot.

'Is de Zig-Zag een lesbisch bordeel?'

'Als ik mij in de Schippersstraat vertoon, doen de hoeren het licht uit,' zei de officier-van-wacht.

'Zwaai eens met uw tetten, troelala!' riep een flik.

De blonde stoot spuwde in zijn gezicht.

'Ik heb één cel vrij. Nummer drie,' meldde de officier-van-wacht op zakelijke toon.

'Ik ben onschuldig,' zei het heroïnehoertje.

'Dat zeggen ze allemaal. Je bent nog maagd, zeker?'

'Natuurlijk!... en zal ik je iets vertellen? Je gelooft me nooit. Ik weet waar het geld van de Nationale Bank verstopt zit.'

'Welk geld?'

'Het *gestolen* geld.'

'*Ha joa? Hoe wette-gij da?*'

'Ik zag de bankrovers bezig. Terwijl zij het geld uitlaadden.'

'Waar?'

'Op de Veemarkt.'

'De Veemarkt is groot, madam.'

'Hoe heet je?' vroeg de officier-van-wacht.

'Tante Terry,' zei het heroïnehoertje.

'...en ik ben Nonkel Bob,' lachte Alain.

'Tante Terry, speel met uw eigen kloten maar niet met die van mij,' zei de flik.

'Echt waar, ik zweer het, ik heb alles gezien.'

'Zeg eens, waar verstopten die mannen het geld...?'

'...op de Veemarkt?' vroeg de officier-van-wacht.

'In de kelder. Een atoomschuilkelder.'

'Een *atoomschuilkelder*?'

'Ja.'

'Op de Veemarkt?'

'Ja.'

'Madam,' zei Vic, '*gaai'et gene'n atoamkelder gezieng, gaai'et spoken gezieng. Allez, zwaaigt en hou'da groot bakkes.*'

'Kom, we gaan 't geld opscheppen. Wie gaat er mee?' vroeg Nonkel Bob.

'Ik! Ik kan een paar miljoen gebruiken,' zei de blonde stoot.

'Ik ook!' riep Tante Terry.

Wie niet? dacht Alain.

'*Als-ge ba de polis waarekt, is't is alle-doagen kaaremis,*' zei Vic.

'Hoe zagen de bankrovers eruit?'

'De knapste was een Spanjaard. Groot en struis. Een echte stierenvechter.'

'Allez mediamadam, ga een uurtje in de cel zitten,' zei de agent-brigadier.

'Ik ben geen mediamadam. Ik heet Tante Terry.'

'Waar woon je?'

'Op Linkeroever.'

'Cel nummer drie,' zei de officier-van-wacht.

'Scoubidou-scoubidou-scoubie-doudou-dou,' neuriede de blonde stoot.

'Inch-Allah,' riep Mohammed vanuit de kleine cel onder de trap.

'*Aleihi-as-salam,*' antwoordde een flik van het hulpkader.

Hij sprak drie woorden Arabisch. Meer dan voldoende om boetes uit te schrijven. Wat die drie woorden precies betekenden, dat wist hij zelf niet.

Mustafa werd uit de cel gehaald.

Toen hij werd gearresteerd, had hij twaalf polshorloges op zak, waaronder één echte Rolex. De rest van de buit was vals of goedkoop spul zonder waarde.

'Waarom zoveel horloges, Mustafa?'

'Om te weten hoe laat het is, tiens.'

Diefstallen gewapenderhand schreef de agent-brigadier op het verhoorblad.

'*Varkenskop!*' riep Mustafa naar de blonde stoot.

'Geitenneukers zijn de eersten die moeten zwijgen,' antwoordde Alain.

Vic zuchtte. 'Rotzakken *hors catégorie*,' zei hij. 'Crapuul-de-luxe.'

Onder hun blauwe trui droegen de flikken van de mobiele een nieuw kogelvrij vest. Zij gespten hun gordel om en staarden naar hun handen, die gevouwen in hun schoot lagen.

'Koffie, Adèle?' vroeg Alain aan een vrouwelijke collega.

'Graag, ventje.'

'Melk? Suiker?'

'Alles erop en eraan.'

Alain stak een muntstuk in de gleuf.

De automaat schudde en beefde. Er viel een bekertje uit maar er kwam geen koffie. Naast de gleuf voor muntstukken flikkerde een rood lampje.

'We moeten de filter vervangen,' zei Alain. 'Het koffiezakje is leeg.'

'Brandt bij jou ook een rood lampje als je zakje leeg is?' vroeg Adèle.

Het aftellen was begonnen. In de lokalen en verhoorkamers op de tweede verdieping—zijde Justitiestraat—werden de lampen gedoofd. Drukte in de gangen, na een kort hazenslaapje. Desmet en Deridder waren nergens te bespeuren. Corneel Dockx had te veel gedronken, de avond voordien, en was uitgeteld. In gedachten verzonken hing hij in de luie draaistoel. Hij droeg zijn dienstwapen in een leren schouderholster onder zijn oksel. Tony Bambino zat gewoon te suffen. Zijn haar jeukte en hij had zijn hoofd kaalgeschoren. Vindevogel kauwde op het natte uiteinde van een uitgedoofde sigaret. Sofie Simoens zuchtte en sloeg haar dossier dicht. Als zij lachte, had zij kuiltjes in haar wangen. Zij lachte niet. Zij had last van menstruatiepijn en dronk een half glas water met twee tabletten paracetamol en kruiste haar linkerbeen over haar rechterbeen. Haar linkervoet wipte uitdagend op en neer.

'Wie is de mooiste vrouw ter wereld?' vroeg Vindevogel.

'Caroline van Monaco, zonder twijfel,' zei Dockx.

'Wat een domme vraag,' zei Tony Bambino.

'Julia Roberts,' zei Sofie Simoens.

Een echt koerspaard, dacht zij.

'Zo'n plat gat?' zei Dockx.

'Jij, Sofie,' zei Vindevogel. 'Jij bent de mooiste vrouw ter wereld.'

Eindelijk iemand met ogen in zijn kop, dacht zij.

'Weet je waar ik zin in heb?'

'Nee.'

'In een Baba-au-rhum,' zei Sofie Simoens.

'Wat is een Baba-au-rhum?' vroeg Deridder.

Hij scheurde het blaadje van de nieuwe kalender.

Advocaten stapten met een streng gezicht uit de lift, zonder opkijken en zonder een woord te zeggen. Radio

Nostalgie draaide verrassend een nummer van een Franse groep die zich Saint-Germain noemde. Ketelmuziek, dacht Desmet. Hij hield meer van Kalinka vroeger. Of Sandy Shaw, *à la limite*. Op blote voeten op het podium tijdens het Eurovisiesongfestival. In een kleine verhoorkamer werd een bleke jongen aan de tand gevoeld.

'Heb je haar aangeraakt?'

'Eventjes.'

'Waarmee?'

Geen antwoord.

'...waarmee heb je haar *eventjes* aangeraakt?'

De ogen van de bleke jongeman schoten van links naar rechts.

'Met je penis?'

'...heb je haar *aangeraakt* met je penis?'

'N...Néééé...'

'Toch zat zij vol,' zei de eerste speurder.

'Sperma tot achter haar oren,' antwoordde zijn collega.

De commissaris wreef de slaap uit zijn ogen. Zijn hoofd zoemde. Zijn oren vielen slap van vermoeidheid. Hij probeerde een lade open te trekken, die vastzat. Roest op de rails. Op zijn bureau wachtte een hoge stapel gele dossiers op afhandeling. De dikste dossiers werden bijeengehouden met een brede elastiek. Hij keek op zijn horloge en ineens, in een flits, had hij een goddelijke ingeving en pasten de stukken van de puzzel ineen. Hij toetste onmiddellijk het nummer in van het OCMW in de Lange Gasthuisstraat, Afdeling Schuldbemiddeling, Dienst Rechtshulp. Dat hij daar niet eerder aan had gedacht.

Vier keer werd hij verkeerd doorverbonden.

'Is het dringend?' vroeg de telefoniste. 'Er staan zesduizend kandidaten op de wachtlijst voor een sociale woning.'

'Natuurlijk is het dringend.'
'...en belangrijk?'
'In een moordonderzoek is alles belangrijk,' antwoordde de commissaris.
'Alles?' lachte de telefoniste.
'Een olifant laat een scheet? Belangrijk!'
De wet zegt dat een veroordeelde, die na een lange gevangenisstraf onder strenge voorwaarden vrijkomt, zich moet laten begeleiden door het plaatselijke OCMW dat hem een wekelijks 'leefloon' uitbetaalt, aan 'budgetbeheer' doet en een maatschappelijk werker aanstelt die hem 'begeleidt' in de moeilijke eerste maanden van zijn tweede leven in de maatschappij. Hoewel hij in principe overal kan wonen, krijgt een ex-gevangene van het OCMW een 'doorgangswoning' of 'sociale woning' toegewezen. De commissaris wilde in de eerste plaats weten op welk adres ex-gedetineerde Bruno Baxter alias Bruxman zijn 'leefloon' kreeg uitbetaald. In de rand van een oude krant noteerde hij de straat en het huisnummer. Heeft Baxter telefoon? Ja. Welk nummer? Hij toetste het nummer in van de dienst ICX of 'gerechtelijke opzoekingen' van Belgacom die op bevel van het gerecht een archief aanlegt van alle inkomende en uitgaande gesprekken op een vast toestel. De commissaris leunde achterover. We zijn er, dacht hij. We zijn er. Hij peuterde een bolletje snot uit zijn neus en schoot het tegen zijn archiefkast.

Flora duwde haar 'cleanmobiel' in de DIENSTLIFT. Er stonden gele plastic flessen met bleekwater op en een blauwe spray van Mr. Proper. Rosa dweilde de gang en zienderogen verdampte het vocht op de tegels.

'Wanneer gaan we nog eens met vakantie, Flora?' vroeg Desmet.

'Naar Florence?' lachte zij.

Waarom naar Italië? dacht Rosa.

'Op zolder onder de poster, tussen de bezems en de dweilen, zoals op oudejaarsavond?' fluisterde Desmet.

'Mag ik mee naar Florence?' vroeg Rosa.

Een triootje, verdomd, dat hij daar niet eerder aan had gedacht.

Sofie Simoens snoot haar neus en pakte haar dossiers bijeen. Met het bundeltje onder de arm stapte zij bij Flora in de DIENSTLIFT en drukte op de onderste knop naar de griffie in de catacomben en spelonken onder het gerechtshof. Vindevogel stond in de lift voor de deur. Sofie zag zichzelf weerkaatst in de bolle glazen van zijn jarenzeventigbril. Hij was slecht geschoren en zijn adem stonk naar look. Flora stapte uit op het Schoon Verdiep en Sofie liet de dossiers uit haar handen vallen.

'Hou je van mij?' vroeg Vindevogel.

Van iedere man, dacht Sofie Simoens.

Hij pakte haar schouders vast en stak zijn tong in haar mond.

'Vindevogel, zet je bril af,' zei ze streng.

'Ook als ik je vogel?'

'Let op je woorden, Staf!'

'Mijn laatste keer is zo lang geleden,' zei Vindevogel. 'Ik ben vergeten hoe ik moet vrijen. Je zal het mij opnieuw moeten leren. Want ik zou graag verliefd worden. Nog één keer.'

Oren en kloten, dacht zij, zoals alle mannen, en voor de rest een dikke nul over heel de lijn. Zij trok aan haar blonde haar, dat zij met een elastiekje had samengebonden tot een paardenstaart, raapte haar dossiers bijeen en bleef op de onderste knop drukken.

Negen uur. Een herhaling van het ochtendnieuws op de radio. De weerman stelde zachtere temperaturen in het vooruitzicht. Koerden in hongerstaking, meldde de radio-omroeper.

'Laten doodgaan,' zei Tony Bambino. 'Zijn we daar alvast van verlost.' Onderweg naar de toiletten trok hij zijn rits open.

'Moet je weer naar 't WC?' vroeg Rosa. Haar vingernagels waren ook vuurrood gelakt. 'Je bent gisteren pas geweest.'

'Gisteren was gisteren. Ik heb gisteren ook een dagschotel gegeten. Cassoulet met witte bonen en knakworstjes. Winterkost. Maar vandaag heb ik weer honger,' antwoordde de speurder.

De deur zat op slot.

'Bezet!' riep Tytgat.

Da's hier plassen aan de lopende band, dacht Tony Bambino.

Toen het zijn beurt was, voelde zijn penis even glad en smeuïg aan als de knakworstjes in zijn cassoulet.

Wat volgde, was routine. Afspraak op een 'onverdachte' plek. De commissaris parkeerde zijn anonieme dienstvoertuig—de groene Opel Vectra met 118.500 km plus op de teller—in een grauwe, smalle zijstraat en stapte op stijve poten naar het badhuis, langs een winkel van waterpijpen en een volkscafé met een oude juke-box. Hij voelde zich moe. Stress. In zijn spieren zat geen punch. Het wegdek lag er glad bij. Zichtbaarheid was moeilijk. Avondmist tussen de oude huizen. In de Provinciestraat peddelden twee bejaarde joden op een fiets tussen de tramsporen langs Kleinblatt. Zij droegen een hoge hoed en zwarte kleren met rafelranden. Wat een vreemde stad waarin ik woon, dacht de commissaris. Sommige wijken leken op Tel Aviv in het klein. Hij sloeg de hoek om en stond ineens met twee voeten in een bazaar in Arabië. HAMMAM du MAGHREB stond op een plexiplaat naast de ingang. Daaronder Arabische letters die hij niet kon lezen. IEDEREEN IS WELKOM. Van DINSDAG TOT ZONDAG. VROUWEN 10 uur TOT 16 uur MANNEN 17 uur TOT 23 uur. Meer Arabische letters. MAANDAG GESLOTEN. Weer Arabische letters om van rechts naar links te lezen. De gevel van het badhuis zag er saai en lusteloos uit maar de houten poort was versierd met oosters handsnijwerk.

Peeters was met de fiets gekomen. 'Waarom spreken we híér af, chef?' vroeg hij. 'De stad is zo groot, er is zoveel plaats.'

De commissaris legde zijn vinger op de lippen. 'Beetje relaxen,' zei hij glimlachend. 'Niemand kent ons hier. Heb je een handdoek meegebracht?'

'Ja.'

'Short? Of zwembroek?'

'Allebei.'

'Goed. Naakt rondlopen, dat mag hier niet.'

De commissaris en zijn speurder, die was geschorst op last van het Comité-P, kregen gratis slippers en extra handdoeken, een grof washandje, zwarte zeep van olijfolie en twee emmertjes, eentje met modder en eentje met koud water. Zij kleedden zich uit en flipflopten op plastic slippers door kleine ruimten met zuilen, arcades, patio's en fonteinen naar de harara, die de heetste stoomkamer in het badhuis was.

'Hoe vlot het onderzoek, chef?'

'Wij volgen verschillende pistes,' zei de commissaris.

'De ene piste is geloofwaardiger dan de andere?'

'Ja.'

'Kwamen er tips uit het milieu?'

'Weinig.'

Puffend en dampend, bij een temperatuur van 50 graden Celsius en 100 procent vochtigheid, kregen de commissaris en zijn speurder een massage, van een Taliban met een geruite handdoek op zijn hoofd, zoals Arafat. Hij trok aan armen en benen tot alles kraakte en kneedde met trage, zachte bewegingen rug en schouders van de speurders. Peeters was een paar kilo aangekomen en wie goed toekeek, kon merken dat hij een kale plek kreeg, achter op zijn hoofd. De Taliban sloeg diepe deuken in zijn vetkwabben. Arafat, stront aan zijn gat, dacht Peeters. Hij kon het niet laten. De speurders werden met modder gescrubd om alle dode huidcellen te verwijderen, waarna zij een tweede keer werden gewassen, met zwarte zeep, en gereinigd met grof zout en vanille.

'Je moet iets voor mij doen,' zei de commissaris.

'Akkoord, chef.'

'Afgesproken?'

'Wat wil je dat ik doe?'

'Je gaat undercover. Een paar dagen, een week. Ik weet waar Bruxman zit. Hou hem in het oog. Schaduw hem. Hij mag niet weten dat hij gevolgd wordt, en als hij zijn appartement verlaat, breek je binnen, zonder sporen achter te laten. Ik wil alles weten. Alles. Al wat je hoort, al wat je ziet.'

'Zonder huiszoekingsbevel mag een speurder niet in een privé-woning binnendringen,' antwoordde Peeters.

'Je hebt gelijk. Een speurder mag dat niet. Maar jij bent geen speurder. Je bent geschorst. Als je inbreekt bij Bruxman is dat geen huiszoeking maar inbraak en als je wordt opgepakt ben je geen speurder maar een inbreker.'

Peeters had het begrepen.

'Waar woont Bruxman? Officieel?'

'Op de hoogste verdieping van Blok 10 in het Europark

op Linkeroever. Het Chicago-blok. Vijfentwintig verdiepingen, tachtig meter hoog. Dat is bij mij om de hoek maar eerlijk gezegd, ik heb er nooit een voet binnengezet. Volgens de geruchten zouden er veertig nationaliteiten wonen, vooral asielzoekers, ex-gedetineerden, zwarte Afrikanen uit Congo...'

Negerkoppen, dacht Peeters.

'...en Arabieren uit Afghanistan. Choco en Tuborg woonden ook in de Chicago-blokken, allebei op de derde verdieping. Dat kan geen toeval zijn. Pas op, Bruxman heet eigenlijk Baxter, maar ga daar niet te veel op voort. Hij gebruikte in zijn leven regelmatig valse namen. Zijn telefoon wordt afgeluisterd, daar heb ik voor gezorgd.'

De speurders parfumeerden oksels en schaamhaar met Marokkaanse olie en wreven hun lichaam in met een smeuïge groene balsem op basis van pistache en drie soorten Afrikaanse noten. Straks stink ik als een hoer, dacht Peeters. Zijn voetzolen gloeiden en hij legde zijn twee handen op de vloer, die ongelooflijk warm was. Hij sprenkelde koud water uit zijn emmertje over zijn voeten. Het water verdampte onmiddellijk.

'Je houdt iets achter, chef.'

'Ja.'

'Wat verzwijg je?'

'Dat Bruxman levensgevaarlijk is.'

'Een beroepsmisdadiger?'

De commissaris twijfelde.

'Een psychopaat?'

'Van de ergste soort.'

Peeters zuchtte. 'Waarom moet ik zoiets doen, chef?'

'Jij bent de beste. Je bent onze enige expert in het schaduwen van verdachten...'

Ik? Peeters? Met mijn stomme kop? dacht Peeters.

'...en in deze fase van het onderzoek kan ik alleen op vrienden betrouwen.'

'Ik heb geen vrienden, chef,' zei Peeters. 'Ik heb een kat en een hond maar geen vrienden.' Hij had tranen in de ogen. 'Ik slaap niet meer. Ik schrik wakker en baad in m'n eigen zweet. Ik ben bang.'

'Bang zijn is geen schande.'

'Voor een politieman wel, chef.'

'Wij zijn allemaal bang.'

'Politie mag niet bang zijn.'

'Iedereen is bang. Ieder mens. Een politieman is ook een mens.'

'Geloof jij in God, chef?'

'Ik weet het niet.'

'Als er een God bestaat,' zei Peeters, 'dan is het een wrede God.'

'God heeft geen medelijden met de mensen,' antwoordde de commissaris.

'Ik zal mijn best doen, chef,' zei Peeters. 'Beloofd.'

Ik ook, dacht de commissaris.

Wees gerust, vriend, ik ook.

'De stress, kan je die aan?'

'Ik heb een sterk hoofd,' zei Peeters. 'Stress maakt mij beter.'

Zij gingen in een oosters ingerichte rustruimte zitten, tussen blauwe mozaïektegels onder koperen lampen. Aan de muren hingen foto's van Arabische vrijheidsstrijders en regeringsleiders. Een sultan in een traditionele djellaba uit Casablanca bracht muntthee met Turks fruit en zoet gebak op een zilveren dienblad. Op de achtergrond neuzelde Umm Kulthum *Kull laylah wi-kull yum-betfakkar fi min?* in een Arabisch dialect. Aan wie denk je, dag en nacht? De muziek klonk als de barensweeën van een Egyptische buikdanseres.

Peeters stopte een stuk cake in zijn mond, met zijn linkerhand.

'In oosterse landen eten de mensen met hun *rechter*-hand,' zei de commissaris.

'We zijn in Antwerpen, chef, niet in een oosters land.'

Peeters vertrok eerst, op zijn fiets. Na tien minuten kleedde de commissaris zich aan. Hij voelde zich herboren. Alle stress was uit zijn lichaam gevloeid. Hij kamde zijn haar en verliet het badhuis. Het enige wat ontbrak, naast het gebouw, was een kleine minaret. De deur van café Flamingo stond op een kier. *These-boots-are-made-for-walking* uit de juke-box. Nancy Sinatra. Daar wil ik voor sparen, dacht de commissaris, een oude Wurlitzer uit de jaren vijftig, met druktoetsen en 33-toerenplaatjes uit de goede oude tijd. Petula Clark, Adamo, The Kinks. Een volksmens met een kunstgebit zat achter het raam. Hij rookte sigaretten zonder filter en dronk een Stella en keek stilzwijgend voor zich uit. Zijn tafel stond vol lege glazen. Hij nam zijn tanden uit zijn mond en liet ze met een plofje in zijn bier vallen. De commissaris stapte het café binnen. Kapotte banken in rood skai, wat de mensen vroeger 'simili-leer' noemden. Er stond een klein snookerbiljart. In een hoek van het café was een podium ingericht voor Elvis Presley, met posters en kleurenfoto's en namaakgouden platen en papieren bloemenkransen uit Hawaï.

'Heb je een bolleke? Van 't vat?'

'Uit het flesje.'

'Breng me dan een Cola Light,' zei de commissaris.

'In orde, schone jongen,' zei de dienster.

'Hoe heet je?' vroeg de commissaris.

'Prutske.'

De hemel verbleekte. Voor het woonblok stond een oranjekleurige Iveco geparkeerd. Het voertuig behoorde toe aan het OCMW en werd gebruikt om verf en ladders van de ene werf naar de andere te brengen. Peeters nam zijn observatiepost in. Hij kroop in de stuurcabine en terwijl hij zijn krant las, hield hij onafgebroken appartement 25A in het oog. Een hoekappartement, linksboven, hoogste verdieping. De twee robotfoto's van Bruxman kleefden op het dashboard. Met snor en paardenstaart—eerste foto—en kortgeknipt en gladgeschoren. Tweede foto. Schaduwen is een beproefde politietechniek en gebeurt op twee manieren. Zien zonder zelf gezien te worden, daar komt de meest gebruikte techniek op neer. Aan het eind van de lange werkdag had Peeters zijn krant vier keer gelezen. Bruxman vertoonde zich voor het eerst toen de schemering viel. Trui met rolkraag, grijze flanellen broek, leren handschoenen, duffelcoat, schoenen met dikke rubberzolen. Hij nam gewoon de tram, zoals iedereen, en deed zijn inkopen in de GB op de Groenplaats. Brood, boter, pizza, lasagne, gepelde tomaten in blik, rundsgehakt en een fles whisky.

Simpel houden, dacht Peeters.

Maak het niet ingewikkeld.

Gewoon volgen.

Soms dronken Peeters en Bruxman koffie bij Jacqmotte of pikten een Chinees mee. Zij zaten tegenover elkaar en keken elkaar in de ogen. Dat was de tweede observatietechniek, die voor een speurder een stuk eenvoudiger is. Hij laat gewoon *merken* dat hij iemand schaduwt, in de hoop dat de verdachte zenuwachtig wordt en fouten maakt, die hem fataal worden. Bruxman was geen onnozelaar. Hij was niet dom. Alles wat hij deed, was vooraf bestudeerd, en achter iedere handeling zat een plan. Hij wist dat hij werd geschaduwd en toch maakte hij geen fouten.

Twee avonden na elkaar ging Bruxman naar de bioscoop, op de Keyserlei. De film begon en hij zette de fles whisky aan zijn mond en dronk ze halfleeg. Peeters was onmiddellijk in slaap gevallen, tot de aftiteling over het scherm rolde en de lichten in de zaal aanfloepten. De derde dag koos Bruxman voor harde porno in Ciné Royale op het Astridplein. Ik was voor het laatst in deze buurt toen ik een jongeman van drieëndertig was, dacht hij. In het ondergrondse openbaar toilet strekte zich een lange rij marmeren plasbakken uit. In iedere plasbak stond een homo in een flanellen broek. Drieëndertig. Volgende maand zou hij er drieënvijftig worden. Twintig jaar van zijn leven verknald. Twintig jaar achter tralies in zeven gevangenissen.

Het Chicago-blok leek zacht en romig in het grijze ochtendlicht en torende uit boven de andere flatgebouwen in het Europark. Twee stadswerkmannen van de groendienst schoffelden sneeuw uit de plantsoenen. In hun bodywarmer was een kogelwerend vest ingebouwd, van kevlar en titanium. Een jonge Afghaan in een blauw voetbaltruitje van Sparta Linkeroever met het nummer 10 op de rug trapte een versleten bal tegen een betonnen schutting. Zijn ogen tintelden. Met tackles en schijnbewegingen en dribbels zette hij de buitenspelval open. Flipperkastvoetbal, dacht Peeters. Rond glascontainers slingerden flessen en plastic boodschappentassen van Lidl en den Aldi en in een huisvuilcontainer lag een dode hond. De tweede stadswerkman trok een rioolrat aan haar staart uit de struiken en zwiepte het beest in een wijde boog in een afvalcontainer.

'Zo'n mannetjesrat bevredigt twintig wijfjes in één uur,' zei hij.

'Dat doe ik niet in twintig jaar,' antwoordde Peeters.

'...en iedere worp is een nest van twintig jongen. Twintig maal twintig, dat zijn vierhonderd nakomelingen voor één uurtje neuken,' lachte de stadswerkman.

'Niet te verwonderen dat in de stad evenveel ratten als mensen zitten,' zei Peeters. 'In Antwerpen een half miljoen wordt gezegd, in riolen en kelders en metrokokers. Twaalf miljoen in Londen. In New York zouden zelfs negen keer méér ratten dan mensen wonen. 's Nachts kruipen zij uit hun holen. Wie op om het even welk uur in het donker door de stad wandelt, is op ieder moment minder dan twee meter verwijderd van neukende ratten.'

'Moet er nog zand zijn?'

Peeters viste een glossy magazine uit het struikgewas. Kletsnat, zoals de rat. Hij bladerde erin en zijn oog viel op een fotoreportage over Nicole Kidman.

'Iets speciaals?' vroeg de stadswerkman.

'Tof wijf,' grijnsde Peeters. 'Een van mijn favorieten.'

'Tof wijf? Vind je dat? Zo'n mager scharminkel!'

'Voor wie supporter jij?' vroeg Peeters.

'Ik vind Koen Crucke de mooiste vent ter wereld,' antwoordde de stadswerkman. 'Zoals die met zijn kontje zwaait, dat doet Elvis hem niet na.'

Peeters trok zijn broek op en kneep zijn billen bijeen.

Niemand is volmaakt, dacht hij.

Op een bank zaten twee Turken. Zij voederden de duiven.

'Duiven zijn geen vogels. Dat zijn vliegende ratten,' zei de stadswerkman.

Peeters had een wollen muts op het hoofd. Hij droeg een donkere trui met rolkraag over een nylonhemd. Uit zijn sportschoenen walmde een geur van zweetvoeten en ongewassen sokken. De lucht was koud, hoewel er een mild zonnetje stond, en de hemel was mooi gewassen. Geen ogenblik verloor hij de glazen deuren uit het oog. In de traphal was een blusapparaat leeggespoten en op de esplanade voor de ingang van het gebouw slingerde zwerfvuil in blauwe en bruine vuilniszakken. In een plantsoen stond een paneel van geperst karton, met het opschrift *België = Vol.* Peeters wierp de vuilniszakken in de laadbak van een groene pick-up van Nissan en de stadswerkman reed ermee naar het politiekantoor aan de Halewijnlaan. Het is soms niet te geloven wat de politie allemaal te weten komt na het onderzoek van één vuilniszak. In een telefooncabine stond een negerin uit Congo met kroeshaar en ballonbanden op de plaats van haar lippen. Zij belde de halve wereld rond, in het Swahili met een Vlaams en een Frans accent. Vlam bam merci madam, dacht Peeters. In de ondergrondse parkeergarage braken Ferdous en een Ghanees die luisterde naar de naam Nsiah een doorgeroeste Taunus open en gingen aan de haal met de autoradio, een halflege fles Fanta en een elektrische deken van de achterbank.

Wij leven in een multiculturele samenleving, zeggen de politiekers. Alle volkeren en culturen broederlijk bij elkaar in één land. Multiculturele samenleving, mijn kloten, dacht Peeters. Geef mij een schaar en ik knip zó de rotte plekken van de kaart. Broederlijk *naast* elkaar, dat leek er meer op, zoals in Zuid-Afrika in de tijd van de Apartheid. In Transvaal zaten de gevangenissen vol negers, in mijn stad zitten ze vol Russen en Marokkanen. Zodra het donker wordt, laten oude mensen de luiken neer en doen de voordeur van hun huis op dubbel slot. Is dat *samenleven*? Kutmarokkanen en zeepsmoelen die handtassen stelen en geparkeerde auto's openbreken om de radio eruit te halen? Is *dát* samenleven?

Peeters had heimwee naar de ordelijke wereld van vroeger. Blank bij blank. Bruin bij bruin en zwart bij zwart, ieder in zijn eigen land, en mannen bij vrouwen en vrouwen bij mannen in plaats van kutten bij kutten en penissen bij penissen. Hij had een hekel aan dikke homo's, lesbische trutten, communisten, salonsocialisten, spuiters, snuivers, de groenen, GAIA, sekstoeristen, paardenpoepers, geitenneukers, rijstkakkers en Marokkanen van de tweede en de derde generatie die hij namaakbelgen noemde. Spuiters en snuivers heetten tegenwoordig in juridische taal 'iemand met een drugsdelict', de verkrachter van mijn moeder en mijn zus is 'iemand met een seksueel delict' en moordenaars worden in een proces-verbaal—een *pévé*—omschreven als verantwoordelijk voor 'een levensdelict'. Terwijl moord toch gewoon moord is. Wij zijn diep gezakt, dacht hij. Zelfs de commissaris neemt mij mee naar een Arabisch badhuis. Kan het dieper?

Tussen de middag was het rustig.

Peeters aarzelde.

Zou ik? dacht hij. Of zou ik niet?

Hij had de gewoonte om drie of vier dagen hetzelfde ondergoed en dezelfde sokken te dragen, waarna hij alles binnenstebuiten keerde voor de rest van de week. Kon hij er weer een dag of drie tegen. Eén keer per week ging hij naar het wassalon en kieperde alles in de trommel.

Hij stak de deur van de wasserette open. Er waren geen klanten. Hij trok al zijn kleren uit, stopte zijn sportschoenen en zijn vuile jeans en zijn ondergoed en zijn stinkende sokken in de wasautomaat en dropte een handvol stukken van twintig frank in de gleuf. Hij at zijn boterhammen op, uit een koelbox, en wachtte rustig in zijn blootje tot zijn kleren gewassen en gedroogd waren, met zijn handen gevouwen over zijn harige buik. Eén keer krabde hij aan zijn kont en snuffelde aan zijn vingers. Hij haalde zijn warme kleren uit de droogtrommel, kleedde zich aan en wandelde terug naar het Europark. In de namiddag baggerde een loonwerker een vijvertje uit, met een graafmachine. Hij begreep niet waarom overal rond het woonblok papiertjes en kranten slingerden die tot vliegers waren gevouwen.

De schemering viel.

Plots was het donker. Koud en donker.

Zoals alle vorige dagen verliet Bruxman om zes uur het woonblok.

Koffie bij Jacqmotte, dacht Peeters. Pizza en whisky in de GB en anderhalf uur seks in het donker op het Astridplein.

Hij wandelde door de lege, onpersoonlijke straten van het Europark. In het Chicago-blok noteerde hij de namen op de brievenbussen. *Kapinga-Buyamba, Salaad-Iaasin, Niyonzima, El Yatouti-Jaafouri, Sint-Egidius-Gemeenschap, Hao Yong Jun, Gabar Khel Eshaghzey.* Het was koud in het gebouw, ondanks de radiatoren. Hij wreef zijn handen over elkaar. In de gang hing een geur van vocht. Een echte armoegeur. Naast de brievenbussen kleefde een A4'tje met een handgeschreven boodschap, in blauwe balpen: *Beste dief, Toen u bij ons inbreekte, neemde u onze TV en geld mee, en de video van de eerste levensdagen van onze baby. Hou de rest maar geef onze video terug. Gelieve in de brievenbus te steken. Bedankt bij voorbeeld,* met een dikke vette streep door *voorbeeld.* In rode balpen was er *voorbaat* boven geschreven. Peeters dwaalde door de hal, met zijn muts in de achterzak van zijn fluo-broek. Hij droeg zijn haar in krullen, zoals Jean-Marie Pfaff. De brandveiligheid was niet in orde en het gebouw had te lijden van betonrot. Op een brokkelmuur hing een gele affiche met de tekst AANDACHT *Vriendelijk doch dringend verzoek de trapzaal niet te gebruiken als toilet of urinoir* in harde zwarte letters. Aan het einde van de gang lag een matras op de grond.

Alles rustig, alles kits.

Bewakingscamera's waren van de sokkels gebroken.

Peeters nam de lift naar de vierentwintigste verdieping. Hij trok handschoenen van vinyl aan. Sommige deuren waren opengebroken. Er zaten vuistgrote gaten in het hout, ter hoogte van de klink. De gaten waren dichtgestopt met kauwgom en krantenpapier. Twee appartementen waren door een deurwaarder met plakband verzegeld. Van de vierentwintigste verdieping sloop hij langs de trap naar de hoogste verdieping. Met een loper wrikte Peeters in het slot van appartement 25A. Hij zette de deur op een kier. Een vierkante kamer en een keuken. Een tafel, een sofa. In plaats van tapijt lag op de vloer een dubbele laag kranten. Geen gordijnen. Grote wilde wolken aan de hemel, met lussen en nevelslierten, en een flauwe maan. De avondster kwam trillend in zicht. Vol bewondering keek Peeters naar de felverlichte stad. Boven de raffinaderijen hing een groene gloed, als een giftige mist, en in de tuin van een technische school naast het Europark lag het karkas van een straaljager uit de Koude Oorlog. In het appartement hing de muffe geur van whisky en sigarenrook. De televisie stond aan, met beeld, maar zonder geluid. Naast het toestel lagen video's van een postorderbedrijf in Brugge dat gespecialiseerd is in pornofilms. Revolvers, pistolen, een AK-47 kalasjnikov op tafel en een militaire Remington met een telescopische lens uit de fabriek van Carl Zeiss Jena, plus een Mossberg 500 van de rijkswacht, een riotgun en een Walther P38 Para van Duitse makelij. Overal kartonnen dozen. Naast de deur stonden versleten reiskoffers van bruin leer. Een van de koffers lag open en bevatte toiletartikelen en kleergoed. Grijze flanellen broeken, een blazer met koperen knopen, witte en gekleurde hemden. Een smalle gang naar twee slaapkamers. Op het bed lag een diplomatenkoffer met cijferslot, opengevouwen, vol zakgeld voor onmiddellijk gebruik. Dollars, Duitse marken, Engelse ponden en op de kop af honderd miljoen Italiaanse lire. Geen Belgisch geld. Boven op de biljetten lag een geladen pistool. Een Norinco, of een Glock. Het bed was niet opgemaakt. Eigenlijk was het geen bed maar een brits, zoals in de gevangenis, met een hard hoofdkussen en een grauwe soldatendeken. Peeters lichtte het hoofdkussen op. Er lag een belachelijk grote revolver onder, een Model .44 Magnum van topklasse, met een loop van 165 in plaats van 152 mm, zoals alle nieuwe modellen, en zes kanjers van kogels in de massieve cilinder. Op een nachtkastje doosjes Lexotan om te slapen en Captagon om wakker te worden. Boven de brits hing een filmposter van Clint Eastwood als Dirty Harry.

'Well, do ye punk?' grijnsde de acteur.

Geweldig, dacht Peeters.

Hoewel hij zelf in slaap viel in de bioscoop.

(Behalve die ene keer, in Ciné Royale.)

Het aanrecht in de keuken bezweek onder een berg vuile borden vol etensresten. Op een wasmachine lag een omgevallen pak Dreft. Peeters stak een vinger in de waspoeder en proefde eraan. Het was geen Dreft. Ook geen Omo of Dash. Het was cocaïne. Een klaptafeltje van amper een meter breed zat met scharnieren in de muur naast een kast met een ovale spiegel en een neonlamp. Hij wikkelde een zakdoek om de telefoon en drukte de toetsen in. Zodra hij de beltoon hoorde, bedacht hij zich en legde de hoorn neer en onmiddellijk rinkelde de telefoon. Peeters verstijfde en liet een natte wind, met veel verlies. Zijn hart bonkte in zijn keel. In het halfduister staarde hij naar de telefoon. Hij liet alles liggen waar het lag, het geld, de wapens, de koffers en de cocaïne en sloop langs het toilet terug naar de gang. De bril van de WC stond omhoog. In de kleine hal lag een baal fluo-geel plastic zeil voor tenten en in een hoek stonden holle metalen buizen, die op TAL-pechelbuizen leken. Peeters trok de deur achter zich in het slot.

In de hal bogen een Turk en een Albanees zich over een gestolen horloge.

'Hoeveel?' vroeg de Albanees.

'Tienduizend,' zei de Turk.

'Als je met een vergrootglas naar een échte Cartier kijkt,' zei de Albanees, 'zie je wat de meeste mensen met het blote oog niet zíén. In het Romeinse cijfer VII is het rechterbeen van de V geen streep maar een reeks onooglijke letters die samen het woord C-A-R-T-I-E-R vormen. Dat is niet het geval bij een valse Cartier. Trek je ogen open, Süleyman, dit horloge is vals. De V is een gewone V. Ik geef tweehonderd frank.'

Peeters trok zijn muts over zijn oren.

Alles is te koop, dacht hij. Overal. Namaaksigaretten van Marlboro, hemden van Ralph Lauren, parfum van Gucci, illegale gsm's, CD's en DVD's, handtassen van Louis Vuitton, sportschoenen van Nike en Adidas, jeansbroeken van Levi's en zelfs televisietoestellen van Sony en Panasonic. Europa werd eenheidsworst. Zeshonderd jaar geleden, toen er geen sprake was van Nike en Adidas en namaaksigaretten, had iedere stad in de wereld haar eigen taak en haar eigen functie. Toledo in Spanje was de hoofdstad van de wetenschap, Bologna in Italië was het centrum van de rechtspraak en aan de Sorbonne in Parijs werden de godsdiensten bestudeerd. Antwerpen was het wereldcentrum van waarzeggen, goochelen en oplichterijen. Toen al wisten de mensen: Als je wil gekloot worden, dan moet je in Antwerpen zijn.

Op de esplanade stoven rioolratten in alle richtingen uit elkaar, alsof zij op een onzichtbare rail heen en weer schoten. De telefooncabine was leeg. 't Stinkt hier naar neger, dacht Peeters, en beet op zijn nagels. Hij toetste het nummer in van het gerechtshof en werd automatisch doorverbonden met het lokaal van de speurders op de tweede verdieping.

'Bruxman pakt zijn biezen,' fluisterde hij in de hoorn. 'Een koffertje met geld, tentzeil, pechelbuizen... alles staat klaar om te vertrekken. Hij gaat kamperen.'

'Wie? Bruxman? Kamperen? In volle winter? Je bent gek, Peeters,' zei Tony Bambino. 'Waarom zou iemand met een paar miljard in de pocket in godsnaam *kamperen*? Bruxman is geen boyscout. Als hij uit handen van de politie blijft, logeert die man voor de rest van zijn leven in de meest luxueuze hotels ter wereld.'

'Wat doen we, chef?' vroeg Vindevogel.

'Aanvallen,' zei de commissaris.

Schemerdonker. De stad ontwaakt met de geur van verse koffie. Zij ontwaakt zoals een vrouw, die zich nog één keer uitrekt in bed, in het halfduister, en geeuwt, zij slaat haar voeten over de rand en tippelt over de koude vloertegels naar de badkamer. Even is het stil. Opnieuw geeuwt de vrouw, dan klettert haar water in de toiletpot. Zij keert terug naar de slaapkamer en spinnend als een kat kruipt zij tussen de warme lakens. Zij trekt de donkere deken van de nacht over het hoofd en valt opnieuw in slaap. Een hazenslaapje. Tien minuten, een kwartiertje. Een hand glijdt over haar lichaam, een behaarde hand, de hand van een man. Zij zucht en fluistert en de woorden zweven uit haar zure mond. Niemand ziet haar tranen. Acht uur. Gedaan met feesten. Gedaan met flikflooien. *The party is over*. Een lege taxi bolt door een ondergesneeuwde straat. In alle huizen wordt een WC doorgetrokken. Aan oude telefoondraden deinen zwarte en witte ballonnen op en neer en in de stilte van de ochtend klinkt orgelmuziek uit een oude havenkroeg. Agenten in burger houden een oogje in het zeil. Langzaam verbleekt de hemel.

Ochtendgloed. Het eerste licht van de dag. Dooi zette in, met ijsgruis in de straten. Achter de Onze-Lieve-Vrouwe-toren kwam de zon op. Eerst rood, dan oranje, daarna geel. Zij wierp lange loodrechte schaduwen. Sneeuw smolt als sneeuw voor de zon. Een koude ochtend met een droge hemel, blauw en kristalhelder, vol gebroken wolken met de kleur van cement. Buskruitwolken, dacht Bruxman. Voortgestuwd door de wind gleden zij in sneltreinvaart over de stad. De hemel verhelderde. Hij luisterde naar het ontwaken van de vogels. In het halflicht van de ochtend kon Bruxman tot in Brussel kijken. Hij zag duidelijk de bovenste bol van het Atomium. Op de luchthaven van Deurne scheerde een toestel van Tulip Air over de landingsbaan. Diamant, dacht hij. Smokkel. Links lag het stadion van F.C. Antwerp en rechts de begraafplaats van Schoonselhof. Ik heb iets met kerkhoven, dacht Bruxman, vraag me niet waarom. Misschien interesseer ik mij meer voor de dood dan voor het leven. Hij zette zijn Oost-Duitse verrekijker op scherp en plots, onmerkbaar haast, loste de melkweg zich op in duizend uitdijende sterren. Dat was zo adembenemend mooi, daar waren geen woorden voor. Zijn blik gleed over de skyline van de stad. Er is een tijd geweest, dat een Hollandse dichter het Steen met de beide wandelterrassen een van de mooiste havenkanten ter wereld noemde, maar dat was in het begin van de jaren vijftig van de vorige eeuw. Bruxman zocht de Vierge Noire. Het mooiste gebouw uit zijn jeugd. Niet te vinden. De Hippodroom uit zijn jeugd. Niet te vinden. Comédie Française. Niet te vinden. De mooiste gebouwen ter wereld, dacht hij, allemaal afgebroken. Mijn jeugd ligt op het stort, tussen het gruis en de stenen. Eerst werkte hij zijn dagelijkse rantsoen van vierhonderd push-ups af en zakte geen enkele keer door zijn armen. Zijn buik kwam niet tegen de grond. In de kleine badkamer bekeek hij zichzelf in de spiegel. Zijn gelaat stond scherp. Op zijn huid zat geen kleur. Bleke borst. Roesthaar op zijn armen. Bleke benen. Bleke penis. Hij bestudeerde zijn naakte lichaam. Enkel het wit van zijn ogen waren poelen van bloed. Hij zeepte zijn wangen in en schraapte het scheermes over zijn keel.

Bruxman schonk een whisky in.

Dronk het glas in één teug leeg.

De alcohol brandde in zijn slokdarm.

Naast de telefoon stond een lege koffiekop, met twee platgedrukte sigaren in het schoteltje.

In Melsbroek stegen twee Puma-helikopters van het luchtsteundetachement van de rijkswacht op. Zij zetten koers in de richting van Antwerpen. Dertien minuten, een kwartiertje, maximaal. In het Europark was in alle stilte, in de vroege ochtend, een 'bufferzone' afgezet met rubberen kegels en blauw-wit-blauw plastic politielint, met de gedrukte tekst POLITIE NIET BETREDEN POLITIE

eindeloos herhaald. Het lint liep dwars over de wandel-
wegen van het ene woonblok naar het andere. Stapvoets
zochten politiecombi's en Iveco's hun weg tussen de
blokken. Pantserwagens van het merk Mercedes Benz
Vario—met draaiende motor—sperden alle toegangswe-
gen af. Op strategische punten stonden agenten van het
Bijzonder Bijstands Team in oorlogsuitrusting. Zwarte
Nomex-overall, bomberjack, kogelwerend vest, zwarte
helm met beschermklep, veiligheidslaarzen van het merk
Adidas GSG9, verrekijker, walkietalkie en een wapenrusting
die bestond uit handboeien, pepperspray, een wapenstok,
een 6-schots Smith & Wesson-politierevolver—die zelfs in
beton een vuistgroot gat blaast—en een shotgun die meer
weg had van een bazooka dan van een snelvuurgeweer.

Dockx sloeg het portier van de taxi achter zich dicht en
holde door de lange rechte dreef. Hijgend keek hij op zijn
horloge. Zeven uur? Onmogelijk. Het was zeker een uur
later. Hij zocht een klok die hij niet vond en tikte met een
vinger op zijn horloge. Het was stilgevallen om zeven uur.
De spanning was te snijden. *De spanning van de grote dagen.*
Dockx was nerveus. Hij wilde in geen geval te laat op de
afspraak zijn.

De flikken van het arrestatieteam klemden hun dienstpistool in de hand.

Zij waren opgefokt en opgepept. Over hun winteruni-
form droegen zij een nieuw kogelvrij vest van kevlar, titanium en keramiek, die was getest in de Proefbank voor
Vuurwapens in Luik en in het labo van de militaire school
in Brussel. Het kogelvrij vest woog slechts twee kilogram.
Een speciaalzaak in politie-uitrusting had aan alle agenten van de elf politiezones in de stad hetzelfde dienstpistool en dezelfde wapenstok geleverd, plus een gordel met
een busje pepperspray of traangas, een mini-blacklight,

zwartgelakte LIPS-handboeien, een etui met leren handschoenen en natuurlijk de Oostenrijkse Glock van slagvast kunststof in een leren holster plus munitie, alles samen voor een totaalgewicht van vier kilogram. Het uniform inclusief de vechtlaarzen van Adidas was goed voor vijf kilogram. Met andere woorden, iedere flik van het arrestatieteam zeulde elf kilogram extra gewicht mee.

Iedereen was er klaar voor.

Klaar voor wat?

Waar misdadigers zijn, patrouilleert de politie, dat is normaal. Sommigen zeggen dat misdadigers toeslaan omdat de politie in de buurt is. Dat is de wereld op zijn kop. Er zal altijd misdaad zijn, en *omdat* het een niet kan zonder het ander, zal er altijd politie zijn. Bruxman gooide de terrasdeur open en keek naar beneden. Zwaailichten van politieauto's en commandowagens flikkerden als lichtjes in een kerstboom. *fíí-ÁÁÁ, fíí-ÁÁÁ*. Een filmploeg van de politie seinde videobeelden naar een commandopost, in de wetenschap dat een gruwelijke video dodelijk is voor een misdadiger als een zaak voor een assisenjury komt. Er klonk een doffe knal en nog een knal en de eerste kogel boorde zich in zijn linkerwang en kwam er langs zijn rechterwang uit zonder zijn tong te raken. Bruxman liet zich plat op de grond vallen. Vijf tanden kwijt. De pijn, die voelde hij niet.

Hij proefde bloed in zijn mond.

Hoezo? dacht hij. Zomaar schieten?

De tweede kogel sloeg de rest van zijn tanden eruit.

Gevangenistanden, dacht Bruxman.

Een officier hield een megafoon op batterijen voor zijn mond. Hij blies in het apparaat, om het volume te testen, en riep: 'Bruxman? Bruxman? Hoor je mij?' De echo weergalmde tussen de woonblokken.

Iedereen wachtte op antwoord.

Er kwam geen antwoord.

'Rijkswacht! Politie! Wapens in de aanslag. Wacht op mijn bevel!'

'Ik hoop dat je toiletpapier bij hebt, Vindevogel?' vroeg Sofie Simoens.

De speurders zaten kop-in-kas weggedoken achter een lange rij huisvuilcontainers. Rijkswachters galoppeerden op bezwete paarden door de straten.

'Toiletpapier? Waarom?'

'Vandaag is het jouw beurt om in je broek te schijten.'

'Blaas hem uit zijn kot,' riep Alain.

Plots stotterende machinegeweren. Zinggg zinggg zinggg. De kogels floten om zijn oren. Een verdwaalde kogel trof het televisietoestel en met een geweldige knal ontplofte de beeldbuis. Bruxman zwaaide zijn koffers met kleergoed in het rond en smeet ze door het open raam. In hun tuimelvlucht naar beneden kantelden de koffers en vielen open en al het ondergoed en de jassen en broeken en hemden fladderden eruit en zweefden als parachutes naar de begane grond. Hemden hingen als spoken in de kale bomen, met wijdgespreide armen. De tweemotorige politiehelikopters uit Melsbroek cirkelden zoemend als wespen rond de hoogste van de zes of zeven woonblokken in het Europark. De angel in de staart, dacht Bruxman. Het gevaar zit in de staart. Hij zette de whiskyfles aan zijn mond en slokte ze leeg, in twee, drie gulzige teugen. Onmiddellijk steeg de alcohol naar zijn hoofd. Hij stortte zich op zijn pistolen en revolvers op de tafel en flipte de stereo aan en oorverdovende housemuziek knalde uit de boxen.

I BELIEVE I CAN FLY

I CAN FLY—I CAN FLY—I CAN FLY

FLY—FLY—FLY
I BELIEVE I CAN TOUCH THE SKY
Keihard. Perfect om de boel op te zwepen.
Bruxman keek naar zijn handen.
Hij had ongelooflijk sterke handen.
De woede zat in zijn vingers.
I CAN FLY—I CAN FLY—I CAN FLY
SPREAD MY WINGS AND FLY AWAY
I BELIEVE I CAN FLY
FLY—FLY—FLY
'Hij wil dat wij hem doodschieten,' zei Peeters.
'Denk je?'
'Zeker van. Daar wacht hij op.'
'Amen en uit,' zei Dockx.
'Nee,' zei de commissaris. 'Hij wil tijd winnen. Hij voert iets in zijn schild.'
'Wat is hij van plan, chef?'
'Weet ik niet. Maar dat hij zich niet als een lam naar de slachtbank laat leiden, staat als een paal boven water. Zo ken ik Bruxman niet.'
'Zal hij zijn vel duur verkopen?'
'Ik denk het.'
'Ontsnappen, chef?' vroeg Sofie Simoens. 'Ontsnappen uit het kordon dat politie en rijkswacht rond hem hebben gelegd? Onmogelijk.'
'Niets is onmogelijk voor deze man, Sofie.'
In het wilde weg schoot Bruxman zijn revolvers leeg. Een helikopter zwenkte en kantelde en tolde in glijvlucht uit beeld. Bruxman kreeg een woeste blik in zijn bloeddoorlopen ogen. Alsof hij bezeten was. Hij greep twee verse pistolen en boog zich over de balustrade en vuurde op de agenten en de rijkswachters, in het wilde weg, zonder te mikken, *à bout portant* zoals de Fransen zeggen. Een

rijkswachter zonder pet stond op het verkeerde ogenblik op de verkeerde plaats. De kogel boorde zich precies in het midden van zijn hoofd—alsof zijn kale schedel een perfecte schietschijf was—en kwam er onder zijn kin uit en de pulp van zijn hersenen spatte tussen zijn benen. Hij zakte voorover met zijn gelaat in de sneeuw. Met een verachtelijke grijns smeet Bruxman de lege wapens in de diepte. Hij greep de AK-47 kalasjnikov die in het midden van de tafel lag en haalde de trekker over, zonder te mikken, vanuit de heup. Het snelvuurgeweer sloeg op hol en bleef schieten, *dakka-dakka-dakka-dak*, ratelend, rochelend, hij hield zijn vinger aan de trekker en vlamde een hele lader leeg, zestig kogels. Met een oorverdovend lawaai en een snelheid van drieduizend kilometer per uur sloegen zij grote zwarte gaten in de opspattende sneeuw. Het gebrom van de helikopter smoorde het *dump-dump-dump* van de inslaande kogels. Hij smeet zijn diplomaten-koffertje door het raam en langzaam dwarrelden de dollars en Engelse ponden en Duitse marken en Italiaanse lire naar de begane grond. Agenten en rijkswachters grab-belden de biljetten uit de lucht. Dat was voor de politie het sein om in actie te schieten. Met een speciaal geweer slingerde een agent van de Dienst Speciale Eenheden een traangasgranaat naar de hoogste verdieping. *Boooommm-booommm.* Eerst een oranje vuurtong, dan rode vlammen. Een zwarte rookpluim verduisterde de hemel. Traangas is geen parfum van Dior of Armani. Traangas is een wolk van gif en gif is dodelijk. In een wijde boog vloog de gra-naat over het dak en plofte in de kale bomen van de Willem Elsschotstraat en het dodelijke gas, met de frisse geur van appelbloesem, waaierde in de straat. Een bejaar-de man in kamerjas zocht dekking achter een hoop ste-nen. Hij begon vreselijk te hoesten. De Duitsers, dacht hij, ze zijn terug, de Duitsers uit mijn jeugd die hun v1 en v2-bommen op Antwerpen lanceerden. Niet moeilijk, van Duitsers was je nooit verlost, zij gingen langs achter buiten en kwamen langs voor weer binnen. Hoe meer hij de tranen uit zijn ogen wreef, hoe erger het gevoel werd dat zijn ogen uit zijn kop brandden. Een meisje met de glimlach van Shirley Temple was onderweg naar de speeltuin. Zij schrok zo hard van het ratelende geweervuur dat zij uit haar mond begon te bloeden. Haar kleine handjes werden purper van angst. Sofie Simoens kroop in dekking achter een Iveco, met een pistool in de ene en een revolver in de andere hand.

'Schiet hem aan flarden!' riep Vic.

'Sterven is geen straf,' zei Sofie Simoens.

'Voor de rest van zijn leven achter tralies. Dat is de enige straf voor iemand met zijn kwaliteiten,' zei de commissaris.

'Hoor je mij?' galmde de stem door de megafoon.

Opnieuw: stilte.

'Wij halen hem eruit,' zei de commissaris.

'Hoe?'

'Gewoon. Met de lift.'

'Goed idee,' zei Peeters.

'Wie vertrekt eerst?' vroeg de commissaris.

'Ik,' zei Dockx.

'Ik ga mee,' zei Sofie Simoens.

'Ik ook,' zei Vindevogel.

'Goed,' zei de commissaris.

De speurders trokken hun dienstpistool.

'Voorzichtig, schatjes,' zei Sofie Simoens.

'Niet schieten!' riep de commissaris. 'Niet schieten!' Zelf klemde hij zijn designerpistooltje in zijn vuist. Door de ultrakorte loop was de Beretta een uitstekend wapen voor de korte afstand, tot enkele tientallen meters.

De scherpschutters op de platte daken van de woon-blokken mikten en haalden de trekker over, zoals zij dat op de politieschool hadden geleerd, en een regen van kogels ratelde en knetterde en dreunde tegen de grijze gevel van het Chicago-blok. Brekend glas en splinterend hout. Vogels vielen dood uit de hemel en in een wolk van stof en pleisterwerk sloeg rondvliegend beton alle ramen stuk, op alle verdiepingen. Gordijnen bulkten als lijkwaden uit het kapotte vensterglas.

Een ambulance gierde door de straat.

DEE-DAH! DEE-DAH!

'Laat maar,' zei de commissaris. 'We kunnen niets meer doen.'

'Hoe bedoel je, chef?'

'Zo'n kermis. Maak er een kruis over. Bruxman komt hier nooit levend uit en met de dood van de dader eindigt het politieonderzoek,' zei hij.

Heel de wijk was afgegrendeld. Televisieploegen van ATV en VTM en de VRT stelden een batterij mobiele satel-lietzenders op en straalden sfeerbeelden door naar de regiekamer. Gerechtelijk analisten gaven commentaar op de gebeurtenissen. Een verslaggever van een plaatselijke krant kroop op zijn knieën door de smeltsneeuw. Zijn broekspijpen werden kletsnat. De gecharterde helikopter van VTM bleef aan de grond. Te veel ochtendmist, opstij-gen was onmogelijk. In tegenstelling tot politiehelikopters hebben commerciële helikopters geen radar aan boord. Als er mist hangt, zelfs in sluiers, lopen zij het gevaar tegen torens en hoogspanningskabels te vliegen.

'Vuile rotmoffen!' riep de bejaarde man in kamerjas.

Een neger met blinde ogen in het uniform van het Leger des Heils begon luidkeels te bidden.

BOOOMMMBEDEBOOOMMM-BOOOMMM.

'Goeie God, waar kwam díé knal vandaan?'

Op de tiende verdieping van het Chicago-blok strompelde Adeline uit bed. Zij trok een raam open. '*Sales flamands!*' riep zij. 'Smeerlappen! *Sales racistes!*'

Een Arabier op de dertiende verdieping zwaaide met een witte vlag.

'Eeuwig-heid! Eeuwig-heid!' weerkaatste de stem van de blinde neger.

Politiewerk is wachten. Wachten en geduld. Uit de politieradio's kraakten verwarde berichten. *Zeg Staf... wa'd'is dor on d'haand joeng...? Watte?... Woar?... Den blok van de zwarte mannekes...? Nondedju!...* Agenten van de Groep Schaduwen en Observatie in brandvertragende overalls kropen achter kogelwerende schilden. In een wijde bocht zwenkte de politiehelikopter door de hemel, als een eenzame schaatser op blauw ijs, en scheerde rakelings over de speelplaats van de technische school, om uit het zicht te verdwijnen achter de bomen en de betonblokken. Rook, dode vogels, angst, pijn en geweeklaag. Pantserwagens van de rijkswacht namen strategisch hun plaatsen in. Er was zelfs een oud BDX-stormvoertuig bij, dat op een zwarte tank leek. Een Citroën C15 voor het vervoer van aanvalshonden wachtte aan het eind van de straat op orders van de officier van dienst. Naast het stormvoertuig stond een geblindeerde bus voor gevangenenvervoer. Leeg. Een verdachte Mazda met Litouwse nummerplaat stond verkeerd geparkeerd en werd in alle stilte weggetakeld.

Zilverberken wiegden in de winterzon.

I CAN FLY, HEY I CAN FLY

IF I JUST SPREAD MY WINGS

ííí-ÁÁÁ, ííí-ÁÁÁ huilden de sirenes.

I CAN FLY—EYE-EYE

WOW-WOW-WOW-WOW-WOW.

'Actie! Actie!' riep de officier door zijn megafoon, die hij als een toeter voor zijn mond hield. Geen antwoord uit het appartement.

'Wie zit daar?' vroeg de blinde neger.

'Een politiemoordenaar,' zei Sofie Simoens—

—en zij dacht aan Ali El Hadji en kreeg tranen in de ogen.

'Ik ken een goei mop,' zei Alain.

'Over Jennifer Lopez?'

'Nee, over de vibrator van de Pfaffs.'

'Vertel op!'

Carmen Pfaff komt langs de slaapkamer van haar dochter en luistert aan de deur. Zij hoort gezoem en gehijg en opent de deur. De dochter ligt op bed, met haar billen wijd uit elkaar, en geeft zich een flinke beurt met een monster van een vibrator.

—Wat doe je, Lindsey? vraagt Carmen geschrokken.

—Ach mama, zegt de dochter, ik woon nog altijd thuis, ik heb geen vriend... laat mij mijn pleziertje.

's Middags passeert Jean-Marie Pfaff de slaapkamer. Zoemen en hijgen. Weer geeft zijn dochter zich een flinke beurt met haar vibrator.

—Wat doe je, Lindsey? vraagt Jean-Marie Pfaff.

—Ach papa, zegt de dochter, deze vibrator vervangt een echtgenoot.

Die avond horen moeder en dochter een vreemd *zzoemm zzzoemm* vanuit de living. Jean-Marie kijkt TV, met de zoemende vibrator op de sofa naast zich.

—Wat doe je, Jean-Marie? roepen Carmen en Lindsey tegelijk.

—Ik kijk gezellig naar het voetbal, samen met de echtgenoot van Lindsey, antwoordt Jean-Marie Pfaff.

De flikken schudden met hun buik van het lachen.

In het Europark droop de nattigheid van de bomen. De maagdelijke sneeuw was vertrapt tot pappig modder-sneeuwslijk. Er liep een Vietnamees hoertje met een bontmantel rond, op lange spichtige benen. Zo'n trom-melstokken had niemand ooit eerder gezien. Tante Terry was ijverig op zoek naar een vroege klant, op zilveren schoenen met hoge hakken die tap-tap-tapten op de sneeuwvrije plekken op het beton tussen de woonblok-ken. Zij rilde van de kou. Zij droeg een geel mini-rokje en een zwartleren vestje dat gekreukt was als krantenpapier.

'Wie we hier hebben, ons klein keuterkontje,' lachte Alain.

'Klein klein kleuterke?' vroeg Vindevogel.

'Weet je wie ik eens als klant in bed had?' pochte het Vietnamees hoertje. 'Roger Vadim. Zooo'n penis, zeker vijfendertig centimeter.' Zij lachte hoog en schril. 'Niet te verwonderen dat de mooiste vrouwen ter wereld aan zijn toeter hingen. Brigitte Bardot, Annette Stroyberg, Catherine Deneuve, Jane Fonda niet vergeten. Vijfendertig centimeter! Een paard kan er een puntje aan zuigen! Je kent Roger Vadim toch?'

'*Ze poepe d'er hier nog nie neffe,*' zei een flik met een baard.

'Wat is een toeter?' vroeg Vic.

'*Ein Schwanz,* in het Duits,' zei Alain.

'*Wul'de gaai oek is, manneke?*'

'Verniet?' vroeg Vic. 'Lekker neuken?'

Hun ogen zochten elkaar.

'*Verniet stjeendwood,*' antwoordde Tante Terry sloom. Vierhonderd, dacht zij, geen frank minder.

'Met of zonder vibrator?' vroeg Alain.

'Wie is Brigitte Bardot?' vroeg Deridder.

'Een paard dat er een puntje aan zuigt, dat moet vuur-werk geven, zeg,' zei Tony Bambino.

'Een puntje aan de *Schwanz* van Hitler,' lachte Peeters.

'Liever aan die van Hitler dan aan de toeter van Roger Vadim!' zei Tante Terry likkebaardend.

De commissaris voelde zich weer eens een oldtimer tussen al dat jonge geweld.

In de pappige sneeuw op het trottoir maakten tot de tanden gewapende rijkswachters van het Speciaal Interventie Eskadron en agenten van het Bijzonder Bijstands Team zich klaar om als echte bergbeklimmers tegen de gladde muur van het Chicago-blok omhoog te klauteren, met behulp van rood touw en voetklemmen en pikhouwelen, alsof het de hoogste top was van de Mont Blanc in plaats van een ordinaire woontoren waar negenhonderd gezinnen woonden.

Ochtendzon straalde tussen de wolken en toch was het verdomd koud.

Negen uur op de klok van de kathedraal.

'Laat je wapens vallen,' riep de officier door de megafoon.

Geen antwoord.

'Geef je over!'

Hij haalt het niet, dacht de commissaris.

Voor het vervoer van labo-materiaal maakte de gerechtelijke politie gebruik van een Peugeot Partner met vijf deuren. Een klein, handig voertuig. Het stond strategisch opgesteld naast de barakken van de technische school, buiten het bereik van de moordende kogels. In de laadbak van de Partner percoleerde een koffiezetmachine en het zachte aroma van verse dessertkoffie waaierde uit over het Europark.

'Kwam jij dat ooit in je carrière tegen, chef, dat een misdadiger tegelijk dader en slachtoffer was?' vroeg Dockx.

Hij droeg een kort kogelwerend vest van Zwitsers fabrikaat, XXL, extra-extra-large, en de paar haren op zijn hoofd stonden rechtop in de wind.

'Hoe bedoel je?'

'Dader en slachtoffer, één en dezelfde persoon?'

Op die vraag wist de commissaris niet meteen een antwoord.

'Wat doen we met Bruxman? Als we hem levend pakken?'

'Terug naar Leuven-Centraal,' zei de commissaris.

'Kan hij de gang dweilen en 's middags een kaartje leggen met Horion en de Wurger van Linkeroever,' zei Sofie Simoens. Zij dronk verse koffie uit een wit bekertje en jongleerde met haar wapens. Sofie Simoens was er trots op dat zij kon scherpschieten met twee blaffers tegelijk.

'Een stinkbom in zijn gat en BANGGG! verlos ons van het kwaad,' zei Vindevogel.

'Levend microgolven,' zei Peeters. 'Tot stof en as, zoals den Dolf deed met de joden.'

'Dolf? Welke Dolf?' vroeg Dockx.

'Hitler, wijsneus,' zei Peeters. '*Adolf* Hitler.'

'Microgolven? Da's uit de tijd, Peeters,' zei Desmet. 'Er zijn betere manieren om Bruxman te doen verdwijnen. Lyofiliseren, bijvoorbeeld. Hij wordt in twee stappen diepgevroren, eerst thuis in de diepvries tot min 18 graden Celsius en vervolgens tot min 196 graden Celsius door onderdompeling in vloeibare stikstof, waarna zijn diepgevroren lichaam wordt gedroogd en verpulverd. Wat overblijft is 25 kg reukloos poeder dat snel verteert.'

'Pfff,' zuchtte Dockx, 'lyofiliseren, zo'n moeilijk woord. Ik ken moeilijke woorden die veel gemakkelijker zijn. Ooit gehoord van hydrolyse? Nee, natuurlijk niet. Jullie lezen te weinig boeken. De methode wordt in ziekenhuizen gebruikt om afgezette ledematen te doen verdwijnen, en

foetussen na een abortus. Bruxman wordt opgesloten in
een metalen kist die wordt gevuld met verdund natron-
loog tot hij helemaal is ondergedompeld in de alkalische
vloeistof. Na drie uur blijft er geen spat van over. Geen
spaander.'

'Opgelost?'

'Helemaal.'

'Wat doe je met de vloeistof?'

'Lozen in de riool.'

'Bruxman lozen in de riool? Zedde-zot? Geen sprake van,'
zei de commissaris. 'Drinkwater is gezuiverd rioolwater.
Stel je voor, ik kom thuis, draai de warmwaterkraan open
en de vullingen van zijn gebit komen eruit.' Hij speelde
met de oude muntstukjes in de zak van zijn jas, 25 centi-
mes, met een gaatje in het midden. Als kind legde hij ze
op elkaar en klemde ze tussen duim en wijsvinger en
maakte er een fluitje van. Oude muntstukjes brengen
geluk, dacht hij. Als ik naar de Zoo ga, gooi ik ze bij de kro-
kodillen, dat brengt dubbel geluk. Hij balde zijn vuisten
tot zijn knokkels er wit van werden.

Deridder—in zijn zwartleren motorpak—kroop onder
de struiken. Hij hield zijn Browning 9mm Para schie-
tensklaar in de hand. Ik ben een ramp met een vuurwa-
pen, dacht hij. In de kamer zat één patroon waardoor hij
het afschieten met één tot twee seconden kon versnellen.
In de lader zaten nog eens dertien kogels. Zijn hand beefde. Hij had zijn Harley Davidson op de Halewijnlaan
geparkeerd, tussen de bomen.

'Wat een show,' zei het Vietnamese hoertje met de trom-
melstokken.

'Hoe heet je, Pussycat?' vroeg Alain.

'Suzy Wong,' zei het hoertje.

'Woar ze'n oengs mannen van den TV?' vroeg Tante Terry.

'Ginder, achter de bosjes, de broekschijters.'

'Kwam jij ooit op TV?' vroeg Alain.

'Eén keer, in een spelprogramma,' zei Suzy Wong. 'Ik mocht de prijzen uitdelen. Een reis voor de winnaar, per vliegmachien.'

'De politiemoordenaar hierboven kan ook een vliegmachien gebruiken,' zei Alain.

'Hij voert iets in zijn schild,' zei Tante Terry. 'De commissaris heeft het gezegd.'

'Bravo!' riep Suzy Wong.

Zwaailichten weerkaatsten in de ovale keukenspiegel. Blauw-wit, blauw-wit, aan, uit, aan, uit, blauw-wit, blauw-wit. De lift schokte omhoog. Ze komen mij halen, dacht Bruxman. De klootzakken komen mij halen. Hij veegde het angstzweet van zijn bovenlip. 1 minuut 2 seconden 32 honderdsten. Alles of niets. Hij zat als een rat in de val. Alles of niets. Er was slechts één manier om de hel te overleven.

Met zijn lichaam kronkelend over de vloer, als een slang, kroop Bruxman naar het terras, met een pistool in de ene en een revolver in de andere hand, over glasscherven die zijn buik en billen en zijn penis aan stukken sneden. Zijn krachten namen af en de pijn brandde als vuur in zijn lichaam. Hij trok een spoor van bloed achter zich en klauterde op de metalen brandladder en hees zich op het platte dak. Beton brokkelde als puimsteen naar beneden. In zijn mond vermengde zich de smaak van bloed en pleisterwerk. Bruxman was nooit bang geweest van de dood. Hij knipperde niet met de ogen. Hij voelde de kou niet. De kogels raakten hem niet. WIIIIÉÉÉOOUUU-WWW! Weer een traangasgranaat met een brandende staart en daaroverheen een tweetonige politiesirene. DEE-DAH! DEE-DAH! De granaat landde in de bomen tussen de struiken. Op het platte dak van het Chicago-blok lag de driehoekige delta-vleugel die Bruxman in het holst van de nacht in elkaar had geknutseld met het plastic zeil van glad, gevlochten Dacron en holle pechelbuizen. Spanwijdte 8 meter, voor een gewicht van 20 kilogram. Een ding van niets, eigenlijk. Hij keek naar de vlaggen aan de kathedraal. Zij wapperden in de wind. Bruxman gespte een parachute op zijn borst en trok een pothelm verstevigd met kevlar over zijn hoofd. In plaats van een horloge spande hij—zwaar hijgend—een hoogtemeter om zijn linkerpols.

Lucht piepte door de kogelgaten in zijn wangen.

'Der zit-er iejne oep't dak!' riep de flik met de baard.

'Tis nen indiaan.'

'A zie'd ielemael rwood, van 't bloud.'

'Misgien ett'em zen reigels...'

'Joa, de vodde... HAHAHA!'

'Niet schieten, niet schieten!' riep de commissaris.

'Een verdachte heeft het voordeel van de twijfel,' zei een magistraat.

'Dat is flauwekul,' antwoordde de officier met de megafoon.

'Nee. Dat is de wet.'

'Dan is de wet flauwekul.'

'Wie is die man eigenlijk?' vroeg Alain.

'Doet er niet toe.'

Bruxman kroop onder de vleugel en wurmde zich in het harnas, dat op een slaapzak leek. Hij gespte zich vast. Naakt. Rillend in de ijzige kou. Bloedend als een rund. Verrot van de pijn in zijn kaken. Hij zocht zijn evenwicht... concentratie... en nam een aanloop... lopen... lopen... en trok een korte nijdige sprint over het dak van het woonblok en telde zijn stappen en slaakte een oerkreet en sprong over de rand in de diepte terwijl hij in het wilde weg zijn wapens leegschoot—

Kuypers rolde een stretcher uit de ziekenwagen. 'Pakje poep, stront op de stoep,' lachte hij en een kogel drong in het midden van zijn voorhoofd in zijn schedel en kwam eruit door zijn rechteroor en duwde hem omver met de kracht van een stoomlocomotief. Bloed borrelde uit zijn mond. Hij proefde braaksel in zijn keel. Twee minuten later was hij dood.

—en naar beneden viel... tachtig meter diep... viel... viel... vijfentwintig verdiepingen... viel... viel... viel... tot na enkele seconden lucht en wind 'pakten' onder de driehoekige vleugel van plastic zeil en de delta ineens zijn gewicht 'droeg' en bleef 'hangen', tegen de wind in, halfweg tussen hemel en aarde. Machinegeweren knetterden als luchtafweergeschut en kogels zigzagden om zijn oren. Handig en behendig zocht Bruxman opstijgende lucht vanuit de zee, eerst swirrelde hij in het rond, zoals in een draaikolk, dan 'pakte' de vleugel thermiek en vanuit stilstand zweefde hij langzaam en sierlijk over de bocht in de Schelde, hoog boven zijn schaduw die over het rimpelend water gleed.

'Yabba-dabba-dooooooo!' riep hij.

'De vogel is gevlogen,' zei Alain.

'Laten vliegen,' zei de commissaris.

'We pakken hem wel,' zei Vindevogel.

'Is het niet vandaag, dan is het morgen.'

'Goed gedaan, vriend. Ge hebt de fascisten bij hun Duitse kloten!' riep de bejaarde man van achter zijn berg schroot en stenen.

Ieder beeld in de natuur heeft zijn spiegelbeeld. Bergen hebben dalen, vissen hebben vogels, en de zee heeft de lucht. Golven in de lucht zijn onzichtbaar voor het blote oog en toch zijn zij er, soms woest, vaak onstuimig en verraderlijk, met echte 'schieters' zoals de hoogste golven op zee bij stormweer, en altijd bokkig. Lucht en wind stijgen en dalen en borrelen en gaan opzij en trekken aan, zij volgen de heuvels in het landschap en nemen de vorm aan van de aarde. De scherpschutters op de daken lieten hun wapens zakken en staarden met open mond naar de delta-vleugel die sloom in het rond draaide, in het zachte licht van de winterzon, tussen kleine gouden wolkjes, buiten het vliegbereik van de hoogste helikopter. Schapen dansten in de wei en zwarte silhouetten van kale bomen wierpen grijze schaduwen op ondergesneeuwd akkerland. Boven de dokken geurde de hemel naar teer en nat touw. Achter Doel en Lillo en boei 74 en de schorren en slikken van het Verdronken Land van Saeftinge hing mist over de Schelde. Ochtendmist. Heen en weer glijdend in het harnas, om de juiste stijgingswinden op te zoeken, zweefde Bruxman zoals in een echte science-fictionfilm over het industriële landschap van de petrochemie, met glinsterende oliereservoirs en walmende fakkels, en verdween als een schim aan de horizon. Hij kon de zee ruiken. De geur van de vrijheid. In het westen kreeg de hemel een bleke, bijna groene kleur. Hij klom hoger en hoger, tot vlak onder de wolken, en liet zich meedrijven op de wind, tussen de meeuwen.

Van STAN LAURYSSENS zijn bij
dezelfde uitgever verschenen:

ZWARTE SNEEUW

BEKROOND MET DE HERCULE POIROT-PRIJS 2002

Zwarte sneeuw is de eerste aflevering in deze reeks bloedstollende en filmische thrillers. Plaats van actie is de stad aan de stroom, waar de regen klettert op grauwe daken en de bedrijvige speurders van de Antwerpse moordbrigade de meest bizarre zaken proberen op te lossen.

Een man in het zwart sluipt tussen vervallen huizen. Zijn schoenen slieren over de natte straatstenen. Roos de Moor, die haar brood verdient met het kopiëren van schilderijen, slaakt een ijselijke kreet. Haar gruwelijk verminkte lichaam hangt aan een antieke vleeshaak in haar atelier, waar het door speurders van de moordbrigade wordt gevonden. Uit café Zanzibar klinkt een weemoedige stem die *Que Sera Sera* zingt, terwijl uit het Lobroekdok het verminkte lijk van een travestiet wordt opgevist. Is dit het begin van een ijzingwekkend spel dat een seriemoordenaar speelt met de speurders?

'Zijn thrillerdebuut is niet om naast te kijken.'
– DE MORGEN

'Een spetterend en dynamisch verhaal.' – KNACK

'Lauryssens chargeert en overdrijft, wisselt intimistische, bijna filosofische stukken af met absurde dialogen.' – DE STANDAARD

Dode lijken

Dode lijken *is het tweede boek in deze reeks bloedstollende en filmische thrillers. Plaats van de actie: de stad aan de stroom, waar het asfalt smelt in de straten en de speurders van de Antwerpse moordbrigade bij nacht en ontij het ene raadsel na het andere oplossen.*

BAMM! BAMM! Twee schoten van dichtbij, kort na elkaar, zoals in een Amerikaanse film. Zij lag onder een straatlamp en bloed spoot als een fontein uit haar lichaam. Hij bleef maar schieten, drie kogels per seconde, een ballet van kogels, tot de lader leeg was en zijn pistool klikte. De nacht was zo warm, dat de lucht ervan trilde. Aan de andere kant van de stad schoot een steekvlam omhoog tussen geparkeerde auto's en met een geweldige knal spatte het Fiatje van Miss België uiteen in duizend brandende stukken. In het lokaal van de gerechtelijke politie trokken de speurders een kogelvrij vest aan. De tafel lag vol revolvers en pistolen. 'Excuseer, ik voel mij naakt zonder mijn blaffer,' zei Sofie Simoens. De nieuwe speurder droeg strakke jeans en cowboylaarsjes van slangenleer.

'Genieten deed ik echt van het werk, of beter nog het gepraat in de recherchekamer. Daar vooral merk je dat Lauryssens oog en oor heeft voor zijn personages en ze ook tot leven brengt. [...] Een waardig vervolg op Lauryssens' thrillerdebuut *Zwarte sneeuw*, dat vorig jaar terecht bekroond is met de Hercule Poirot-prijs.' – KNACK

'Vlaanderens origineelste misdaadschrijver.'
– GAZET VAN ANTWERPEN

RODE ROZEN

Rode rozen is de derde thriller van een misdaadtrilogie waarin keiharde actie, bloedstollende scènes en humoristische dialogen elkaar flitsend afwisselen in de stad aan de stroom, waar de regen natter dan nat is en de speurders van de Antwerpse moordbrigade bij nacht en ontij het ene raadsel na het andere oplossen.

Het meisje lag aan de rand van de vijver, met haar gelaat in de modder. Nergens een spoor van bloed. *Wie deze weg gebruikt, doet het uitsluitend op eigen risico* stond op een bord tussen de bomen. Een dode in het lijkenhuis kreeg een erectie en de koning van de mafioski werd omvergeknald in een zijstraat van de Keyserlei. Erg was dat niet, hij liep toch met de dood in zijn schoenen. Een verkrachter neuriede *Kili kili watch watch* in de voetgangerstunnel terwijl Fatima twee straten verderop aan een lantaarnpaal bengelde. Alle ramen in het stadhuis waren verlicht. Uit een staalgrijze hemel viel koude regen. De commissaris luisterde naar de meeuwen, die miauwden als jonge katjes. De beroemde lichtjes van de Schelde kreeg hij er gratis en voor niks bij.

'Keiharde actie, bloedstollende scènes en humoristische dialogen.' – DAG ALLEMAAL

'Bladzijde na bladzijde hou je de adem in. [...] Stan Lauryssens op zijn best en beter dan veel gereputeerde buitenlandse thrillerschrijvers.' – DE MORGEN

'Meesterverteller Stan Lauryssens bevestigt met *Rode rozen* dat hij over een van de origineelste pennen binnen het Vlaamse schrijverslegioen beschikt.' – GAZET VAN ANTWERPEN

DODER DAN DOOD

Het begon zacht te sneeuwen. De sluipschutter keek over de loop van zijn geweer naar zijn slachtoffers aan de overzijde van de straat. Een gele tweedekker cirkelde boven het sprookjeskasteel van de Nationale Bank. In de kluis lag zoveel geld, dat het pijn deed aan de ogen. Geld stinkt, zeggen de mensen. Geld is het slijk der aarde. Tweemaal flauwekul. Alle klokken bimbambeierden allemaal tegelijk en een vuurpijl met een staart van fonkelende sterren verlichtte de nachtelijke hemel. *Bam-bam-bam.* De kogels zinderden door de koude winterlucht en feestvierders strompelden door de sneeuw, druipend van het bloed, met hun darmen als spaghetti tussen hun vingers. Golfjes kletsten tegen het staketsel en in de bocht van de Schelde spoelde een lijk aan. Middernacht. De doodsklok luidde over de stad. Het was misdadig mooi.

Doder dan dood is de eerste van twee spannende thrillers over een 'onmogelijke' overval op de Nationale Bank vol keiharde actie, wervelende scènes en humoristische dialogen. De speurders van de moordbrigade—de commissaris, Sofie Simoens met haar cowboylaarsjes van slangenleer, Peeters, Tony Bambino, Desmet en al die anderen—vallen van de ene verbazing in de andere in de stad aan de stroom, waar de sneeuw natter en kouder en witter is dan elders in het land.

'Zalig om lezen.' – EEN LEZERES

'Een aanrader. ***** Vijf sterren.' – MAXIM

'Meesterlijk.' – DE MORGEN